2009

Carole Henriod Hohlman

LES ÉGÉRIES
ROMANTIQUES

Chez le même éditeur

Les Égéries russes

Gonzague Saint Bris

Les Dynasties brisées (Prix Grand Véfour de l'Histoire)
Les Aiglons dispersés
Les Septennats évanouis

Vladimir Fedorovski

Histoire secrète d'un coup d'État, avec Ulysse Gosset, 1991

Chez d'autres éditeurs

Gonzague Saint Bris

Qui est snob ? Essai, Calmann-Lévy, 1973
Athanase ou la manière bleue, Roman, Julliard 1976
Le Romantisme absolu, Essai, Stock/Édition N° 1, 1978
Ligne ouverte au cœur de la nuit, Document, Laffont, 1979
La Nostalgie, Camarades !, Essai, Albin Michel, 1982
Les Histoires de l'Histoire, Récits, Michel Lafon, 1987
La Fayette, la Stature de la Liberté, Biographie, Filipacchi, 1989
(Prix Contrepoint 1989, Award de littérature de l'Université
J.F. Kennedy, Prix de la Société de géographie, Plume d'or de la
biographie)
Desaix, le Sultan de Bonaparte, Librairie Académique Perrin
(Prix Dupleix), 1995
Romans secrets de l'Histoire, Éditions Michel Lafon, 1996

Vladimir Fedorovski

Histoire de la diplomatie française, Éditions de l'Académie
diplomatique, Moscou, 1985
Le Département du diable, Éditions Plon, 1996

Gonzague
SAINT BRIS

Vladimir
FÉDOROVSKI

LES ÉGÉRIES ROMANTIQUES

JC Lattès

Pour un rien, je me ferais russe...
BALZAC

*Tout ce que je comprends, je ne le comprends que
parce que je t'aime.*
TOLSTOÏ

PROLOGUE

Égéries romantiques, égéries françaises, égéries russes, égéries cosmopolites, leurs rendez-vous avec le destin ont été scellés par le siècle que les Russes appellent le siècle d'or de la littérature, le XIXe siècle, romantique par excellence. Deux de ses acteurs de premier plan, Napoléon et Alexandre Ier, l'ont ouvert avec fracas.

Le premier a étranglé la terreur révolutionnaire avec un drapeau qu'il a fait voler de victoire en victoire comme un aigle. Mais il avait prévenu : « La révolution doit apprendre à ne pas prévoir. » Le second, archange immaculé du tsarisme, a fait pire. Il laissa tuer son père sans protester, détournant la tête quand le comte Pahlen, dans la nuit du 11 au 12 mars 1801, s'introduisit au cœur du palais d'Hiver pour faire étouffer Paul Ier. L'assassin n'eut à subir que des conséquences légères de son geste. Exilé dans ses terres, il n'exprima jamais le moindre regret, ni une ombre de remords : « Même devant Dieu, je saurai répondre », disait-il.

A partir de 1800, après que les romantiques allemands, Novalis, Schelling, Ritter et les frères Schlegel se sont rassemblés à Iéna, dix ans après la Révolution française, on dirait que chaque destin est marqué par les secousses brutales du siècle. Dans cette époque où les hommes commencent à être amoureux de la mort, où les héroïques blessures sont les plus beaux ornements de la vie, les femmes paraissent dans l'aurore de leur pouvoir. Elles inventent, au pays des beaux gestes, deux armes blanches, lucidité et dignité, prenant le relais du héros lorsqu'il faiblit, le dépassant dans les épreuves, galvanisant partout des énergies qui leur résistent encore. Deux exemples en témoignent.

Une femme pleure à Paris le 18 brumaire. Elle ne pleure pas sur elle-même, elle sanglote sur le triste destin de la liberté. Elle est une des premières à avoir vu dans le Premier Consul le futur tyran, comme Théophile Gautier. Pendant quinze ans, elle ne connaît ni faiblesse, ni fatigue. Persécutée, privée de sa patrie dans ces journées de silence de l'Europe asservie, elle a appelé à la lutte au nom des nobles intérêts de l'humanité pour la liberté, l'enthousiasme et la morale. C'est elle l'auteur de cette phrase : « En Russie, le gouvernement est un despotisme mitigé de strangulation. » Elle s'appelle Germaine de Staël, elle est la romancière de *Delphine*, elle se situe au centre de l'opposition à Napoléon Bonaparte. A l'inverse d'Anne de Kiev, première égérie russe qui allait devenir reine de France, elle quitte Paris en 1812, traverse l'Europe à l'envers, partage ses souffrances et écrit de Galicie : « Je passe parmi les Polonais mendiants, les Allemands espions et les Russes qui embrassent les pieds des seigneurs. » Elle arrive d'abord à Moscou puis s'installe à Saint-Pétersbourg — est-ce un signe — à l'hôtel de l'Europe. Elle qui incarne dans tous les esprits la nymphe de la mythologie qu'on appelle Europe.

Second exemple éclatant de la qualité de ces égéries romantiques : les femmes des décembristes qui ont bravé la société. Zinaïda Chakovskia les dépeint ainsi : « Elles sont princesses, comtesses ou femmes de généraux. Elles sont jeunes, belles, riches et respectées. Et soudain, en 1826, elles renoncent à leurs titres, à leurs biens et à leur vie luxueuse. Elles s'en vont, de leur propre gré, désormais serves d'État, rejoindre leurs maris aux travaux forcés en Sibérie... Mauvais rêve ? Non, la suite véridique de la célèbre révolte manquée du 14 décembre 1825, entrée dans l'histoire sous le nom de Révolte des décembristes. » De jeunes officiers, membres de sociétés secrètes et partisans d'une monarchie constitutionnelle, risquent un coup de force contre le tsar. Mal préparés, ils sont repoussés à coups de canon. La répression sera implacable.

Alors la société faiblit, les amis des conjurés les abandonnent à leur sort, le tsar lui-même procède aux interrogatoires et la grande peur russe gangrène les âmes. La trinité de la terreur est déjà là : retournement, trahison et délation. Tandis que les hommes forts courbent l'échine et partent pour l'exil, les femmes, elles, redressent la tête et décident de les suivre. Aux côtés des princesses Catherine Troubetzkoï ou Marie Volkonski, des comtesses Alexandra Mouraviev ou Élisabeth Narychkine, deux femmes françaises, Camille le Dentu, fiancée d'Ivachev, et Pauline Guéblé, promise d'Annenkov, demeureront dans la mémoire russe comme des icônes de l'abnégation.

Le XIXe siècle, c'est aussi celui de la circulation rapide des êtres et des idées entre Paris et Moscou, Saint-Pétersbourg et les Champs-Élysées, les quais de la Neva et ceux de la Seine. Les Russes ont découvert la France, les Français dévisagent la Russie. Alors, commence un va-et-vient permanent, propice aux grandes amours, aux élections du cœur, aux échanges sensuels, aux aventures de l'esprit mais aussi de la passion. Combien d'amours célèbres et combien d'amours secrets composeront-ils ce mélange de romantisme extravagant et de recherche de l'absolu, semblable à l'image de ces amants en fuite dans un traîneau à clochette entre la neige et la nuit, entre l'amour et l'interdit, entre le lendemain et l'infini.

A l'inverse des apparences, tout commence dans l'incendie de Moscou. Le premier grand déçu, c'est Napoléon lui-même saluant le sauvage panache de ses ennemis qui, pour le décourager, ont osé le sacrifice suprême. Braises, cendres, baisers fous au pays où les haines les plus tenaces se métamorphosent en grandes amours à l'instar des deux ennemis, Rostopchine, gouverneur de la ville, et Ségur, aide de camp de Napoléon, qui voient leurs parents s'unir et Sophie Rostopchine devenir comtesse de Ségur.

A l'intérieur du Kremlin, un des palais les plus purs et les plus mystérieux s'appelle le palais des Facettes en raison de sa façade taillée en pointe de diamant. Ce jour-là, le givre de l'hiver ajoutait encore à sa splendeur immaculée et dans le couchant moscovite se dessinait cette nuance pourpre que les Russes aiment tant vanter. Nous revenions d'un voyage aléatoire sur les traces d'Alexandre Dumas au Caucase, dans la Tchétchénie en feu et, soudain, l'image comme le symbole du palais des Facettes nous ramenèrent à l'amour. Est-ce cette image qui nous a introduits dans la galerie des glaces russes des amours à la française ? Amours d'anges gardiens, amours de démons, amours inachevées, désirs accomplis, amitiés amoureuses, affinités électives... Nous y avons vu toutes les figures, des plus romantiques aux plus folles, des plus sauvages aux plus sensuelles. De la beauté perverse à l'ange du sacrifice, de l'épouse frivole à la maîtresse sublime, de la femme démon à l'égérie immaculée, tous les caractères de femmes y sont apparus. Auprès de ces figures russes qui inspirèrent à Stendhal le personnage d'Armance, de cette Eva Hanska qui offrit à Balzac les feux de l'amour au crépuscule, auprès d'Aglaé de Gramont qui fit perdre la tête au plus grand poète russe, Alexandre Pouchkine, auprès de Nadejda Narychkine qui deviendra l'épouse d'Alexandre Dumas fils, de Pauline Viardot ensorcelant pour tant d'années son doux géant Tourgueniev, ou encore de Maupassant, taureau capturé par un ange, Marie Bashkirtseff, nous avons retrouvé toutes les chorégraphies du cœur, tous les ballets du désir.

Au XIXᵉ siècle, cinq semaines de diligence séparaient Paris de Moscou, trois frontières, la française, la suisse, l'allemande devaient être franchies en dix étapes et, cependant, il nous a souvent semblé, durant notre voyage, que la proximité des âmes, l'affinité culturelle étaient encore plus grandes à l'époque romantique qu'aujourd'hui entre la France et la Russie. Les voyageurs en témoignent eux-mêmes. Quand Murat et l'avant-garde de la Grande Armée investissent la rue Arbat dans le quartier à Moscou où l'on retrouvera plus tard les hôtels particuliers des héros de *Guerre et Paix*, quelle n'est pas la surprise de ses cavaliers de constater que les enseignes des échoppes sont françaises, que les affiches des théâtres sont rédigées en français, que les boulangers, les confiseurs parlent français, et que les précepteurs et les chapeliers viennent de Paris. Dans l'aristocratie russe, on enseigne le français aux enfants

13

et c'est dans la langue de Racine que Pouchkine exprime ses premiers déchirements amoureux. Rostopchine n'écrit-il pas : « Qu'enseigne-t-on aux enfants ? Paris est leur paradis. » Même les femmes des décembristes utilisent le français comme langue de correspondance privée pour adresser à Nicolas Ier leurs humbles suppliques. A Saint-Pétersbourg, en s'engageant dans la grande cité marine, le visiteur étranger se croit sur les quais de la Seine. Avec ses magasins de luxe, ses hôtels particuliers et ses restaurants, on se retrouve dans l'atmosphère de la rue de la Paix.

Lors de son voyage en Russie, Alexandre Dumas écrit à son fils pour exprimer sa surprise de découvrir un pays si immense où, cependant, il n'est pas dépaysé. Lui qui, de France, avait écrit un roman imaginaire dont l'action se déroule de Saint-Pétersbourg en Sibérie et consacré au « Maître d'armes », il va jusqu'à rencontrer, à son grand étonnement, les personnages dont on lui avait rapporté l'histoire et dont il s'était inspiré. Et son plus grand bonheur sera de constater que, chez les Russes cultivés, Lamartine, Victor Hugo, Balzac, Musset, George Sand et lui-même sont aussi connus qu'à Paris. Que dire de Tolstoï, installé rue de Rivoli qui ne boude pas son plaisir de flâneur parisien ou de Gogol qui achève *Les Ames mortes*, dans une chambre place Vendôme ? Égéries des neiges ou égéries françaises, c'est dans ce gigantesque trait d'union entre Moscou et Paris que tient toute l'histoire des femmes d'exception qui ont inspiré les grands romantiques ouvrant le chemin à ces Égéries russes évoquées dans un précédent livre.

1

SOPHIE DES NEIGES, COMTESSE FRANÇAISE

Au palais du Kremlin, Napoléon peut se croire Ivan le Terrible après la prise de Kazan. L'enfant de la Corse a réalisé le plus fou de ses rêves : régner sur la ville « fabuleuse, splendide et chimériquement lointaine » que décrira Théophile Gautier en dessinant son diadème byzantin hérissé de tours et de clochers bizarres. « Je suis enfin à Moscou dans l'ancien palais des tsars au Kremlin », s'exclame Napoléon. Le 15 septembre 1812, l'empereur se couche tôt. Certes, les informations sont contradictoires mais il a quelques raisons d'être satisfait. La veille, une vieille comédienne française a fait savoir à plusieurs personnes de son entourage qu'elle a eu une conversation avec l'aide de camp d'Alexandre Ier, le général Borozdine, lequel aurait affirmé que, désormais, la noblesse russe ne veut plus que la paix. Quelques heures plus tard, Napoléon est réveillé par une lumière éclatante qui envahit d'un coup sa chambre. Les officiers de sa suite, réveillés eux aussi, croient d'abord que le jour s'est déjà levé. L'empereur sort de son lit, s'approche d'une fenêtre, puis d'une autre. Partout, le même spectacle incroyable : une lueur aveuglante, d'immenses tourbillons de flammes, des rues transformées en fleuves de feu, des bâtiments brûlant comme d'énormes bûchers. Un vent de tempête souffle sur l'incendie et le pousse droit sur le Kremlin. Les hurlements du vent sont si forts qu'ils couvent par moments le fracas des maisons qui s'écroulent sous la bacchanale du feu. Le Kremlin abrite Napoléon, sa suite, la Vieille Garde et le dépôt d'artillerie installé la veille. Plus le dépôt de poudre abandonné par les Russes que personne n'a réussi à évacuer. Si les flammes s'approchent du Kremlin, c'est la mort assurée pour Napoléon, sa suite et son état-major.

L'incendie de Moscou

L'empereur est atterré. Qui donc a osé déclencher un tel désastre ? Est-ce le tsar, prostré dans les glaces et les dorures de son palais de Saint-Pétersbourg ? Est-ce Koutouzov, vieux général borgne et infiniment rusé qui vient de prendre la décision, dans une petite isba, de la rencontre au village de Fili, celle qui fera de lui le fameux général hiver ? Non. Celui qui a ordonné l'incendie de Moscou et la politique de la terre brûlée est un ancien favori de Paul Ier, le tsar fantasque aux obsessions prussiennes, un homme d'action au caractère hors du commun, obstiné et spirituel, dont le langage coloré enthousiasme les soldats par ses proclamations pittoresques : « Armez-vous de haches ou surtout de fourches à trois dents, le Français n'est pas plus lourd qu'une gerbe de blé. » Cet homme, qui fut premier ministre avant de connaître la disgrâce et de se retrouver comme Cincinnatus derrière sa charrue pour un exil de onze ans, est construit comme un baril de poudre. Il s'appelle Fedor Vassilievitch Rostopchine. Il y a en lui un mélange détonant d'amertume, de revanche à prendre, de haine pour l'envahisseur, de courage, d'esprit caustique. Son instinct de chef lui dit que le combat contre les Français est la chance de sa vie.

Si Rostopchine est bien l'organisateur de l'incendie de Moscou, est-ce seul qu'il a pris cette terrible décision? Pour Glinka, le chef des volontaires, célèbre organisateur de la résistance, c'est la providence qui a mis la main au bûcher. L'incendie de Moscou, c'est le feu de Dieu, le feu venu du ciel pour purifier la ville. Car, dit-il, là où, dans les palais, il y avait naguère les joies temporelles, des fleuves de feu coulent et consument la vanité des hommes.

Bientôt, une des tours du Kremlin s'enflamme. Quel contraste entre cette cité de l'enfer et celle qui offrait à la contemplation de Napoléon, du sommet de la colline de Poklonnaia, son ensemble inoubliable de palais roses, d'édifices azur et blancs, de coupoles, de flèches, de tours, de clochers, de dômes bleus, dorés, laiteux, violets, comme posés sur une prairie immense, tant les parcs et les larges jardins étaient nombreux dans cette ville. Tandis que la tour du Kremlin se transforme en torche, devant les vitres du Kremlin qui éclatent sous la chaleur, le comte de Ségur, aide de camp de l'empereur, insiste : il faut partir, vite, ne pas perdre un instant. Mais celui que le peuple russe appelle désormais l'Antéchrist reste hébété en voyant sa victoire s'échapper en fumée sous ses yeux. Napoléon, très pâle, reprend peu à peu son sang-froid. Il contemple une dernière fois l'incroyable vision de Moscou en flammes et, lui qui est resté sans voix pendant toute cette nuit terrible, s'exclame enfin : « Ce sont eux qui ont mis le feu. Quels hommes ! Ce sont des Scythes ! » Un peu plus tard, il s'écriera : « Quelle audace, des barbares ! Quel spectacle épouvantable ! »

Le maréchal Mortier fit tout ce qui était humainement possible pour sauver le Kremlin. En vain. Napoléon devait partir immédiatement pour ne pas périr dans les flammes. Alors que l'empereur hésitait encore, l'incendie menaça d'embraser le palais et de couper toute retraite. L'aube pointait. La situation devenait critique, une fumée âcre pénétrait dans le palais et coupait la respiration : « Cela dépasse tout, dit Napoléon en s'adressant à Caulaincourt. C'est une guerre d'extermination, une tactique horrible, sans précédent dans l'histoire de la civilisation... Brûler ses propres villes... Le démon inspire ces gens... Quelle résolution farouche... Quel peuple ! Quel peuple ! » Comme fasciné, Napoléon reste immobile et il faut que le vice-roi Eugène et le maréchal Berthier, son second préféré, se jettent à ses genoux pour obtenir enfin qu'il quitte le palais. Partout déjà fusent les cris : « Le Kremlin brûle ! le Kremlin brûle ! »

Cette scène nous avons cru l'avoir vécue nous-mêmes quand, arpentant la rue Arbat en partageant alors fraternellement la joie toute neuve de la Russie libérée, le 22 août 1991, après l'échec du pustch. Nous sommes tombés devant la vitrine d'un antiquaire sur un petit tableau qui restituait, avec une exactitude hallucinante, le moment le plus tragique du destin de Napoléon Bonaparte. On le voyait sous les remparts crénelés fuir le Kremlin dans un couloir de feu, suivi par Berthier et la suite de ses officiers égarés. Alors que nous nous dirigions vers le jardin Alexandrov, au pied des remparts du Kremlin, quelques semaines plus tard un autre incendie nous éblouissait, celui des feuilles du fameux automne moscovite qui commençait. Il y avait dans l'air, doux et léger ce jour-là, cette atmosphère électrique et cet étonnement de vivre qui succèdent souvent aux grands moments de rupture quand l'histoire est metteur en scène. Le décor avait-il vraiment changé ? Le soleil faisait briller les bulbes dorés des cathédrales et couvrait d'irradiations de turquoises, de saphirs, d'émeraudes, de rubis, les pans côtelés des coupoles peintes.

Paradoxalement, l'incendie de Moscou est le lever de rideau des rapports franco-russes à l'époque romantique. Dans cette guerre de géants apparaît déjà cette fascination réciproque qui précède si souvent l'amour. Un lever de rideau de flammes pour une pièce dédiée à la passion. Admiration, répulsion, attirance et peur, tous les sentiments sont là, mais aussi les acteurs. D'un côté, le comte Rostopchine, gouverneur de Moscou, ennemi juré de Napoléon, mais qui quand il l'insulte le fait dans le français le plus pur. De l'autre, l'aide de camp de l'empereur, Philippe de Ségur, issu d'une grande lignée française qui allait ajouter la gloire de l'empire à celle de son nom. Rostopchine et Ségur sont les premiers rôles de cette pièce paradoxale : d'abord ennemis mortels, ils finiront amis intimes, parents par alliance et plus tard complices littéraires. Henry Beyle est là, lui aussi. Chargé de l'approvisionnement de l'armée, il engrange des impressions fortes qui serviront l'écrivain Stendhal qu'il est déjà.

ARMANCE, LA BEAUTÉ QUI REND SLAVE

La carrière militaire de Stendhal est sans doute moins connue que sa carrière amoureuse. Engagé comme surnuméraire au ministère de la Guerre, en 1800, grâce à l'appui de son cousin Pierre Daru, Henri Beyle voulait connaître « cette sensation de se trouver entre les colonnes d'une armée de Napoléon ». Un an plus tard, il part dans l'armée d'Italie qui va lui donner l'occasion de tant de rencontres passionnées dans la Péninsule. Lorsqu'il reçoit le baptême du feu après le passage du Grand-Saint-Bernard, il s'avance au plus près de la mort avec ce panache dont il parera ses personnages : « Je m'approchais de la plate-forme pour être plus exposé. » Mais l'existence militaire lui paraît bientôt médiocre et il donne sa démission durant l'été 1802 pour écrire. Quatre ans plus tard, il reprend du service, part pour la Prusse, assiste à l'entrée triomphale de Napoléon à Berlin et se retrouve adjoint aux commissaires de guerre, toujours grâce à Daru, dont le nom est devenu aujourd'hui celui de la plus russe des rues de Paris.

Cette décision prise dans le trouble est loin d'être négligeable dans son parcours littéraire. Il exerce alors ses fonctions dans la région de Brunswick et c'est non loin de là qu'il rencontre son destin en traversant une ville qui s'appelle Stendhal. C'est surtout la Russie qui le distinguera. Elle lui fera vivre dans la fournaise de l'action l'incendie de Moscou et dans celle des désirs inassouvis la création d'un personnage féminin inoubliable, sa future Armance, dont on sait que la femme russe est la genèse. C'est lui qui a voulu s'engager dans cette campagne : le 23 juillet 1812, il est reçu en grand uniforme par l'impératrice à Saint-Cloud et est promu « auditeur », charge des plus nobles puisqu'elle lui permet de présenter en personne le courrier à la signature de l'empereur. Lorsqu'il arrive au quartier général le 14 août, il a l'occasion à plusieurs reprises de voir Napoléon de près, tout entier tourné vers son rêve de conquérant. Ensemble, ils vont vers Smolensk, Viazma, la Moscova. Le 14 septembre, ils sont à Moscou. Alors éclate l'incendie et Henri Beyle, avec un calme admirable, voit s'installer la pagaille et le désastre. Tandis que les soldats français entrent dans les palais pour piller, il visite les pièces condamnées avec une remarquable placidité pour considérer les tableaux des demeures et s'attarder, même si cela est dangereux, devant la douceur qui émane des portraits de femmes. Dans les convois affolés, il quitte la ville, mais se maintient dans la plus belle tenue au milieu de la misère et poursuit, au milieu du désarroi général, la lecture de ses bons auteurs tout en constatant alentour « des peines physiques diaboliques ». Quand il le faut, il fait le coup de feu contre les cosaques et, dans la froidure effrayante de novembre, il repasse Smolensk et parvient à faire distribuer quelques vivres aux oubliés de la Grande Armée. Il verra tout, il connaîtra tout, il éprouvera le pire et, quand il rentre enfin à Koenigsberg, Stendhal sait que c'est Beyle qui l'a sauvé. Stendhal n'oubliera jamais la Russie. Sa fascination, il va la transmuer en un premier roman intitulé *Armance*, au personnage principal duquel il va donner une identité russe. Elle a dix-huit ans, elle incarne pour lui tout ce qu'il a aimé dans les femmes russes, leur front pur, leurs cheveux d'archange, leurs lèvres mutines, leur noble nez, leurs tempes hautes et étroites : « Mademoiselle Zohiloff cachait, sous l'apparence d'une doucœur parfaite, une volonté ferme, digne de l'âpre climat où elle avait passé son enfance. » L'héroïne qui va finir par venir en France à l'invitation de sa tante a été élevée « dans une petite ville au fond de la Russie... avec cent louis de rente pour toute fortune ». Pour Stendhal qui communique à son ami Mérimée sa passion pour la femme russe, Armance est née à Sébastopol d'une mère, jeune aristocrate émigrée qui se trouvait à la cour de Louis XVIII à Mitau et d'un colonel russe « de l'une des plus nobles familles du gouvernement de Moscou ». La mère d'Armance est morte en 1811, son père a été tué à la bataille de Montmirail. Stendhal est enfin seul avec l'héroïne de ses rêves et nous la fait mieux connaître : « Elle a de grands yeux bleu foncé au regard enchanteur... On trouvait quelque chose d'asiatique dans les traits de cette jeune fille comme dans sa douceur et sa nonchalance qui, malgré son âge, semblaient encore tenir à l'enfance. »

Armance rayonne pour le Français de l'essentiel du charme russe : « Un certain charme de grâce et de retenue enchanteresse se répandait autour d'elle. Sans chercher en aucune façon à se faire remarquer et en laissant échapper à chaque instant des occasions de succès, cette jeune fille intéressait. » Qu'Armance s'avance dans les salons aristocratiques du faubourg Saint-Germain, et Stendhal d'en dire plus sur son caractère jusqu'à formuler un doute qui paraît une ébauche de portrait psychologique : « Je ne sais si c'est au sang sarmate qui circulait dans ses veines, ou à ses malheurs si précoces qu'Armance devait la faculté d'apercevoir d'un coup d'œil tout ce qu'un changement soudain dans la vie renfermait de conséquences. »

Qui était donc cette Armance dont est issue la première grande œuvre romantique de la littérature française ? Dans une lettre à Mérimée, l'écrivain donne un premier indice sur la mystérieuse personnalité qui aurait inspiré son personnage. Peut-être la dame de compagnie de la maîtresse de M. de Stroganoff... D'aucuns pensent qu'Armance a plutôt été inspirée par la comtesse Swetchine ou par Mme de Krüdener, la légendaire Julie pour laquelle Benjamin Constant avait un sentiment et qui inspira au plus haut point Bernardin de Saint-Pierre, impressionna Chateaubriand au passage et fut l'amie de Mme de Staël. Extravagante, éprise de spiritualité, entichée des idées des Frères Moraves, bouleversée par le spectacle de la boucherie d'Eylau, elle devint une militante du Réveil religieux de 1807. Dès lors, elle eut une influence grandissante sur toute l'Europe, fascinant par son charisme métaphysique la reine Hortense, la reine de Prusse et l'impératrice de Russie. Cela n'empêcha pas Julie de Krüdener d'exercer son pouvoir sur ses proies élues, les hommes. De préférence les plus élevés dans l'ordre spirituel mais aussi dans la hiérarchie des vanités terrestres. C'est le tsar en personne qu'elle captera avec sa grâce immatérielle et ses théories nuageuses. Au moment des Cent-Jours, son influence sera assez forte pour qu'elle lui demande d'assumer le rôle d'Élu de Dieu et de prendre la tête d'une nouvelle église chrétienne. Sa chute aura la grandeur de son ascension puisque, dénoncée par Metternich, l'incroyable modèle d'Armance sera reconduite de police en police jusqu'en Russie avant d'aller mourir en Crimée dans une petite colonie chrétienne qui venait d'y être fondée. De tout cela, il reste la merveille du premier roman de Stendhal où sont mises en scène les confusions du cœur à travers le personnage d'Octave confronté aux variations de son amour pour l'énigmatique Armance. Le roman tout entier est fondé sur l'étude de la dissociation possible entre l'amour et le plaisir et dans ce jeu de cartes des passions que Stendhal bat bizarrement devant nous, on voit l'esquisse des thèmes qui s'affirmeront par la suite dans *Le Rouge et le Noir* et *La Chartreuse de Parme*. Issu des neiges de Russie, *Armance* aurait pu se conclure par cette constatation résignée de Stendhal : « Un homme ne peut presque rien dire de sensé sur ce qui se passe au fond du cœur d'une femme tendre. »

C'est dans les moments difficiles de l'Histoire que les égéries se révèlent. Ainsi, alors qu'Alexandre Ier, totalement désorienté par l'avancée prodigieuse de Napoléon, hésite, tergiverse et ne sait plus que faire, sa sœur, une femme de fer, lui indique sans ambages le droit chemin. Le cœur du tsar de toutes les Russies est déchiré entre le désarroi et la méditation. Que faire ? Céder aux avances de Napoléon qui lui propose la paix ou résister dans une guerre qui risque d'être interminable et meurtrière ? Alexandre, charmeur-né, connaît bien son adversaire pour l'avoir rencontré à Tilsit, sur une embarcation au milieu du fleuve, le 7 juillet 1807, lors de la journée du traité qui consacrait l'alliance secrète des deux empereurs contre la Grande-Bretagne. Il avait fait devant Napoléon une telle scène de séduction que le Corse, loin d'en être dupe, l'avait surnommé depuis le « Talma du Nord » par allusion au talent d'acteur du plus célèbre des comédiens français. Ce jour-là, Napoléon rêvait encore. Il rêvait d'un mariage avec la sœur du tsar qui lui aurait assuré paix, alliance et reconnaissance. On avait consulté sa sœur qui n'avait pas dit non. L'idée d'entrer dans le lit de l'ogre corse semblait plutôt l'amuser et elle se pensait assez habile pour le réduire à sa merci. Elle avait alors un amant, mais ne repoussait pas l'idée de ce mariage, prête au sacrifice si c'était au nom des intérêts de l'empire. Le rêve de Tilsit était, malheureusement, resté sur la barque des deux empereurs, comme une illusion de plus qui partait au fil de l'eau sur les flots jaunes du Niemen. Et la sœur d'Alexandre est devenue la plus farouche ennemie de Napoléon.

Le 13 septembre, le tsar est informé par Rostop-chine de l'entrée des Français dans Moscou déserté. Ébranlé, il ne sait quel parti prendre et, au milieu des avis contradictoires de ses officiers d'état-major, la détermination de sa sœur va emporter sa décision. Celle-ci, qui se trouve alors à Iaroslav, le supplie de ne pas signer la paix. Sa lettre accuse le contraste entre le doute du tsar et sa propre résolution : « Moscou est prise... Il y a des choses inexplicables. N'oubliez pas ce que vous avez décidé. Pas de paix et vous aurez l'espoir de regagner votre honneur. Mon cher ami, pas de paix, même si vous vous trouviez à Kazan, pas de paix. » Quel tempérament, quel ton !

On connaît la suite, la retraite de la Grande Armée, la chute de l'empereur des Français et le retour des Bourbons. Une des conséquences les plus paradoxales de cette fermeté fut, toutefois, la venue en France de la famille Rostopchine.

LES LOUPS DE VORONOVO

Une femme de tête qui complote ne compte jamais les verstes qu'elle parcourt. Qui aurait pu imaginer qu'en 1812, après un séjour à Moscou, Mme de Staël, en route pour la Suède dans le but de dresser Charles Bernadotte contre Napoléon, ferait étape à Sokolniki dans la somptueuse villa d'un ami ? Qui aurait imaginé que la fille de cet ami, la petite Sophie — treize ans à l'époque —, tomberait en admiration devant cette grande femme de lettres et deviendrait elle-même écrivain, quarante-quatre ans plus tard, en France, sous le nom de la comtesse de Ségur, née Rostopchine ?

Sophie vient au monde à Saint-Pétersbourg, le 1er août 1799, jour de la Sainte-Sophie de Constantinople. Elle est baptisée le 9 août, dans la chapelle royale du palais d'Hiver et la faveur extraordinaire de son père auprès de Paul Ier fait du tsar son parrain. Rostopchine est le favori de Paul Ier qui ne peut se passer de sa droiture et de sa fidélité. Il ne doute pas de sa loyauté depuis qu'il l'a eu pour gentilhomme de chambre quand il n'était que grand-duc. Devenu tsar en 1792, il en a fait son aide de camp et l'a nommé général major. Une carrière fulgurante s'annonce pour cet homme qui n'a pas encore trente ans : d'abord ministre des postes puis membre du Conseil de l'empire, il devient ensuite ministre des Affaires étrangères, puis Grand Chancelier de l'empire. Mais chacun sait qu'il est dangereux de dépendre du caprice de l'empereur, surtout quand celui-ci exprime l'absolu de sa souveraineté dans l'art de l'imprévisible. N'a-t-il pas un jour, comme le raconte sa mère Catherine la Grande, fait passer un rat en cour martiale parce que l'animal avait dérangé l'ordre impeccable de ses soldats de plomb ?

En février 1801, Paul Ier se défait de son jeune premier ministre, Fedor Rostopchine. Déçu mais fier, celui-ci quitte Saint-Pétersbourg avec les siens et, à trente-six ans, prend ses quartiers dans sa superbe propriété de Voronovo, à une soixantaine de kilomètres de Moscou. Rostopchine n'a rien perdu de sa superbe, lui dont les courtisans se moquaient quand il était auprès de son maître, tout scintillant de décorations argentées et de grand-croix. Il n'a rien à se reprocher, mais intraitable et franc, opposé aux intrigues qui se multipliaient autour de lui, il a exaspéré au plus haut point les jalousies de palais. A vrai dire la disgrâce dure peu, à peine trois semaines. L'autocrate soupçonneux a senti qu'un cercle meurtrier se resserre autour de lui et dans la solitude du pouvoir, à l'heure où se nouent les complots, il ose un signal de détresse. Il rappelle son fidèle, son serviteur le plus sûr.

Au grand galop, son messager arrive à Voronovo avec ces seuls mots : « J'ai besoin de vous. Revenez vite. Paul. » Rostopchine part sur l'heure mais c'est déjà trop tard. Les comploteurs de la nuit sont entrés dans la chambre de Paul. Et lorsque Rostopchine est aux portes de Moscou, le 3 mars, c'est pour apprendre que l'irréparable a été commis. L'empereur vient d'être assassiné par ses officiers. Combien de courtisans auraient continué leur course à la recherche des faveurs du nouveau pouvoir ? Combien même auraient éperonné leur monture pour arriver plus vite et être les premiers à saluer l'avènement du prince dans la foire aux vanités ? Rostopchine est d'une autre trempe. C'est à bride abattue qu'il repart mais dans la direction de son exil intérieur, au château de Voronovo d'où il ne sortira plus, hormis l'hiver pour quelques séjours privés à Moscou dans sa belle demeure de Loubyanka.

Voronovo : au son de ce nom enchanteur, des souvenirs exquis surgissent des allées de la demeure seigneuriale. La mémoire d'enfant de Sophie sera l'inépuisable réservoir des romans de la comtesse de Ségur, de l'évocation champêtre de ces onze ans d'exil vécus comme de perpétuelles grandes vacances. Le château de Voronovo semble sortir tout droit des contes d'hiver, refuge magique dans la tempête de neige. Les loups, parfois, dans leur audace, s'aventurent jusque sous les fenêtres des petites filles apeurées. Un été, ils iront même jusqu'à attaquer Sophie et sa mère à quelques pas d'une maison en lisière de forêt. Voronovo, c'est la vie à grandes guides dans la campagne de Moscou : vingt mille hectares de bois, autant de prairies, dix mille de labours, quatre mille paysans et des haras magnifiques, si célèbres qu'après l'incendie de Moscou le shah de Perse fait hommage à Rostopchine de huit chevaux de toute beauté qui donnèrent une race admirable. Fedor Rostopchine s'est rendu acquéreur du domaine en 1800 et y maintient cette tradition d'opulence qu'ont instaurée avant lui les Wolynsky et les Vorontsov. Le parc s'étend à perte de vue, les étangs coupent les prairies et les bois, les routes relient les villages dans l'immensité du domaine. Toute une colonie cosmopolite y vit : un peintre italien, un médecin, un vétérinaire allemand, un directeur de haras britannique, fils naturel de lord Spencer, des instituteurs et des institutrices françaises pour l'éducation des enfants composent cette société dont les caractères étaient souvent romanesques.

Les enfants, Serge, Sophie, Nathalie, Lise et André Rostopchine vivaient les heures de Vovorono dans un enchantement continu digne de la Bibliothèque rose. Malgré la multiplicité des domestiques, ces petites filles modèles s'habillent et se coiffent seules, font leurs lits, rangent leur appartement, cousent leurs robes et même leurs corsets.

Le comte Rostopchine, toujours novateur, se pique d'agriculture et, afin d'améliorer l'exploitation de son domaine, fait venir d'Écosse toute une famille, les Paterson, chargée d'éduquer les moujiks à la mécanisation. C'est sans doute à l'issue de cette expérience que la future comtesse de Ségur créera les personnages de ses futurs romans, notamment *Un bon petit diable*. Michel Tournier porte un regard singulier sur les relations entre Rostopchine et sa fille, mais il donne également un éclairage original sur la perpétuité littéraire comparée au travail d'érosion que le temps fait subir aux réputations politiques. Dans sa préface à la correspondance de la comtesse il écrit : « Une réflexion s'impose. Si nous évoquons Rostopchine, c'est parce qu'il fut le père de la comtesse de Ségur, auteur de romans pour enfants. Ses compatriotes et lui-même, *a fortiori*, auraient vu là un paradoxe inacceptable. Pourtant tel est bien le privilège des écrivains. Paul Valéry exprime la même idée : On dit aujourd'hui Stendhal et Napoléon. Mais qui aurait osé dire à Napoléon qu'on dirait un jour : Stendhal et Napoléon ? » Rostopchine a été certes le premier ministre de Paul Ier puis le gouverneur et l'incendiaire de Moscou, mais c'est comme modèle du général Dourakine, héros de *L'Auberge de l'Ange gardien*, qu'il a droit à notre mémoire. On imagine sa stupeur si on lui avait révélé cet avenir tandis qu'il faisait sauter la petite Sophie sur ses genoux.

Personnage d'importance historique donc, mais aussi personnalité bien curieuse si l'on en croit ses contemporains, notamment Chateaubriand qui le rencontre et écrit dans ses *Mémoires d'outre-tombe* : « On a vu à Paris le comte de Rostopchine, homme instruit et spirituel. Dans ses écrits, la pensée se cache sous une certaine bouffonnerie, espèce de barbare policé, de poète ironique, dépravé même, capable de généreuses dispositions, tout en méprisant les peuples et les rois. Les églises gothiques admettent dans leur grandeur des décorations grotesques. » On entrevoit ici les passages

29

possibles vers le Général Dourakine, ogre bonasse, goinfre et soupe au lait dont les éclats inoffensifs retentissent dans deux des romans de Sophie. *Le Général Dourakine* est de la famille littéraire de *Gargantua*, de *Falstaff* et d'*Ubu*..

Fedor Rostopchine n'a-t-il pas inconsciemment pressenti ce qui allait advenir de sa réputation avec le passage du siècle ? Et n'est-ce pas pour éviter d'apparaître comme un personnage de roman ou un personnage romanesque qu'il s'est mis lui-même à écrire ? A Voronovo, le maître des lieux se retire des heures durant dans son cabinet de travail. Entre les incunables de sa bibliothèque de vieux chêne et la fenêtre qui donne sur un parc majestueux, il se penche sur la feuille blanche et, sous le grattement de sa plume d'oie, c'est la calvacade d'un pamphlet, le défilé d'une passion nationaliste agrémentée de malice qui prennent naissance. Alors que dans la noble demeure s'activent les allumeurs de candélabres, les frotteurs de parquets, les négrillons vêtus de soie multicolore chargés de porter les messages d'une pièce à l'autre par des couloirs interminables, et que la nuit tombe sur les domestiques épuisés, le comte est encore à sa table de travail. De ce courtisan altier et précieux, de ce brillant causeur aux propos emphatiques, les voisins attendaient une petite épître mondaine ou des souvenirs de la cour frottés de vanité. La surprise est grande quand paraît enfin *Pensées à haute voix sur le perron rouge*.

Loin des affaires, le grand ministre s'est métamorphosé. Rien n'est resté des usages de cour, toute diplomatie est désormais oubliée et de ses pages furieuses ce qui apparaît avec force, c'est l'appel aux armées lancé à tout l'empire du tsar par un homme seul, terrible invective contre les Français, leur caractère, leur politique.

Jugez vous-même : « Toute tête française n'est qu'un moulin à vent, un hôpital, une maison de fous. » Ce pamphlet est la peinture passionnément injuste de la Révolution française, l'œuvre au noir des guerres du Consulat, la charge sans pitié du caractère de Bonaparte. Devant sa patrie en danger, le Russe frénétique vient d'inventer un style. Jamais dans son pays, un livre ne fut autant vendu, lu, prêté et relu. Pour employer l'expression de ce siècle, l'ouvrage devient le premier best-seller de l'empire avec un tirage inouï pour l'époque de sept mille exemplaires. Au lycée impérial de Tsarskoïe Selo, un enfant aux boucles brunes et à la peau mate se penche avec ses condisciples sur ces pages de feu. Il les recopie, les pastiche, les admire et rêve de revanche par la plume avant d'accéder à l'âge où il saisira l'épée. Il s'appelle Alexandre Pouchkine et n'a pas dix ans.

La rudesse du grand seigneur a rejoint sans le savoir les accents silencieux du peuple. Pourtant, nous ne sommes qu'en 1807 et Napoléon n'a pas encore violé le territoire russe. Les batailles d'Eylau et surtout de Friedland ont décidé Rostopchine à publier son pamphlet. Ce texte est d'autant plus surprenant qu'en Russie le courant francophile est puissant, guidé par la talentueuse autorité de l'historien Karamzine. *Pensées à haute voix sur le perron rouge* est donc à contre-courant. Dépassé par le caractère percutant de ses bons mots, Rostopchine devient non seulement le symbole du nationalisme russe mais aussi le prophète de la réaction antifrançaise. Lui seul alors, malgré les cajoleries de deux empereurs, pressent ce que le Corse médite sous son bicorne. « Les illusions deviennent chez les Français des réalités. C'est ainsi qu'ils sont persuadés qu'ils sont invincibles, qu'ils sont sages et que le Bois de

Boulogne est une forêt... Les Français font des affaires comme les chats font l'amour, au milieu des cris, des hurlements, des égratignures. »

Comme l'a écrit si bien Mme de Staël, l'amie du comte : « La gloire est le deuil éclatant du bonheur. » La gloire littéraire de Rostopchine est le rideau inattendu qui l'empêche de voir que sa femme s'éloigne. Une faille d'autant plus grave qu'elle est de l'ordre de la spiritualité et des convictions religieuses. Catherine Petrovna Rostopchine est la fille d'un général au caractère austère et mystique. L'intensité de son regard tourné vers l'intérieur nous est rendue par un portrait de Kiprenski. Mais son air soumis ne peut laisser présager de ce qui va se passer. Ainsi sont les nuages les plus doux qui précèdent le tonnerre. En 1806, quand Rostopchine, orthodoxe fervent, découvre que, sans lui en avoir soufflé mot, sa femme s'est convertie secrètement au catholicisme, il est foudroyé. Pour lui, ce n'est pas seulement une décision cruelle mais un défi intolérable qui frôle la trahison. Cependant, il est de ceux qui savent pardonner, sans approuver. A un abbé qui postule chez lui la place de précepteur avec l'espoir d'instruire le jeune Serge Rostopchine dans la foi romaine, il déclare que « tout homme élevé dans une religion quelconque doit y vivre et y mourir ». Et il conclut ainsi : « Je souhaitais à monsieur l'abbé toutes sortes de succès ailleurs que chez moi. »

Pendant près d'un an, la comtesse avait caché le mystère de ses effusions religieuses sans rien avouer à son entourage. On raconte que le curé de Moscou, l'abbé Surrugues, qui venait souvent dîner chez le comte Rostopchine, confessait alors la comtesse tout en se promenant avec elle dans les salons, parmi les allées et venues des invités qui étaient à cent lieues de soupçonner ce pieux manège. Quand tous deux étaient loin des regards, rapporte le comte Anatole de Ségur, « le prêtre lui donnait une custode renfermant sept boîtes consacrées, qu'il avait apportée avec lui et qu'il tenait cachée sur son cœur. Elle lui rendait, en échange, une custode vide qu'il devait lui rapporter remplie la semaine suivante. Elle montait alors dans son oratoire, posait la custode devant son prie-dieu puis redescendait au salon où elle reprenait, avec son esprit et sa grâce habituelle, son rôle de maîtresse de maison. Chaque matin, comme les premiers chrétiens, elle consommait une hostie et communiait elle-même... »

Libérée par son aveu, la comtesse, entraînée par sa propre franchise, se met à réformer la vie de la maison, appliquant les règles dictées par ses convictions aux moindres détails. Même les ornements du décor en sont modifiés. La sévérité intime de la comtesse lui fait jeter du crêpe sur les dorures et draper la nudité classique des statues antiques. Elle ne songe bientôt plus qu'à Dieu, à ses enfants et aux pauvres. Et on peut imaginer l'étendue de ses bienfaits lorsqu'on sait ce que représente la fortune des Rostopchine. Alors que cette grande dame du bon secours répand autour d'elle compassion et dons, la famille entre dans une sainte récession. Le luxe de l'hôtel de Moscou est, dès 1808, sérieusement restreint même si le mari conserve un certain faste lors de ses sorties de grand seigneur. Fedor Rostopchine, pour qui la paix et la dignité des siens sont une nécessité sacrée, a bien dû s'incliner devant le fait accompli. Après le courroux et la consternation, il laisse peu à peu parler son cœur compatissant. Depuis lors, il paraît accepter plus facilement de vivre souvent loin de sa femme et de ses enfants sans pour autant que cela constitue une consolation pour lui. En vérité, il n'était pas encore arrivé au bout de ses blessures, au bout de ses brûlures.

Pour cet homme sans compromission, pour ce grand caractère sans partage, le jusqu'auboutisme russe va faire figure d'absolu. Et après la décision qui le fait entrer dans l'Histoire contre Napoléon, le sacrifice de Moscou par le feu, il ira jusqu'au bout de sa logique, ordonnant lui-même l'incendie de sa propre demeure, son refuge ultime, le château de Voronovo... A l'aube, après avoir permis à ses quelque quatre mille serfs de quitter ses terres, Rostopchine, implacable, torche au poing, avec plusieurs officiers de ses amis, incendie une à une les pièces du château. Il n'a qu'un seul moment d'hésitation au moment d'entrer dans la chambre nuptiale. Alors, se détournant, il demande au commissaire anglais attaché à l'armée russe, sir Robert Wilson, d'œuvrer à sa place et c'est le Britannique qui met le feu au lit du comte et de la comtesse Rostopchine. Quand tout a flambé, y compris les communs et qu'il voit s'effondrer la dernière statue coiffant l'édifice, il s'écrie en français « Me voilà content ! » Et laissant fichée sur la porte de l'église une proclamation de quelques lignes qui brave farouchement l'ennemi et lui dédie des cendres une fois encore, il part. Romantisme absolu, sens du sacrifice, beauté du geste.

Cette épreuve n'allait pas suffire à son malheur. Huit ans après la conversion de sa femme, la fissure familiale devient crevasse. Comme récompense à son action héroïque à Moscou, Rostopchine ne reçoit que la disgrâce d'Alexandre Ier. D'aucuns diront que le tsar de toutes les Russies ne pouvait accepter devant l'histoire que le nom de Rostopchine fût associé à ce grand acte de résistance. Mais ce n'est pas tout. En 1814, à Saint-Pétersbourg, sa fille chérie, Sophie, âgée de moins de quinze ans, se fait à son tour catholique après être tombée gravement malade. Ce n'est pas rien que cette petite fille aux cheveux bouclés et au visage poupin, qui parle un français parfait avec l'accent russe en roulant les r et montre beaucoup de gaieté avec son nez retroussé et son amour des histoires : « Sophaletta avait la santé d'une robuste campagnarde. Elle remplissait la fonction de bouffon... Elle aimait inventer des historiettes. »

L'enfance de Sophie est marquée par les couleurs du feu. A trente-six lieues de Moscou, quand elle avait treize ans, elle avait été surprise par un horizon en feu et avait contemplé de là « comme une aurore boréale ». Six semaines après l'incendie à jamais lié au nom de son père, elle retrouvait la ville évacuée, ses cendres encore brûlantes. De toutes les épreuves passées, il restait le rire de Sophie dont les laquais de Voronovo comparaient la limpidité à celle des légendaires clochettes de Valdaï qui, en Russie, accompagnent la course des troïkas. Sophie Rostopchine, « un vrai type d'enfant russe » écrira plus tard son fils Gaston sur la foi de certains portraits. La pommette est saillante, les yeux sont grands et gris sous la frange de cheveux blond cendré, coiffés à la Titus, la bouche, assez large, sourit, le teint blanc et rose est éblouissant. C'est une petite fille pétulante et aventureuse. Un cœur prompt, une franchise violente, un être tendre et turbulent. Polyglotte à sept ans, elle joue par cœur au piano *L'Orage* de Steibelt, l'esprit est élevé à la française mais le corps est spartiate. Et les nuits de grand froid, Sophie, habituée à dormir à la dure, ajoute à sa couverture unique des feuilles de journal. Petite fille pas toujours modèle, elle adore les sucreries et ne résiste pas à la crème fraîche. Et sa mère saura la restreindre dans sa folie des fruits confits.

Preuve en est donnée par cette scène rapportée par Rostopchine lui-même qui illustre le caractère emporté de Sophie dans ses petits malheurs. Elle avait laissé passer, un jour, des mailles en tricotant un bas et en avait été si désespérée qu'elle s'était écriée : « A présent, je ne peux plus vivre, je dois mourir et je mourrai ! » Sa sœur lui ayant fait remarqué que ce qu'elle disait était un grand péché, elle répondit à travers ses larmes : « Dieu me pardonnera, je suis une malheureuse. » Excès d'un caractère venu de la nuit des steppes... Le comte Rostopchine n'aimait-il pas répéter qu'en ses veines bouillait encore le sang de Gengis Khan dont il descendait par le tatar Rostopcha ? Le comte écrivait : « Mes filles ont cela en commun avec moi qu'elles sont emportées. Natacha sait se retenir mais Sophie s'abandonne à des mouvements d'impatience malgré les sermons qu'on lui prodigue. »

Sophie a une quinzaine d'années lorsque, après l'incendie et la retraite des Français, elle regagne Saint-Pétersbourg avec sa mère, puis Moscou. A partir de 1815, elle habite deux ans dans le palais de son père à la Loubyanka. Elle y mène brillamment la vie de son monde avec sa grâce riante et son esprit de repartie. Mais son père comprend qu'il n'a rien à attendre du règne d'Alexandre Ier, et voilà qu'il décide de devenir un exilé volontaire dans le pays qu'il a tant combattu, la France ! En 1817, à son arrivée à Paris, Sophie découvre une société française proche de la sienne tandis que son père est accueilli en héros par les cercles de la Restauration. Les temps ont changé et les Bourbons sont remontés sur le trône. Tout le monde veut voir ce Rostopchine qui a provoqué la chute de l'Ogre et favorisé le retour de la monarchie. Coqueluche de Paris avec son irrésistible séduction de sauvage civilisé, le comte brille dans les salons les plus huppés. On se l'arrache faubourg Saint-Germain, mais là où il règne peut-être avec le plus d'éclat, c'est chez Anne-Sophie Swetchine qui tient salon en son hôtel de Tavannes au 5 de la rue Saint-Dominique.

Cette femme de lettres russe, publiée par les soins du comte de Falloux et du marquis de la Grange, est devenue un exemple de culture française dans un écrin cosmopolite. Elle le prouvera en mettant en présence Sophie Rostopchine et Eugène de Ségur qui se marieront le 14 juillet 1819 en l'église de l'Assomption à Paris, dans la chapelle privée du cardinal de la Luzerne. Sophie a vingt ans et attend tout de l'amour. Son mari n'a qu'un an de plus qu'elle et, d'après son beau-père, il n'a qu'un seul défaut, « celui d'être trop beau ». Bien sûr, les Ségur n'ont plus la fortune qui fut la leur mais leur nom reste l'un des plus anciens de France. Arrière-petit-fils du chancelier d'Aguesseau et du marquis de Ségur, maréchal de France sous Louis XVI, Eugène va faire de la fille de l'inflexible héros de la défense de Moscou une comtesse. L'été à Paris est propice à la beauté des mariages et, tandis que Sophie devient comtesse de Ségur, sa sœur aînée, Nathalie, s'unit sous le soleil de juillet au colonel Dimitri Narishkine, en s'agenouillant à son côté dans la chapelle de l'ambassade de Russie à Paris.

LES BONHEURS DE SOPHIE

Léon Tolstoï qui avait songé à intituler son roman, *Anna Karénine*, *Les deux couples* ou *Les deux mariages* a formulé sa première phase telle une maxime : « Toutes les familles heureuses se ressemblent. Chaque famille malheureuse est malheureuse à sa manière. » Elle semble s'adresse aux Rostopchine et aux Ségur. Quand Sophie Rostopchine se convertit au catholicisme, ses frères et sœurs Serge, Nathalie, Lise et André, refusent, eux, de changer de religion. A ce déchirement des convictions succède une tragédie familiale. Lise, la plus belle des Rostopchine, présentée à Saint-Pétersbourg comme un miracle de beauté, est emportée à dix-neuf ans par une phtisie galopante. La veille de sa mort, elle se convertit comme sa mère et sa sœur aînée. Les Ségur considéreront cette abjuration comme une grâce particulière tandis que la comtesse Rostopchine écrit à sa sœur, la princesse Galitzine, convertie elle-même : « Félicitez-moi, Lise est morte, mais elle est morte catholique ! »

Les Ségur, eux aussi, sont une famille marquée. Le père du marié s'est donné la mort un an plus tôt. Ce drame personnel est même devenu à Paris un fait divers retentissant qui a secoué la haute société. Le 15 août 1818, Octave de Ségur, désespéré des infidélités de sa femme, s'est jeté dans la Seine. Son geste entrera dans la littérature en inspirant plusieurs générations d'écrivains dont Louis Aragon qui signera à ce propos son chef-d'œuvre *La Semaine sainte*.

Établi au 48, rue de Varenne, le jeune ménage accueille bientôt un premier enfant, Gaston, né en 1820. La naissance de ce petit-fils enchante le comte Rostopchine qui écrit à Eugène de Ségur : « J'embrasse Sophie, votre pairie et les pieds de Gaston, premier paladin de la société. » Si le vieux héros russe a été le premier à déceler dans la beauté de son gendre un danger pour le jeune ménage, il n'a peut-être pas mesuré l'héritage ô combien périlleux qu'Eugène de Ségur a reçu de sa mère dont la réputation de galanterie a provoqué la réprobation de la société parisienne. Lui-même, séducteur invétéré, devrait savoir à quoi s'en tenir. Un an plus tard, Sophie met au monde un deuxième garçon, prénommé Renaud, qui meurt aussitôt, et quand elle est mère pour la troisième fois d'un garçon prénommé Anatole en 1823. Elle a déjà compris que ce mari, trop beau, trop souvent absent, trop préoccupé de sa situation, s'éloigne peu à peu de l'image idyllique du prince charmant dont elle avait tant rêvé, durant les longues soirées d'hiver de Voronovo.

Un homme malheureux revient vers sa mère, une femme délaissée revient vers son père. Et le comte Rostopchine qui n'a rien perdu de son grand cœur sait avoir ces largesses qui sont de beaux gestes. Un jour, il entre chez sa fille pour lui donner ses étrennes. Cent billets de mille francs, le prix d'une propriété dans l'Orne, les Nouettes, dont la jeune femme avait grande envie. Ce don va permettre à Sophie de reconstituer en Normandie, au milieu des prés et des bois, le rêve de Voronovo. Un château, des fermes et de vertes prairies vont devenir en France la nouvelle patrie de Sophie Rostopchine mais aussi, entre les laitages et le gros pain bis que l'on coupe en l'appuyant contre son cœur, le vrai climat et l'authentique décor de Mme de Ségur. Entre-temps, la famille s'agrandit de quelques enfants modèles. La comtesse surveille avec ravissement sa nouvelle installation. Le tapissier tapisse mais, de plus, il accroche les tableaux, ajuste les ferrures et les bâtons pour les rideaux et les portières, pose les dessus de cheminée, couvre les meubles, et tout cela avant les foins. Aux Nouettes, les fraises sont superbes et la petite Sophie, devenue grande, met en scène son nouveau bonheur. Elle anticipe, sans le savoir, les scènes champêtres de ses futurs romans. Vingt ans avant *Les Petites*

Filles modèles, sa fille Olga de Ségur tombe dans une mare où l'on a jeté de petits hérissons. Bien avant que germe l'idée de *Camille et Madeleine*, le garde-chasse a fait faire une petite voiture et un harnais pour atteler son chien turc dont, plus tard, la ressemblance avec Calino deviendra évidente. Et lorsque apparaissent les premiers signes de l'automne, que les fougères se crispent et que les sous-bois sentent la mousse, on part sous les feuilles brunes chercher les champignons et récolter les châtaignes comme si l'on était déjà de *Bons Enfants*. La spécialité de Mme de Ségur dont le don pour l'animation est inépuisable, ce sont les « parties d'ânes ». On réquisitionne dans les fermes voisines ces montures têtues, on les charge de provisions pour le pique-nique et l'on part avec les enfants à travers la forêt. Ce sont les joies des vacances où tout peut arriver avec ces capricieux quadrupèdes. L'accident de voiture à âne présage l'existence de Cadichon.

La comtesse de Ségur, née Rostopchine, n'est-elle pas, en réunissant deux traditions, la meilleure des maîtresses de maison? Elle a compris, pour l'avoir vécu aux premières loges de la campagne normande, que les artistes et les écrivains n'étaient jamais plus heureux et plus fructueux que sur le théâtre champêtre. Les Nouettes est une maison très gaie. Charles Gounod, camarade de classe de Gaston de Ségur, y composera les plus beaux airs de son *Faust*. Et un homme de trente-huit ans, au parcours accidenté et au charme romantique, deviendra le familier de celle qui, dans la splendeur de sa quarantaine, ne pense pas encore à écrire. Le soir, accoudé à la cheminée, il transporte l'assistance en haute mer en racontant ses souvenirs de marin, des récits qui lui ont permis de débuter dans la littérature avec *La Salamandre*. Il s'appelle Eugène Sue.

Souvent on le voit assis sur la banquette de cuir rouge de la salle de billard en train de faire rire la comtesse aux éclats. Eugène Sue a tout fait et tout vécu, l'aventurier des flots est devenu écrivain mondain pour écumer les salons du faubourg Saint-Germain. Mais à la suite de la publication de *Mathilde ou mémoires d'une jeune femme,* la société huppée se détourne de lui. Qu'à cela ne tienne ! Il s'engage alors dans la voie du roman feuilleton et la description des bas-fonds parisiens. C'est d'abord le succès des *Mystères de Paris* auquel succède *Le Juif errant* dont les plus beaux chapitres ont été écrits aux Nouettes. Que d'heures délicieuses passées auprès de cette auditrice remarquable dans la bibliothèque avec son échelle roulante, dans le salon tendu de cretonne claire, à draperies, mobilier capitonné et bronzes, dans l'orangerie parfumée ou dans les allées baignées par la lumière des beaux jours quand on se prend à penser que jamais ne finira l'été.

On savait que la petite Sophie de Voronovo n'était pas ordinaire. On a vu que la jeune fille qui choisit de se convertir était singulière. Mais on va comprendre que la comtesse de Ségur est une mère extraordinaire. Femme russe, créant dans les pâturages normands un Éden pour enfants, elle invente avant de l'écrire un rôle inédit, celui d'égérie mère. Un rôle qu'elle va jouer à la perfection avec son premier-né, lequel, d'une certaine façon, lui rendra la pareille. Comme nous le conseille, fort à propos, Michel Tournier dans sa préface à l'album consacré à la Comtesse de Ségur, « Il faut s'attarder sur le caractère et le destin de Gaston, ne fût-ce que pour l'influence qu'il a eue sur l'œuvre littéraire de sa mère. A quinze ans, il quitte Fontenay, pour entrer au collège royal de Bourbon à Paris. Il fait son droit par docilité, mais c'est vers la peinture que sa

41

vocation le pousse. C'est un être profondément troublé. D'après certains témoignages et ses propres déclarations, il y a tout lieu de croire qu'il aimait passionnément les garçons, penchant incompatible avec la société farouchement hétérosexualiste où il vivait et aux *a priori* de laquelle il adhérait sans réserve. Il a dix-sept ans quand une rencontre change sa vie. Il se prend d'amitié passionnée pour son cousin Auguste Galitzine, confit en dévotion. Il s'inflige des sévices corporels pour châtier ses désirs diaboliques. Il se fouette jusqu'au sang. En 1847, il est ordonné prêtre. Dès lors, sa carrière ecclésiastique va bon train. Il se voue d'abord à l'éducation de la jeunesse délinquante. Mais les mots sont impitoyables : il devient l'aumônier des "apprentis de la rue du Regard". Son "regard" sur ces jeunes gens était-il impur ? Bientôt, il doit abandonner ses fonctions en raison de troubles oculaires. Le mal progresse inexorablement et ira jusqu'à la cécité complète, mortification radicale. Sophie devient le guide indispensable du fils bien-aimé. Après avoir été attaché d'ambassade auprès du Saint-Siège, il est nommé, en 1852, auditeur de la *rote* française avec l'espoir de devenir un jour cardinal. Il noue avec le pape Pie IX une amitié profonde. On parle de lui pour devenir grand aumônier de Napoléon III. Mais son infirmité fait obstacle à sa carrière. Il bénit cette nécessité d'abandonner ses beaux projets, de retourner à sa mère... »

Ainsi est le parcours de Gaston, entre le noir et le rouge. La vocation qui le saisit à Rome après une grave maladie, le pèlerinage déterminant à Assise ajouté à la vision de certains chagrins maternels contribueront à l'orienter vers une vie de sacrifice à l'écart du monde. A Rome, il reçoit les soins d'un abbé français dont l'influence est décisive. Il est ordonné prêtre par

Mgr Affre en décembre 1847. Sa mère reçoit sa première bénédiction sacerdotale dans le parloir du Séminaire de Saint-Sulpice. Le lendemain, il lui donne la communion, puis à ses frères et sœurs. Dès lors la comtesse est profondément influencée par son fils aîné. Et quelle fierté pour une mère de voir en son fils l'ecclésiastique de trente et un ans qui est désigné à l'attention du prince Louis Napoléon pour représenter la France auprès du Saint-Siège. Fierté confirmée quand, au Vatican, s'engage entre le souverain pontife et le jeune prêtre une « angélique amitié ». Faveur insigne qui pourrait apparaître comme le couronnement d'une carrière si l'on négligeait le fait que c'est par ses relations que Gaston va amener sa mère à la littérature. En effet, c'est à travers Louis Veuillot, grand écrivain catholique officiel, en visite au château des Nouettes, que la comtesse de Ségur sera éditée. En Normandie, il a eu l'occasion de lire un manuscrit, *Les Nouveaux Contes de fées*, griffonné par la comtesse à l'intention de ses petits-enfants et c'est lui qui dans l'enthousiasme décide de porter le texte aux éditions Hachette.

Au soir de Noël 1856, la comtesse de Ségur tient dans ses mains son premier livre. Elle a cinquante-huit ans. Une grande carrière commence. En douze ans, elle publiera vingt volumes, conquérant au nom des femmes la stature d'un Balzac de la jeunesse. Sa vie est un roman : une petite fille russe devient un écrivain français. Son avenir est une éternité : elle invente pour les générations futures l'art d'être grand-mère. Son œuvre défie le temps : hier comme aujourd'hui, il est toujours des petits enfants prêts à palpiter en tournant les pages des *Malheurs de Sophie*, des *Mémoires d'un âne*, du *Général Dourakine* ou des *Petites Filles modèles*. Ainsi est née la Bibliothèque rose, œuvre d'une noble babouchka russe, enlevée en carrosse par un comte français, où les vilains du palais sont toujours méchants et les bons éternellement gentils, où le souvenir des loups de Voronovo se retrouve dans la mémoire des ânes du château des Nouettes, et où l'on peut toujours lire la vie en rose puisque celle qui la raconte est une petite fille qui est aussi grand-mère.

Le secret du charme des romans de la comtesse de Ségur, c'est autant le parfum du temps qui passe que celui du temps qui reste. Aux Nouettes, la châtelaine bienveillante entre ses enfants et ses petits-enfants l'écrit : « Il y a ici le parfum de l'herbe, le parfum de la feuille de chêne, le parfum du pin, le parfum du labour, le parfum des pommes. Le soleil fait cuire tout cela dans l'or et un vent frais le distribue de tous côtés. Cuisine du bon Dieu. »

2

POUCHKINE, LE CŒUR INNOMBRABLE

En 1710, Pierre le Grand offre à sa femme, l'impératrice Catherine, un petit domaine situé à vingt-quatre kilomètres au sud de Saint-Pétersbourg, sur les terres reprises aux Suédois pendant la guerre du Nord. C'est sur ces lieux que s'élèvera plus tard Tsarskoïe Selo, le village du tsar. Le comte de Ségur, ambassadeur de France en Russie, raconte : « L'impératrice fut à ce point aimable pour me montrer toutes les beautés de sa magnifique résidence de campagne. Les eaux claires, les sous-bois rafraîchissants, les pavillons élégants, l'architecture noble, le mobilier précieux, les appartements aux lambris de porphyre, de lapis-lazuli et de malachite, tout cela avait un accent de contes de fées et les voyageurs qui l'admiraient étaient transportés dans le palais et les jardins d'Armide. »

Tous les talents du monde ont été convoqués pour contribuer à cette splendeur, l'Italien Rastrelli, bien sûr, mais aussi un architecte écossais, un paysagiste anglais, un décorateur palladien. La promenade est un enchantement brodé de mille surprises : le salon du matin, le vieux jardin, la tour en ruine, le pavillon chinois, la cascade turque, l'obélisque de Kagou, les folies gothiques, la chapelle recouverte de mousse, la ferme, la laiterie, les écuries et l'arsenal tout couronné de créneaux. Alexandre Ier y fonda, en 1811, le lycée de Tsarskoïe Selo. L'admission dans cet établissement était une faveur accordée à la naissance et au mérite. Le vicomte Eugène-Melchior de Vogüé, tout jeune diplomate, raconte sa découverte du lycée impérial : « La plupart des noms qui remplissent la première promotion du lycée, celle de 1817, ont marqué le siècle, et en tête les deux plus illustres : Pouchkine, Gortchakof. Tsarskoïe Selo ne fut point un foyer de fortes études. Les maîtres avaient été improvisés sans trop de choix. Je trouve parmi eux l'inspecteur des classes Filetzky, illuminé, martiniste, disciple d'une prophétesse alors fameuse, la Tatarinova, le professeur de littérature, monsieur de Baudry, et sous ce nom se cachait le propre frère de Marat. Il racontait à ses élèves comment "l'Ami du Peuple" avait été méchamment mis à mort par Charlotte Corday, un "second Ravaillac". On découvrit qu'un des maîtres d'étude était un forçat évadé, et qu'il avait sur la conscience quatre ou cinq assassinats... Les lycéens fusionnaient avec des régiments cantonnés comme eux dans la résidence impériale. Ils partageaient les soupers et les frasques des hussards, appliquant de bonne heure aux suivantes de la Cour les leçons de Faublas, leur classique de chevet. Cette éducation ne fit pas de savants, mais il souffla tout à coup sous les mélèzes du parc de Catherine, un vent qui réunit et attisa toutes ces flammes de jeunesse mal dirigées vers la poésie et le patriotisme. »

De même qu'en France Alfred de Vigny grandissait

au lycée Bonaparte en écoutant, debout au garde-à-vous, la voix de stentor de son maître proclamer les victoires d'Austerlitz, d'Iéna et de Friedland, de même à Tsarskoïe Selo, on interrompait les classes pour lire les bulletins de Borodino, de Moscou et de la Bérézina. Ainsi, au lendemain de 1812, ces enfants devenaient des hommes, ils avaient vu, raconte Vogüé, la superbe levée de poitrines qui avait couvert la patrie envahie.

Cette « année terrible » vit la naissance morale de plus d'un élu, parmi les poètes, les penseurs et les hommes politiques du pays. Ce matin-là, les hautes fenêtres du lycée impérial donnaient sur le spectacle de l'héroïsme : Moscou était menacé et un cortège de régiments traversaient le village impérial pour aller défendre le clocher d'Ivan le Terrible qui domine la place des Cathédrales. Les fers des chevaux claquaient sur les pavés, les rayons du soleil brillaient sur les cuirasses, les cuivres de la musique accompagnaient l'âme trempée à toutes les batailles des héros. Devant ce défilé de hussards, de lanciers, de cosaques armés de leur pique, l'âme des élèves chavirait. Parmi eux, le plus doué, celui qui s'intéressait plus à la perfection de la rime qu'aux couronnes scolaires, exprima, au nom de tous leurs sentiments partagés, cette irrépressible envie qui les saisit tous d'aller mourir pour la patrie.

Il s'appelle Alexandre Pouchkine, un nom historique qui sonne fièrement durant tout le Moyen Age, au travers des guerres polonaises et des tragédies du Kremlin. Il a le don d'écrire, de plaire et d'éblouir. Il a une tête remarquable, de grosses lèvres, des dents blanches et des cheveux crépus. « La goutte de sang tombée d'Afrique dans la neige russe » comme l'écrit l'auteur du *Roman russe* explique cette apparence que l'histoire confirme. Car ce fils de vieux boyards a pour aïeul maternel un nègre abyssin, Abraham Hannibal, esclave subtilisé au sérail de Constantinople, jeté en Russie par un corsaire, adopté par Pierre le Grand qui l'a fait général avant de le marier à une dame de la cour. Ainsi dans les veines bleues, le sang noir du nègre de Pierre le Grand singularise encore celui qui en descend, Alexandre Pouchkine. Cela explique peut-être certains contrastes et notamment la fougue et la mélancolie unies dans cette nature extrême.

Le personnage est l'emblème même d'un double métissage. Métissage du sang entre deux continents, métissage de l'esprit entre deux siècles, le XVIIIe qui le façonne, le XIXe qu'il façonnera. Pouchkine est un libertin du XVIIIe corrigé par le romantisme, un homme des Lumières attiré par les éclairs des orages désirés. A ce deuxième métissage, il en ajoute un troisième : le plus grand des écrivains russes est aussi le plus français. Celui qui exprimera au plus haut point la perfection de la langue nationale, la moulant dans une prose et une poésie admirables, sera également celui que ses condisciples déjà surnomment « Le Français ». Triple appartenance au sang, au siècle et à la langue. Et deux buts dans la vie sans cesse proclamés : l'amour de l'amour et la passion de la poésie.

Leçon d'amour dans un parc à Tsarskoïe Selo

Comme Chateaubriand, il réclame de la gloire pour se faire aimer : « Si je veux de la gloire, c'est pour que mon nom frappe à toute heure ton oreille, afin que tu sois entourée par moi, enfin qu'en rumeurs éclatantes, tout retentisse de moi autour de toi, afin qu'en écoutant dans le silence la voix fidèle, tu te souviennes de mes dernières supplications, au jardin, dans l'ombre de la nuit, à la minute des adieux. » Enfant sublime, Pouchkine frappe ses contemporains par sa merveilleuse facilité, par cette grâce d'avril partie pour fleurir. On le compare à Lamartine, il se réclame de Byron. En matière de poésie, il est comme ce joueur souriant nullement étonné des faveurs du hasard. Et cependant, sur le tapis vert de la vie, il est d'abord un mal-aimé, un sans-famille. Père avare et mère despotique, couple absent qui tôt se débarrasse de lui. Toute sa vie, il dissimulera ces premières blessures sous une insolence sans faille. Quant à la grâce qui l'irradie, elle est peut-être étrangère à un physique que d'aucuns disent ingrat. Et pourtant, ce génie de la poésie est un génie de l'amour. Le tsar des poètes est aussi un prince de l'art d'aimer.

D'où vient la force de Pouchkine ? Non seulement de son énergie vitale, de son talent généreux, mais aussi d'un esprit véritablement sain, exception dans la littérature russe et rareté chez les poètes. Le vieux Goethe dans son habit bleu disait : « Tout ce qui est classique est sain, tout ce qui est romantique est malade. » Pouchkine a ceci d'unique qu'avec lui tout ce qui est romantique devient sain. Dans la clarté de son cœur, il est capable d'accueillir toutes les contradictions, il peut être à la fois pro-occidental et patriote, aristocrate et parfois favorable à l'abolition du servage, partisan d'un État fort et défenseur de la liberté individuelle, sentimental et cynique, jamais docte et fréquemment prophétique. Pouchkine est fascinant, son talent est grisant comme le champagne, ce breuvage pétillant que les Russes viennent de découvrir et dont on raconte qu'au palais Elaguine, il remplace le thé. D'autant plus grisant que l'enchanteur est toujours enchanté.

Le frère d'Alexandre Pouchkine, Lev Serfguevitch,

raconte qu'il est laid, très petit, à peine cinq *verckov* (vieille mesure russe) mais bien fait, admirablement proportionné et fin. Quand il est captivé par une femme, sa conversation devient irrésistible. « J'ai rarement connu, affirme son frère, un homme qui était si absent quand le sujet de la conversation ne l'intéressait pas, mais qui ressuscitait et allumait aussitôt un feu d'artifice de propos étincelants dès qu'une femme apparaissait. » Mais qu'on ne s'y trompe pas : si Pouchkine séduit, ce n'est pas par ses vers, mais parce qu'il se jette tout entier dans la séduction. S'il plaît, c'est par son authenticité, son feu intérieur. La poésie reste son jardin secret. Il ne s'abaisse pas à utiliser cette arme précieuse pour conquérir les cœurs. En revanche, il est servi dans les jeux de l'amour par une connaissance profonde du caractère féminin, de ses détours, de ses inquiétudes, de ses ambitions et de sa détermination sous des apparences de fragilité. D'une sensibilité exacerbée, Pouchkine est orienté uniquement vers l'univers féminin. Une conversation de garçons l'assomme, le passage, même fugitif, d'une jeune fille l'enivre. Les témoignages affluent pour nous confirmer que, chaque fois que la femme paraît, il se trouble, son visage déjà sombre se colore, son cœur est en feu, ses mains tremblent, le sang d'Afrique bout sous le givre des apparences.

Le poète vit dans un perpétuel éveil érotique. Historien de ses propres sensations, il date sa première émotion amoureuse de ses six ou neuf ans. Elle n'a que huit ans seulement. Dans sa lettre à Youdine, il raconte comment elle l'inspirait, quelles étaient leurs étreintes et l'on est étonné de l'audace de leurs gestes au jardin d'enfants. Cette étonnante précocité ne serait-elle pas un ajout tardif du poète, particulièrement inspiré par

les libertins français — Dorat, Parny, Lebrun et Cho-
derlos de Laclos — qu'on lit en Russie sous la pelisse?
Les Liaisons dangereuses sont le livre de chevet
d'Alexandre Pouchkine : hélas, avouera-t-il plus tard en
faisant allusion à ses lectures d'adolescent privé de
caresses, ce n'est pas le spectacle de la nature qui vous
enseigne l'amour, mais le premier roman licencieux qui
vous tombe sous la main.

Si le poète se jette à genoux devant les femmes avec
une telle ferveur, c'est parce qu'une image de perfection
le poursuit, celle du « petit pied ». Combien de fois dans
sa vie, comme dans ses poèmes, son regard sera capturé par la perfection d'un chausson, le pied cambré
d'une danseuse, le talon arrogant d'une aristocrate ou
les pieds nus d'une jeune paysanne sous les futaies
ombreuses de Mikhaïlovskoie! Comme tous les collégiens, Alexandre Pouchkine tombe d'abord amoureux
de la sœur d'un de ses condisciples, Alexeï Bakounine.
Elle s'appelle Ekaterina et est demoiselle d'honneur de
l'impératrice. Elle a cinq ans de plus que lui et aussitôt,
le cœur du jeune poète s'enflamme : « Je ne l'ai pas vue
depuis dix-huit heures, quelle situation! Quelle souffrance, mais j'ai été heureux cinq minutes. » Amour
platonique sans doute, mais quelle ferveur! Pouchkine
ne peut oublier leur échange sur le perron du lycée
impérial de Tsarskoïe Selo, ses yeux baissés, son teint
pâle, sa robe noire. Elle part pour Saint-Pétersbourg, il
lui écrit passionnément. Ce sont les premiers feux du
printemps 1816. Pouchkine n'a que dix-sept ans.

Contrairement à ce que l'on pourrait penser, le
lycée de Tsarskoïe Selo est propice aux rencontres.
Comme dans les universités d'Oxford ou les collèges de
Cambridge, toute une vie sociale et culturelle est organisée autour des professeurs. Le soir, Engelhardt, le

51

directeur du lycée, reçoit dans sa maisonnée les élèves les plus brillants pour des soirées raffinées. La conversation y est élevée, on y joue du piano et l'on ne se quitte jamais sans avoir fait une promenade au clair de lune près des lacs de la propriété impériale, sous la seule surveillance des cygnes blancs et noirs. Au début, Pouchkine boude ces dîners guindés mais bientôt, apprenant l'arrivée d'une jolie veuve, sans doute d'origine française, il se fera très assidu auprès du directeur. Son nom de jeune fille est Marie Charon-Laroze, elle a perdu son époux et traîne derrière elle une mélancolie passionnante. Pouchkine ne se lasse pas de converser avec elle en français, il l'interroge sur Paris et la mode littéraire en France. D'abord altière et indifférente, elle pose enfin les yeux sur ce jeune homme dont l'étrange ardeur la séduit. Cette fois, des baisers sont échangés sous les grands arbres. Pouchkine est persuadé de vivre ainsi des pages entières de Chompré, Crébillon ou Chaulieu. La veuve est prudente, apeurée même. Elle craint les réactions du ciel, convaincue que son mari voit tout, derrière les nuages du soir, sur les berges du grand étang découpées par la lune.

Peut-être Pouchkine pense-t-il alors à ces quelques lignes du *Livre de la Colombe* : « Le soleil est le feu à la face de Dieu, les étoiles tombent de son manteau... La nuit est noire des pensées du Seigneur, l'aurore matinale sort de ses yeux. » Ainsi la France offre au jeune homme non seulement les ivresses de sa littérature mais les premières leçons de l'amour, grâce à une femme qui, même si elle se sent coupable, ne peut s'interdire d'enseigner ce qu'il y a de plus beau dans la vie, du moins si l'on en croit le poète.

Au terme de ses études à Tsarskoïe Selo, Pouchkine rejoint Saint-Pétersbourg et entre au ministère des

Affaires étrangères. Mûri par ses premières expériences amoureuses, il ne voit plus d'obstacle à une existence passionnée et dispendieuse. Il n'a pas dix-huit ans, mais il est prêt à toutes les aventures. Comme l'écrit Custine dans *La Russie en 1839* : « Saint-Pétersbourg avec sa magnificence et son immensité est un trophée élevé par les Russes à leur puissance à venir. L'espérance qui produit de tels efforts me paraît un sentiment sublime. » Ce sentiment, Pouchkine le partage.

Au centre d'une place pavée de gris s'élève une haute colonne rose dominée par un ange d'or armé d'une croix. De part et d'autre, deux palais se font face, l'un baroque, l'autre classique. Le premier est vert d'eau coiffé de coupoles d'or, le second jaune et surmonté d'un char tiré par son équipage. La place est vaste, ouverte sur des jardins. C'est là que se dirige le dandy russe pour un nouveau rendez-vous amoureux auprès d'une flèche dorée et d'un dôme qui semble escalader le ciel gris perle de la capitale. Pouchkine est vu partout, même si sa réputation doit en souffrir. Dans les cafés littéraires, dans les salons où la Neva envoie ses reflets d'argent, dans les coulisses des théâtres aux rideaux cramoisis. On l'a même vu implorant devant la porte d'une courtisane célèbre. Karamzine, le grand historien de l'époque, qui est aussi son maître, déplore les errements insensés de celui qu'avec une certaine dérision ses compagnons surnomment « la sauterelle de Saint-Pétersbourg » : « A cause de l'amour, écrit-il, il ment à chacun, à cause de l'amour, il se fâche avec tous, à cause de l'amour, il a cessé d'écrire. » Hanté par les fantômes les plus fantasques de Piccadilly ou des boulevards parisiens, Pouchkine est devenu un dandy européen à Saint-Pétersbourg. Il arbore une tenue invraisemblable. Coiffé d'un vaste bolivar, cape sombre sur les épaules, un bréguet dans son gilet, les bottes aussi luisantes qu'un miroir, le pantalon crème citron et une fourrure autour du cou, il entre tel un héros dans l'hiver. Et Eugène Onéguine lui ressemblera comme un frère :

Déjà la nuit tombe. Il prend place,
Dans un traîneau. « Gare ! » bien fort,
Le cri sonne... Un duvet de glace
Argente son col de castor,
Chez « Talon » vite. Il le devine,
Là déjà l'attend Kaviérine,
Il entre : au ciel, bouchon ! Le vin,
« De la comète » coule à plein !
Des truffes, luxe du jeune âge,
Et fine fleur des mets français,
Un roast beef cru, le toujours frais,
Pâté de Strasbourg, un fromage,
Grouillant « Limbourg », sont devant lui,
— Et l'or d'un ananas parmi...

La folie française est alors à son comble dans la capitale de l'empire. Les restaurants les plus prisés sont évidemment français et que ne ferait-on pas pour souper chez Andrieu où la table d'hôte est fameuse. « *Klikoskoïe* », s'écrie Pouchkine en levant sa coupe de champagne que la veuve Cliquot a mis à la mode chez les officiers du tsar. Elle a même baptisé la cuvée 1811 « Le vin de la Comète » et ne lit-on pas dans *Eugène Onéguine* : « De la veuve, le vin béni pétille pour le poète comme les eaux d'Hippocrème. » C'est à un Français aussi, l'architecte Montferrand, que l'on doit les deux chefs-d'œuvre de la ville, la colonne Alexandre et, plus tard, l'œuvre de sa vie, la cathédrale Saint-Isaac. Lui-même s'est construit un décor à sa mesure, une maison sur la Moïka, à quelques pas de celle de Pouchkine sur le même quai. L'entrée est dans le style antique avec un buste de César, la cheminée est monumentale, couverte d'inscriptions en latin et, partout, d'immenses armoiries aux ornements gothiques disent la frustration nobiliaire de l'architecte français.

A Saint-Pétersbourg, la fête est partout. Sur la grande Neva qui semble, le soir, une coulée de métal, les bateaux tracent un sillage noir. Des rires montent des navires de plaisance, tandis que des clameurs viennent des barques légères. Sur les places, dans les rues, l'animation se poursuit tard dans la nuit et c'est à une heure avancée qu'on voit sortir la foule des jardins publics. Ils abritent des théâtres de plein air, des estrades où prennent place les orchestres dès le retour de la belle saison. Le plus beau des jardins de la ville, Arcadia, possède deux théâtres dont l'un est un véritable opéra que dirige M. Gunsbourg dont la jolie Mme Vaillant-Couturier est la vedette. Là comme dans d'autres théâtres de Saint-Pétersbourg, les pièces françaises font depuis longtemps fureur et tout le monde garde en mémoire le passage dans la capitale, quelques années plus tôt, de la plus éclatante des actrices du Théâtre Français, la fameuse Mademoiselle George. Elle resta quatre ans en Russie, impressionnant ses contemporains par son talent et son physique plantureux. Dans *Phèdre*, elle pouvait dévoiler l'opulence de ses formes qui n'étaient pas pour rien dans son succès. Les mauvaises langues avaient beau prétendre qu'elle était aussi magnifique que pesante, elle exerça sur les Russes l'attrait le plus puissant. Elle arriva, précédée par une rumeur flatteuse, sa liaison avec Napoléon pour lequel elle garda toute sa vie une tendresse fidèle et une admiration fervente. La robuste beauté qui, à quinze ans, avait séduit l'empereur des Français fit une entrée plus que remarquée à Saint-Pétersbourg dans l'éclat de ses vingt ans. Le printemps de 1808 fut le prélude d'une carrière amoureuse bien remplie en Russie.

Elle commença par un coup d'éclat. Un soir d'avril, les spectateurs, venus assister à la présentation d'*Artaxas*, commencèrent à s'impatienter. Que se passait-il, où était passée l'actrice que tout le monde attendait? Mlle George était tout simplement tombée amoureuse d'un jeune et ardent officier russe et s'était laissé enlever par lui! Jamais le parfum du printemps, l'ivresse de cette nature exubérante n'avaient, à ce point, fait perdre la tête à la Française.

Ce jeune officier n'était autre que Alexandre Christophorovich Benkendorf qui devint plus tard l'implacable chef de la police de Nicolas Ier et son éminence grise. Censeur impitoyable de Pouchkine, il joua un rôle, ô combien néfaste, dans sa destinée. Curieux personnage que cet homme de cour au gant de fer. Il écoutait, il charmait, semblait s'adoucir, comprenait, il compatissait même, et cependant finissait toujours par punir. Aussi à l'aise sur les parquets cirés des palais que parmi les espions, les mouchards et les rapports de police, il avait belle allure et n'avait pas oublié le conseil donné par le duc de Choiseul au jeune Talleyrand venu solliciter son avis, au château de Chanteloup en Touraine, sur la conduite d'une carrière : « Vous devez toujours avoir les poches pleines de femmes. » Peu après, Benkendorf s'installa quai Moïka en compagnie de sa chère Française devenue la coqueluche de Saint-Pétersbourg. Sa passion pour elle faisait de lui un abonné au théâtre. A l'entracte, il rencontra Joseph de Maistre, un soir, qui se dit davantage impressionné par l'irradiante beauté de la comédienne que par son talent sur les planches.

Pouchkine, le cœur innombrable

C'est au cours d'une des fameuses nuits blanches de Saint-Pétersbourg, quand, dans la douceur de juin, on peut encore lire et écrire sans lumière à minuit, quand aucun réverbère n'est allumé, que l'empereur Alexandre Ier en personne se fit conduire au théâtre pour assister à la représentation de *Phèdre*. Le tsar était venu incognito, mais dans la loge où il n'apparaissait qu'avec deux familiers, il ne fallut pas deux secondes à Benkendorf pour comprendre ce que signifiait son regard un peu trop insistant. Benkendorf, mieux que quiconque, savait évaluer la variation de bleu de la prunelle du tsar sous le sourcil blond. Il s'inclina aussitôt, avec d'autant plus de zèle que l'intérêt manifesté par l'empereur pour sa maîtresse lui offrait l'occasion de se venger de celui qui avait la prétention de lui succéder dans le lit de Mademoiselle George, le noble Narychkine. Grand charmeur, quelque peu pervers, Alexandre, en jetant les yeux sur la comédienne, ne cachait pas qu'à son auguste désir s'ajoutait une curiosité d'ordre historique. En effet, après la rencontre de Tilsit, il lui plaisait de se mesurer à l'autre empereur, celui qui recevait la jeune actrice dans la bibliothèque de Compiègne. Il alla même, dit-on, jusqu'à laisser échapper ce mot : « Je voudrais goûter l'eau, au même puits, où mon rival déjà s'est désaltéré. »

Telles étaient les mœurs du Saint-Pétersbourg de l'époque, avec ses ragots, ses bons mots, et la licence pour les grands. Les poètes, les hommes de lettres, les pamphlétaires, les journalistes, les membres des sociétés secrètes, tous y vont de leurs vers piquants ou de leur strophe vénéneuse. Mais personne n'ose railler le tsar. Pouchkine, si. Il le fait sans provocation, emporté par la même fureur de vivre qui l'entraîne à vouloir en imposer et à se battre presque toutes les semaines en duel avec ses meilleurs amis sous les prétextes les plus futiles. Il est de ces êtres qui, pour un bon mot, tuerait père et mère. Ses compagnons de débauche et les proches du palais qui sont souvent d'anciens condisciples du lycée l'ont cent fois prévenu. Ses maîtres qui le connaissent bien l'ont averti du danger. Trop tard, sa plume est partie et les mots qu'elle a écrits sont moqueurs. L'empereur est furieux. Karamzine et Glinka tentent d'intervenir. En vain, la disgrâce de Pouchkine est déjà prononcée : il est condamné à aller exercer ses talents dans une administration de province, à Kichenev, en Bessarabie. On est en 1820 et le poète n'a que vingt et un ans.

LES QUATRE FILLES DU GÉNÉRAL RAÏEVSKI

Cette mise à l'écart dans le midi de la Russie ressemble pourtant à de la chance. Comme si même les folies de Pouchkine parvenaient à le protéger. A l'époque, en effet, une conjuration, la fameuse conjuration de décembre, commence à se préparer à Saint-Pétersbourg et le poète est intimement lié avec la plupart des comploteurs. S'il était resté dans la capitale, il est à craindre qu'avec son caractère passionné il ne se fût engagé à fond dans leur aventure. Pour lui, la colère impériale est tombée avec un temps d'avance et c'est sans doute cela qui l'a sauvé d'une condamnation plus cruelle. L'exil se conjugue avec un voyage au milieu de paysages exubérants, la découverte de la mer Noire, des aventures radieuses en Crimée. Durant les quelques années qu'il passe loin de Saint-Pétersbourg, Pouchkine va connaître l'apaisement, l'amour et la création. Le jeune homme à la vitalité désordonnée découvrira une certaine sérénité sous le soleil du Sud. Oublié l'insensé qui un jour, par jalousie, en plein théâtre, mordit jusqu'au sang l'épaule de la femme du gouverneur général! L'âme bucolique entre les montagnes mauves et les douceurs de la mer, le poète retrouve sa pureté. Il y puise un style nouveau au charme translucide. Dans le huitième chapitre d'*Eugène Onéguine*, c'est sa muse qu'il promène :

> De la capitale lointaine,
> Festins, splendeurs, elle oublia,
> En Bessarabie aux mornes plaines,
> Sous d'humbles tentes, visita,
> Des peuples errants — son langage,
> Près d'eux se fit pauvre et sauvage,
> Négligeant la langue des dieux,
> Pour des jargons durs, curieux,
> Des champs de la steppe aimés d'elle,
> Puis tout se transforme soudain,
> Et la voici dans mon jardin,
> Provinciale demoiselle,
> Dans les yeux un chemin secret,
> Dans les mains un roman français.

C'est au début du mois de mai 1820 que Pouchkine part rejoindre son affectation au poste administratif qui lui est désigné par le tsar pour la durée de son exil. Commence alors un grand voyage vers le midi de la Russie, à travers des paysages inconnus, des impressions nouvelles qu'un sentiment de renaissance et de liberté rend très romantiques. Le poète a quitté la ville de Pierre le Grand quand la boue des faubourgs était encore fraîche. Dans les environs, les maisons de bois étaient encore lustrées par les dernières pluies. Plus il descend vers le Sud, plus l'émerveillement de Pouchkine est grand devant ce printemps russe qui se déclare sans signe précurseur, avec la brutalité soudaine d'une explosion végétale, comme si la nature trop longtemps bridée par les glaces et les neiges, voulait en quelques jours donner tous les signes de sa libération. Déprimé par ses propres excès, inquiet de son avenir après la colère du tsar, son visage blafard de noctambule redécouvre la douce brûlure du soleil. Le poète enregistre la succession des parfums comme une suite de strophes, l'odeur de pin rafraîchissante des forêts du cœur de la Russie, puis le parfum sucré des steppes multicolores, aux abords de l'Ukraine.

Arrivé sur le lieu de son exil, l'accueil chaleureux du général commandant la Bessarabie, auquel le tsar confie sa surveillance, achève de le rasséréner. Dieu merci pour le poète, le général se révèle non seulement un fin lettré qui s'enchante de sa conversation érudite mais aussi un admirateur personnel et perspicace. Dès le 21 mai, il adresse d'ailleurs à Alexandre Ier un rapport favorable sur l'attitude et l'état d'esprit de Pouchkine. Il paraît dans de si bonnes dispositions qu'il déclare à l'exilé que le poste qui lui est dévolu est sans contenu ni obligations véritables, lui laissant entendre qu'il peut se consacrer au travail qu'exige l'inspiration d'un poète.

Bref, au lieu du châtiment attendu, ce sont des vacances, en quelque sorte, que lui offre le tsar. Le soir, à la table du général, Alexandre enchante les convives par le récit de son voyage. Devant l'étonnante fertilité du pays qu'il a traversé, il parle d'un souffle de bien-être général qui a traversé ses poumons, du sentiment d'avoir reçu comme la vision du paradis terrestre. Ébloui par cette petite Russie si différente de la grande, il décrit avec le don de l'image qui est le sien la succession de ses émotions, passant des tristes maisons en troncs de bois du nord aux *khattas* blanchies à la chaux qui s'élèvent au milieu des pâturages ou sont noyées dans la verdure. Aux fenêtres, dit-il, c'est une floraison de giroflées et de roses, dans les jardins s'épanouissent les larges solanées que des coquelicots égaient. Devant ces descriptions qui métamorphosent en éden ce qui est aussi pour eux un exil, les invités du général reprennent des couleurs, une fierté inattendue colore leurs joues, ils redressent la tête et se considèrent mutuellement avec une estime nouvelle. Les femmes qui s'étaient parées avec un soin particulier pour rencontrer le Pétersbourgeois par excellence, le dandy déchaîné, et qui espéraient quelques petits secrets sur les potins de la capitale ou les nouvelles boutiques à la mode, sont un peu surprises. Il n'est rien de mieux qu'un citadin pour convaincre des provinciales des mérites de la campagne comparés à l'enfer de la ville.

Quelques jours plus tard, se promenant parmi les pâturages où de beaux chevaux se poursuivent sur les rives du Dniepr, Pouchkine, dans l'enthousiasme, va commettre la première imprudence de son séjour. Il se déshabille auprès d'un troupeau de moutons mérinos, laisse ses vêtements sous un arbre fruitier et se jette bravement dans le fleuve. Ce bain innocent va modifier son destin. L'eau est glaciale. Victime d'un refroidissement, il doit s'aliter, puis partir en convalescence. C'est la famille du héros de la bataille de Borodino, le général Raïevski, qui l'accueille dans le Caucase pour une étape qui va se métamorphoser en une longue et délicieuse villégiature. Une famille devenue légendaire, grâce à cette image héroïque du général en pleine bataille de Borodino, brandissant le drapeau dans sa main droite, ses fils à ses côtés. Avec une discrétion de gentilhomme

Raïevski niera toujours ce geste mais s'il est entré dans l'histoire c'est parce que tout son caractère le signait.

Plus tard, une fois rentré en Bessarabie, Pouchkine laissera éclater, dans une lettre à son frère, la joie de vivre qu'il a connue : « Que je te plains, mon cher ami, de n'avoir pas connu avec moi la splendeur de cette chaîne de montagnes, ces sommets enneigés qui, de loin dans l'aube si claire, paraissent comme d'étranges nuages sans mouvement... J'ai vu les rives du fleuve Kouban, j'ai contemplé avec délice nos cosaques, toujours à cheval, toujours prêts à combattre, toujours sur le qui-vive... Nous avons navigué en mer le long des côtes de Tauride, le bateau fendait les flots devant des montagnes couvertes de tilleuls, de vignes et de lauriers et de tamaris. J'ai vécu là-bas trois semaines et ce furent les meilleures minutes de toute ma vie que j'ai vécues dans cette adorable famille de Raïevski. Je n'ai pas vu chez le général le héros de la gloire militaire russe. J'ai aimé en lui l'homme à l'esprit lucide, à l'âme simple et belle, pleine de compassion, toujours agréable et hôte magnifiquement accueillant. Témoin du siècle de Catherine, monument de 1812, l'homme sans préjugé au caractère fort et sensible conquiert sans le vouloir chacun de ceux qui sont capables de comprendre et d'apprécier ses qualités. Son fils aîné sera plus que connu, toutes ses filles sont des délices, mais l'aînée est une femme hors du commun, exceptionnelle. Juge toi-même si je n'étais pas heureux. La vie libre, sans souci, au sein de cette famille ô combien agréable, cette vie que j'aime tant et dont je n'ai jamais eu la possibilité de me délecter. Soleil heureux du midi, parages adorables, une nature qui enchante n'importe quelle imagination, les montagnes, les jardins et la mer, cher ami. Mon seul désir est de retrouver cette côte du Sud au sein de la famille Raïevski. » Et il conclut son épître par une plainte : « Maintenant, je me sens si seul dans cette Bessarabie devenue mon désert... »

Une famille légendaire, des jeunes égéries qui font rêver, un climat méditerranéen constituent le décor de rêve du roman qui va commencer. Pouchkine a ce travers, que relèvera l'une des filles Raïevski, de penser que tout poète doit, en permanence, être amoureux de toutes les femmes. On comprend que, dans ces conditions, il ait cru avoir rejoint le paradis dans une maison où quatre grâces se disputent ses regards. L'aînée, Catherine, a vingt ans, la seconde, Hélène, dix-huit ans et les deux cadettes, Marie et Sophie, respectivement quinze et douze ans. Chacun de leurs gestes lui paraît mériter un quatrain, chacun de leurs pas lui semble être une invitation à l'amour. Témoin cet épisode, au cours d'une promenade : le carrosse du général s'arrête au bord de la mer, une des jeunes filles aux sourcils sombres, Marie, s'avance sur le sable pour aller rafraîchir ses pieds dans les flots mourants et Pouchkine qui assiste à ce spectacle va en faire un de ses plus beaux poèmes :

Près de la mer, avant l'orage,
Je revois les flots enviés
Se pourchasser, troupe sauvage,
Mourant, amoureuse, à ses pieds.
Et j'aurais donné tout au monde,
Pour les baiser comme ces ondes...
Non, jamais dans les jours brûlants,
Où bouillonnait mon jeune sang,
Je n'ai pu, des jeunes Armides,
Vouloir d'un cœur plus douloureux,
Les roses de la joue en feu,
Les lèvres ou le sein languide,

— Non, jamais un désir si fort,
N'avait blessé mon âme encore !

Un autre jour, alors qu'il se rend à la fontaine de Baktchiseraï, petite ville tatare à l'atmosphère parfumée d'Orient, c'est à nouveau l'image de Marie qui lui inspire ces mots : « Ah ces yeux, ils sont plus clairs que le jour, plus sombres que la nuit. » Le poète célèbre Marie comme si elle était une de ces femmes tatares, si rares aux yeux des hommes puisqu'elles sont confinées à l'intérieur de leur maison et ne se montrent jamais en public. Son poème tout entier est inspiré par le charme mystérieux du splendide palais de Baktchiseraï où les Khans, jadis, oubliaient dans le luxe et la volupté les soucis de l'existence. La cour du palais, vaste et plantée de peupliers d'Italie, est ornée d'une charmante fontaine turque ombragée par quelques saules dont le murmure mélancolique encourage le poète à se déclarer. A droite, un bâtiment d'une grâce tout orientale et, à gauche, la mosquée et les écuries autorisent le poète à se croire dans une page des *Mille et Une Nuits*. Son poème est limpide comme cette fontaine dont l'eau fait entendre, en tombant sur le marbre du bassin, un murmure si doux qu'on se sent saisi d'un trouble secret. Tout est silence. De fines nattes égyptiennes amortissent le bruit des pas, les lambris sont couverts de versets du Coran écrits en caractères arabes peints en or sur fond noir, le plafond est éblouissant de dorures et, à l'intérieur, de larges divans en velours cramoisi sont disposés autour de la pièce.

Dans ce sérail, le poète est particulièrement frappé par l'appartement de la belle comtesse Potocki. Cette jeune femme, par un bizarre détour du destin, avait inspiré une violente passion à l'un des derniers Khans de

Crimée. Il l'avait enlevée et en avait fait la maîtresse absolue de son palais. Elle y avait vécu dix ans, partagée entre la tendresse que lui inspirait un Infidèle et les remords qui furent la cause de sa mort prématurée. Placée au-dessus d'un croissant, une croix sculptée sur la cheminée de la chambre à coucher symbolisait éloquemment cette vie d'amour et de souffrance. Pouchkine découvre ensuite le harem, surnommé « la petite vallée de roses » tant y est grande la profusion de rosiers et de sources. Une porte presque invisible le met en communication avec le palais. Aucun son du dehors ne peut arriver jusque-là et les voluptueuses musulmanes ne percevaient dans cette retraite que le gazouillement des sources et le chant du rossignol. Dans les cours et les jardins, Pouchkine compte plus de vingt fontaines d'une fraîcheur exquise, comme les quatre filles du général Raïevski, sources de joie, sources d'inspiration.

La Fontaine de Baktchiseraï est un long poème de Pouchkine et de même que les *Souffrances du jeune Werther* provoquèrent chez ses lecteurs une épidémie de suicides, toutes proportions gardées, cette évocation orientaliste aura d'étonnantes répercussions en Russie. Les mémorialistes de l'époque décrivent les tableaux rocambolesques issus de ces pages. Ainsi, la longue description du harem aura des conséquences parfois ahurissantes quand elle sera lue, par exemple, par un barine de Koursk, au fond de la Russie rurale. Ce barine, en tout point semblable à ceux qui apparaissent dans les romans de Tolstoï ou de Tourgueniev, vivait comme un satrape parmi ses paysans, ses enfants légitimes et ses bâtards. Grand lecteur de Pouchkine, le brave homme éprouva le désir de donner vie aux fascinantes évocations de *La Fontaine de Baktchiseraï* et

65

métamorphosa ses paysannes en odalisques. On l'imagine aisément plongé dans des délices artistiques, contemplant les évolutions d'une vingtaine de jeunes filles, vêtues à l'orientale, c'est-à-dire cachant à peine leur nudité sous un voile de soie légère. Non content d'organiser des chorégraphies lascives, le barine se constitua un véritable harem à la russe. Les jeunes filles, préparées avec soin pour le plaisir exclusif du barine, vivaient enfermées dans une partie de la maison sous la surveillance étroite de babouchkas entièrement dévouées à leur maître. Les seules sorties autorisées étaient les visites dominicales à l'église!

Les biographes d'Alexandre Pouchkine se demandent encore si le poète a concrétisé ou non les élans qui le portaient vers Catherine Raïevski et vers sa sœur Marie, alors âgée de quinze ans. La réponse se trouve peut-être dans la liste de ses conquêtes passées. La veille de son mariage, en effet, bien des années plus tard, Alexandre Pouchkine qui se sentait un peu mélancolique prit soin d'énumérer toutes celles qu'il avait connues dans l'album d'Elisabeth Ouchakov. Deux initiales, NN, y intriguent les spécialistes qui se perdent en conjectures sur le sens de ces deux lettres : en russe, elles signifient *incognito*. De qui peut-il s'agir? Quelle femme Pouchkine a-t-il voulu cacher derrière N N? Certains sont formels, il ne peut s'agir que de Marie Raïevski, cette adolescente au teint mat et au corps déjà formé comme un fruit mûr. Quant à l'aînée, elle figure dans la liste du séducteur délicat sous le nom de Catherine III, en sixième position, juste avant Aglaé, la fille du maréchal de Gramont...

La vraie question, finalement, est moins d'avoir confirmation ou non de ces détails que d'essayer de comprendre en quoi ces amours réelles ou rêvées ont inspiré l'écriture poétique de Pouchkine. L'authenticité est-elle à tout prix nécessaire ? A quel instant cesse-t-elle d'être utile ? Ce qui est incontestable — et là tout le monde est d'accord, Pouchkine lui-même, les sœurs Raïevski et même les historiens de la littérature — est que cette atmosphère amoureuse est seule à l'origine des chefs-d'œuvre de Pouchkine arrachés à l'exil. Ces modèles amoureux, il les transposera toute sa vie comme lorsqu'il s'enflamme, par exemple, pour le personnage de Marina, la femme du faux Dimitri dans *Boris Godounov*, uniquement parce qu'il lui prête les traits de Catherine Raïevski.

N'écrit-il pas à son confident, le prince Wiazemsky : « Sous les traits de ma Marina dans *Boris Godounov* est une dame connue, une authentique Catherine Orlov. » Entre-temps, en effet, l'inspiratrice de ses temps d'exil a épousé le 1er mai 1821 le général Orlov, un combattant courageux qui comprendra vite la force de caractère de son intrépide épouse. Égérie de Pouchkine dans l'adolescence, elle a désormais une lueur de fer dans les yeux. Le poète deviendra le familier de ce couple et viendra souvent chez eux pour fumer le tabac turc à la mode de l'époque. Il aime converser avec le mari commandant d'une division dont le quartier général est situé à Kichenev, et l'entretient de sa nouvelle marotte, la théorie de l'abbé de Saint-Pierre sur la paix éternelle. Cette théorie, baignée d'une lumière étrange, est venue des rives de la Seine. Elle contient les foudres nécessaires à la fascination qu'elle exerce. L'abbé n'y va pas par quatre chemins puisqu'il désigne à la vindicte des intellectuels le cercle d'argent des empereurs de ce monde. « Les grands aujourd'hui seront demain considérés comme les violeurs de la tranquillité publique », s'enflamme l'ecclésiastique. Alexandre Pouchkine, nouveau disciple de cette recherche théorique, se lève dans le salon des Orlov et prophétise un embrasement général. Le beau Orlov pose sa tasse de thé et cache un sourire dans sa moustache. Il est toujours prêt à la défense de l'aigle bicéphale impériale.

Pouchkine sacrifie également à l'anglomanie ambiante : leçons d'anglais avec Catherine Orlov et lecture des strophes de Child Harold. Le poète ne peut pas se douter que, durant ces après-midi paresseux, son œuvre est en train de se diffuser. La Russie tout entière commence à bruire du génie de l'exilé. La beauté de ces vers venus de loin fait de son auteur le cavalier de la célébrité. Partout dans les salons, dans les théâtres, dans les fumoirs des demeures de gentilhommes de la campagne comme dans les boudoirs des grandes dames, les stances d'*Eugène Onéguine* créent les rythmes du romantisme russe.

Le discours de Pouchkine a autant amusé le général Orlov qu'il l'a fait réfléchir. Lui aussi, quelques mois plus tôt, s'était mis à rêver d'une nouvelle Russie. Mais le rêve ne suffisait pas, il fallait agir : Orlov entra dans l'action clandestine, en rejoignant, durant l'hiver 1821, une société secrète dont l'objectif était l'établissement d'une monarchie constitutionnelle et l'adoption d'une Constitution. Baptisée « L'Union du Bien-Public », cette société réunissait les meilleurs représentants de cette noblesse russe éclairée revenue de Paris avec des idées nouvelles. L'engagement du comte Orlov y fut de courte durée.

Amoureux depuis longtemps de Catherine Raïevski, il s'était rendu à Kiev, la mère des villes russes, pour demander sa main. Pour cet homme aux mille charmes, neveu du comte Orlov, l'amant de la grande Catherine, brave, beau et richissime, la jeune fille réunit également toutes les qualités. Elle possède ce mélange de caractère et de douceur, de vertus domestiques et de panache personnel qui fait les grandes dames. Celles justement qui savent apprivoiser les héros. Orlov a un allié dans la place, le frère de celle qu'il convoite, un géant solide, chéri des dames de Saint-Pétersbourg qu'elles appellent presque toutes familièrement Alex. Alexandre Raïevski a préparé le terrain auprès de son noble père. Le général reçoit l'impétrant dans son majestueux cabinet. Il en impose tellement avec sa veste de velours vert au col de castor qu'on le dirait descendu d'un tableau. Mais, dans le regard embrumé du vieux chef, une sorte de tendresse est perceptible. Il connaît Orlov depuis longtemps, apprécie l'officier d'exception et sait à qui il a affaire. Ayant déjà parfaitement mesuré le courage du prétendant, il sait bien qu'Orlov dans son audace peut parfois frôler l'irréparable. Cet homme direct n'y va donc pas par quatre chemins : « Tu auras la main de ma fille, dit-il, mais à une seule condition : romps tout contact avec cette société secrète. » Il a deviné les tentations cachées de son futur gendre et, en bon stratège, devine qu'elles peuvent lui nuire plus tard et porter tort à la famille. Orlov accepte cette condition, tout à la joie de son rêve accompli.

Ce bonheur immédiat fait paravent aux remords qui vont bientôt le harceler. Le débat de l'homme d'action confronté aux exigences de l'amour le fait douter de la justesse de son renoncement. Cinq ans plus tard, quand éclate l'insurrection des décembristes face au palais d'Hiver, Orlov sera non seulement le grand absent de la conjuration, mais de plus il apprendra qu'au terme de cette journée tragique où les rebelles seront dispersés, c'est Alexis qui s'est jeté auprès du tsar pour implorer leur grâce. A ce moment-là, Orlov est déjà un homme changé. Le ressort secret est brisé. Il a depuis quelque temps quitté l'armée. Il se cherche un rôle, une vocation, un engagement paisible. Il a tout tenté, l'écriture, le commerce du cristal, la production de vitraux qui lui a finalement coûté plus qu'elle ne lui a rapporté. Il n'est pas fait pour les affaires et ses amis ne reconnaissent plus cet homme qui, tête baissée, arpente dans l'ennui la rue Arbat, à Moscou. Il a cédé aux injonctions de la sagesse et voit qu'il y a perdu son âme. Il découvre cette langueur morte qui porte un nom à Paris, le spleen. Ce spleen dont Baudelaire et Thomas de Quincey fumant leur pipe de haschich ne savent pas qu'il se diffuse depuis des décennies dans les brumes de l'âme russe et que cet état romantique a maintenant un nom pour en désigner les victimes : l'homme de trop.

Le chantre de ce mal d'exister n'est autre qu'Alexandre Pouchkine. Il l'a mis en scène dans *Eugène Onéguine* et depuis la pandémie n'a pas cessé. L'Europe entière est à l'unisson de ce mal du siècle. Byron fait la planche à Venise sur le Grand Canal, il est amoureux d'une boulangère et scandalise l'aristocratie de la Sérénissime République. Shelley regarde la mer du Nord, y voit un noyé et prétend qu'il s'agit de lui-même. En Italie, on parle de Manzoni et de Leopardi, en Pologne de Mickiewicz et Slowacki, en Écosse tout le monde s'arrache les faux parchemins d'un certain Ossian qui se moque du monde avec un talent éclatant. En France, Vigny est amoureux d'une sulfureuse actrice tout en chantant le son du cor au fond des bois.

Senancour, Mme de Staël, Joubert, Maine de Biran, Nodier, Courier sont des noms qu'on trouve dans cet annuaire noir du romantisme. Et Pouchkine portraituré par Kiprenski arbore sur l'épaule un plaid écossais comme un héros de Walter Scott, porte-drapeau d'un romantisme européen et chef de file du romantisme russe. Schiller est le premier à donner comme sous-titre à son drame, *La Pucelle d'Orléans*, « *Eine romantische tragedie* » et, à Paris, un jeune homme de vingt-quatre ans a lancé le chant du départ en fabriquant le tonnerre : c'est Victor Hugo avec la préface de *Cromwell*. Benjamin Constant, rejeté par Mme Récamier, écrit dans sa chambre : « Pris la résolution de mourir... Je ne renonce pas à la résolution de mourir. » Il note dans son journal le lendemain matin : « Passé la nuit à écrire à Mme de Krüdener que je vais me tuer », Mme de Krüdener, l'égérie mystique d'Alexandre Ier. Qui ne se reconnaît alors dans le langage d'Astolphe de Custine, futur auteur de *La Russie en 1839* : « A dix-huit ans, je sentis que tout était fini pour moi en ce monde. Je suis condamné à languir sans projet comme sans illustration... Si je ne me livre à l'abandon d'un sentiment qui m'absorbe entièrement, je serai mort fou avant un an. » Lamartine, la main sur le cœur, pose la question du siècle : « Pourquoi mon âme est-elle si triste ? » C'est un poète qui a failli devenir président de la République. Ainsi est le romantique. Homme fatal, parfois fatal à lui-même.

Les romantiques russes ont leur Panthéon littéraire européen, une suite éclatante de cas d'école, de Don Juan à Child Harold. *Eugène Onéguine* entre en fusion avec ces thèmes : dégoût d'exister, rébellion individuelle, mystique de la fuite métamorphosée en quête, obsession du voyage. Mais ce qui fait de Pouchkine un écrivain différent, c'est qu'il laisse parler en son âme les voix contradictoires de son personnage, à la fois tragique et lumineux. Il semble incorporer à l'armée sans nom des rebelles romantiques, les résistances au malheur de la vieille âme russe. Cette capacité de surmonter les coups du sort auxquels l'impitoyable climat et les caprices cruels des saisons soumettent les enfants de la Russie, cet esprit de résistance que son histoire a imposé aux Russes. L'amour apparaît alors comme le secret de la survie. C'est pourquoi sans femme russe, il n'est pas d'égérie de la résurrection et c'est pourquoi sans amour il n'est pas de Pouchkine. A ce propos, laissons la parole à Eugène-Melchior de Vogüé, le Français qui a tout compris : « Ce Slave a sur toutes choses les idées claires d'un Athénien. Sa mélancolie ne vient pas de l'écrasement russe, de l'épouvante morne sous un ciel livide, triste de voir tant de misère en bas. Elle lui vient du "mal du siècle", et de tous les siècles, de ce que la vie, qui était bonne, a le tort de fuir trop vite, l'amour celui de finir. Par contre, il a toutes les qualités littéraires qu'on ne reverra plus chez les écrivains de son pays. Il est aussi concis qu'ils sont diffus, aussi limpide qu'ils sont troubles, son style châtié, alerte et élégant et pur comme un bronze grec. En un mot, il a le goût, un terme qui après lui n'aura plus guère d'emploi dans les lettres russes. » Et l'auteur du *Roman russe* de poser la question essentielle, celle de l'appartenance du poète : « Est-ce diminuer Pouchkine que de l'enlever à sa race pour le rendre à l'humanité ? » Disons, si l'on veut, qu'il représente une petite classe de ce pays, l'aristocratie cosmopolite à laquelle il appartient et, dans cette classe, une attitude dominante, son incroyable souplesse à sortir d'elle-même, à se modeler sur tous les patrons. Le jugement de Vogüé contient une part de vérité, il n'est pas toute la vérité. Le hasard qui fit naître Pouchkine en Russie eût pu le jeter dans toute autre contrée, son œuvre n'en eût guère été modifiée. Elle fût restée ce qu'elle est, un miroir simple et fidèle où se reflètent tous les sentiments humains, sous le vêtement adopté vers 1830 par la société polie d'Europe. Ces mêmes vers qui célèbrent la nature russe, l'amour russe, le patriotisme russe, changez-y quelques mots et ils chanteront les mêmes choses pour l'Anglais, le Français ou l'Italien. Les slavophiles le pardonneront : s'il est beau d'être fils de Rurik — nom du premier prince de Kiev —, il est encore plus beau d'être fils d'Adam, et s'il y a, comme ils pensent, un grand mérite à n'être compris que dans Moscou, il y en a peut-être un plus grand à faire penser, pleurer et sourire partout où respire un homme. Pouchkine y réussit. Il a bien servi ce pays auquel il ressemble si peu : plus que tout autre écrivain, il l'a amené à la vie intellectuelle et ce n'est pas trop de l'appeler le Pierre le Grand des Lettres. La reconnaissance nationale ne s'y est pas trompée, elle a donné raison à ces vers où le poète disait fièrement : « Le monument que je me suis élevé n'est pas fait de matière mortelle. Et l'herbe ne croîtra pas dans le sentier populaire qui y conduit. »

Une coquette à Kamenka

Le duel est romantique parce que le romantique est en duel avec lui-même. Il est d'autant plus romantique que cet acte, en Russie, fait figure d'une fronde contre les puissants, qu'il est puni par les tsar depuis Catherine la Grande comme il a été proscrit en France par le cardinal de Richelieu. Le duel russe est une provocation au pouvoir et comment s'étonner qu'il devienne dès lors un geste classique pour cette génération de jeunes écrivains fougueux qui, derrière la grande ombre de Pouchkine, se profilent, levant le bras avec le pistolet au bout des doigts. Les deux grands tenants du romantisme russe autour de Pouchkine sont Alexandre Griboiedeov et Mikhail Lermontov. Le duel signera leur destin. Si Griboiedeov est exilé après avoir été mêlé, en qualité de témoin, à un double duel mortel, Lermontov, lui, est tué à vingt-sept ans au cours d'un duel dans les montagnes du Caucase.

Toutes les pages du romantisme russe sont signées par les gouttes de sang des duels racontés. Eugène Onéguine tue son meilleur ami, le poète Lenski, d'un coup de pistolet. *Le coup de pistolet* est justement le titre d'une nouvelle de Pouchkine qui exalte la mystique du duel que Tolstoï, plus tard, restituera dans une scène de *Guerre et Paix*. Bestoujev, dans son *Roman en sept lettres* et Radichev dans le fameux *Voyage de Saint-Pétersbourg à Moscou* reviendront sur le sujet, le premier pour faire l'apologie du sacrifice, le second pour critiquer le duel. Quant à Lermontov, c'est un roman entier qu'il construit autour de ce thème, *Un héros de notre temps*. Le passage suivant, extrait du livre, explique pourquoi il est devenu légendaire : « Voulitch s'assit devant la table... Ses lèvres pâles sourirent, néanmoins, malgré son sang-froid, je crus distinguer sur son visage exsangue la marque de sa fin prochaine. J'ai observé, et bien des vieux guerriers m'ont confirmé cette observation, que très souvent le visage de celui qui doit mourir dans quelques heures porte le signe étrange de son destin, si bien qu'un œil averti s'y trompe rarement. Vous mourrez aujourd'hui, lui dis-je. Il se tourna vers moi d'un mouvement brusque mais me répondit avec calme et lenteur : Peut-être que oui, peut-être que non... Ensuite, s'adressant au major, il lui demanda si le pistolet était chargé à balles. »

Pouchkine, s'il a connu les délices de l'exil, va en connaître également les duretés. Le revers de la médaille ne tarde pas à se présenter à lui. D'abord, ce poète qu'on a déguisé en fonctionnaire civil semble déplacé dans cette garnison du Sud où les officiers sont arrogants et considèrent leur régiment comme une académie de héros. Ils ne font rien pour dissimuler leur mépris à l'égard de ce rimailleur ébouriffé. Pouchkine, qui a une sensibilité à fleur de peau et qui place l'honneur au-dessus de tout, n'acceptera pas de telles attitudes. La confrontation aura lieu lors d'un bal donné par les officiers. Pouchkine, fin danseur, commande un quadrille contre l'avis d'un quarteron d'officiers qui se sentent, à juste titre, les maîtres de maison. Ce geste désinvolte est considéré non seulement comme une insolence bien dans sa manière mais aussi, et c'est bien plus grave, comme une offense à tout le corps des officiers. Le colonel s'approche alors de Pouchkine et dit publiquement : « Vous avez offensé mes officiers, voulez-vous présenter vos regrets ? » Réponse du poète : « Je ne sais de quoi vous parlez, mon colonel. Quoi qu'il en soit, je suis à votre disposition. » Le lendemain, sur le pré, Pouchkine fait face au vieux colonel. L'amour et la mort rendent égaux tous les êtres. Dans l'aurore brumeuse d'une clairière, quatre coups de pistolet sont échangés, aucun duelliste n'est touché. Le soir même, c'était la réconciliation autour d'un bon souper et d'un flacon de Laffitte. Le colonel dit paternellement devant l'assistance admirative pour l'exilé : « J'ai toujours eu la plus grande considération pour vous. Aujourd'hui, elle s'est muée en un véritable respect. » Et Pouchkine de répondre d'un quatrain badin qui provoque les applaudissements de l'assemblée. On portera de nombreux toasts avant de se séparer tard dans la nuit. Cela n'empêchera nullement Pouchkine de devenir un habitué des duels, traînant partout la susceptibilité à vif d'un homme jeune déjà blessé par les ruses d'un monde sans pitié.

Sa lucidité de duelliste, à qui la présence de la mort interdit tout mensonge, éclate dans cette lettre où il se livre à son frère, lui donnant, dans un esprit de protection filiale, les règles de conduite d'une société hostile : « Tu auras affaire à des gens que tu ne connais pas. Pense d'eux dès le début le pire de ce que tu peux imaginer. Tu ne te tromperas pas outre mesure. Ne juge pas les gens d'après ton propre cœur qui, j'en suis sûr, est noble et accueillant et, de plus, tellement jeune. Méprise-les de la façon la plus polie, c'est le moyen de te défendre contre les petits préjugés et les passions mesquines qui vont te causer des soucis dès ton entrée dans le monde. Sois froid avec tout le monde. La familiarité porte toujours tort. Surtout que Dieu te garde d'être familier avec tes supérieurs, aussi affables soient-ils avec toi, ils nous rejettent vite et sont ravis de nous abaisser dans les moments où nous nous y attendons le moins. Ne sois pas trop serviable, et tâche de museler tes dispositions cordiales, celles qui viennent de ton cœur : les gens ne les comprennent pas et les interprètent volontiers comme l'expression d'un esprit servile. N'accepte jamais des services, le plus souvent les services amènent à une trahison. Évite toute tutelle parce que cela asservit et humilie... J'aurais bien voulu te prévenir contre les séductions de l'amitié mais je n'ai pas assez de résolution pour rendre ton âme insensible au moment des plus douces illusions. Ce que je te dirai à propos des femmes est complètement inutile. Juste un constat. Moins on aime une femme, et plus on a de chances de la posséder. Mais ce genre de divertissement n'est digne que d'un vieux singe du dix-huitième siècle. En ce qui concerne la femme que tu aimeras, je souhaite de tout mon cœur que tu la conquières. N'oublie jamais les offenses qu'on t'a faites consciemment. Ne sois pas exubérant, volubile, garde plutôt le silence et ne réponds jamais par l'injure à l'injure. Si les moyens ou les circonstances ne te permettent pas de briller dans la société, alors n'essaie pas de cacher soit tes privations soit ta gêne. Il vaut mieux choisir une autre attitude extrême, une indifférence complète face aux convenances. Car le paradoxe est de nature à séduire une société qui change sans cesse d'avis, alors que les petites astuces de la vanité rendent l'homme ridicule et le soumettent au mépris. Ne fais jamais de dette, il vaut mieux subir la gêne, elle n'est pas aussi affreuse qu'on pouvait le penser. En tout cas, c'est mieux que l'issue inévitable de devenir malhonnête ou d'en avoir la réputation. Les règles que je te propose, j'en ai payé le prix par une expérience amère. Ce serait bien que tu les adoptes sans subir le même sort. Cela t'évitera des journées où la rage du désespoir fait une vie sans issue. »

De Kichenev, Alexandre Pouchkine se rend dans les environs de Kiev, à Kamenka, dans la belle propriété au parc immense des Davidov, de nouveaux amis à qui il a été présenté par le général Raïevski. L'état-major n'étant pas loin, de brillants officiers fréquentent cette demeure qui est devenue un haut lieu de la contestation du régime, un nid de décembristes. On dit que le servage est immonde, on boit des flûtes de Veuve-Cliquot, on parle de la grande cause, on fait montre de son cœur subversif. Toutes les grandes figures de la conjuration ont séjourné là, de Paul Pestel à Mouraviev-Apostol. Pouchkine raconte qu'il passe là son temps « entre les dîners aristocratiques et les discussions démagogiques ». Même s'il estime que les esprits les plus originaux de la Russie sont réunis dans cette demeure, son constat reste mitigé : « Peu de femmes, beaucoup de champagne, beaucoup de bons mots, beaucoup de livres, un peu de poésie. »

Les deux frères Davidov qui règnent sur cette propriété sont de caractères différents. L'un est un brillant officier, animé par une flamme républicaine, engagé dans la conjuration, l'autre est un bon vivant, un Falstaff russe, qui a fait venir de France ce qu'il y a de mieux à son goût, les grands crus de Bordeaux et la féminité absolue. Pouchkine qui le dépeint amateur de luxure, vaniteux mais stupide, pleurnichard et obèse, lui reconnaît cependant une qualité : Davidov est marié. Sa femme charrie dans son sang toute la tradition française, elle a un teint de lys et quand, à la table, elle relève la tête, Pouchkine ne peut se déprendre du mouvement somptueux de ses boucles châtain. Il sait qu'il n'est pas le premier admirateur d'Aglaé de Gramont, l'armée russe tout entière retentit des éclats de son charme. Des généraux glorieux aux jeunes cornettes, qui n'a pas rêvé d'elle ? Pouchkine la contemple encore. Sous le battement de cils d'un regard évité, il a trouvé l'angle pour aller jusqu'à son cœur. Aglaé est de cette race pleine de panache qui, une fois qu'elle a pris conscience du galop de son âme, lâche les rênes et éperonne sa monture. Elle a un côté grand siècle hérité de son aïeul, le maréchal de Gramont dont la gloire militaire sous Louis XIV rivalisait avec sa gloire amoureuse à Versailles.

Avec élégance et une apparente réserve, la belle Aglaé accumule les conquêtes. Sous les tilleuls de Kamenka, l'amour est plus une distraction qu'un destin. Bientôt, Aglaé et Alexandre ne se cachent pas de leurs mutuels désirs. Les débuts sont fougueux et l'on dirait même que les amants se soucient peu des apparences, au risque de provoquer la jalousie des officiers d'état-major. Ils vivront trois semaines d'étreintes brûlantes dans les salons aux portes entrouvertes, de baisers fous cachés dans les bosquets, de serments silencieux les yeux dans les yeux dans les allées. Mais il y a un obstacle au couronnement d'une telle passion : tous deux sont de la même race. Et quand Aglaé en prend conscience, il est trop tard, elle se sent déjà offensée. En vérité, entre un dandy désabusé et une femme de trente ans animée par la rage de vivre, entre un séducteur et une rouée, entre un joueur et une flambeuse, entre un stratège des sentiments et une amazone de l'amour, rien n'est vraiment possible puisque aucun des deux n'est dupe. Ils le savent, mais c'est elle qui le lui reproche, et non sans fureur. Elle le cravache avec des mots, parce qu'il a rompu la loi du silence. Et lui se venge par un poème érotique, ironique, cynique où il ne cache rien de leur histoire, ni de ce jeu dans lequel elle a voulu le conduire en lui faisant croire à un amour chevaleresque : « Alors que l'histoire n'est pas tout à fait morte, révèle Pouchkine, tu as pris un hussard, j'ai choisi une jolie Nathalie. »

Plus tard, Aglaé lui en voudra beaucoup d'avoir publié ce poème, même s'il lui assure une certaine postérité. Elle aurait pu en vouloir encore beaucoup plus à Alexandre qui avait porté ses yeux rieurs sur les premiers jeux de séduction de la fille d'Aglaé, Adèle, ravissante coquette de douze ans. Le poète s'amusait des poses boudeuses qu'elle affectait pour capter son attention. Même les jeux d'enfants sur les allées au soleil ou les courses dans les sous-bois ombragés sont le prétexte à de délicieux manèges. Adèle souriait et déjà tendait ses pièges, flattée qu'un monsieur qui avait su conquérir l'attention de sa mère s'intéressât à ses jeux à elle. Pouchkine chantera sa féminité naissante dans un poème qui deviendra une romance populaire en Russie et qui est encore aujourd'hui chantée sur les scènes de toute la Russie. Dans ces vers, il donne un conseil, ô combien prémonitoire : « Apprends à profiter de l'instant. »

La petite Adèle ne connaîtra pas beaucoup d'instants heureux. Elle perdra son père emporté par ses excès de table et sa mère, la toujours belle Aglaé, se remariera avec un général, français cette fois-ci et promis aux plus hautes destinées, Sebastiani. Adèle, la jeune beauté qu'attendent les hommages des grands bals de Saint-Pétersbourg, entrera au couvent des Ursulines. Elle se retirera devant Dieu avec les lignes pures de sa beauté mystique.

LES ENCHANTERESSES D'ODESSA

Qu'est-ce qui différencie Odessa, la ville nouvelle sur les bords de la mer Noire, et cette villégiature champêtre qu'Alexandre Pouchkine vient de traverser avec délices ? Tout : les opéras italiens, les bons restaurants qui restituent tout autant les saveurs de la cuisine ottomane que la finesse des mets français, les promenades sous les ombrelles immaculées devant une mer d'azur, les cafés littéraires où le temps se partage entre le café très fort de Turquie et la lecture des gazettes venues d'Europe par bateau où s'exprime à longueur de colonnes l'ivresse nouvelle du romantisme triomphant. C'est dans l'été brûlant de 1823, à Odessa, qu'Alexandre Pouchkine, exilé de circonstance, touche au terme de sa disgrâce dans cet éden où la nature la plus sauvage contraste avec la beauté ordonnée d'un parc à la française imaginé par Armand de Richelieu, ancien gouverneur de la ville. Une disgrâce que la présence légère des femmes rend plus exquise encore pour le poète.

Quelle impression produit sur Pouchkine la société d'Odessa ? A en croire le témoignage de ses amis ou de ses contemporains, dont Toumanski et Viguel, qui en font un tableau charmant, elle est plus qu'accueillante. Viguel prétend, par exemple, qu'elle ne laisse aucun loisir à un homme qui, même de toute sa volonté, aurait désiré s'ennuyer : « Il n'existe pas là-bas un "bon ton" au sens où on l'exprime dans les grandes capitales. Aucune règle particulière de conduite n'y est dictée, même les conversations conventionnelles n'y ont pas cours, ni ces délices traditionnelles qui, au final, ne provoquent que de longs bâillements. Dans cette société libre, on n'est en quête que de détente, de distraction et d'évasion, et rarement d'un nouveau travail ou d'une obligation officielle. Chacun agit à sa guise en faisant fi de l'ordre ennuyeux des grands salons des capitales. Même les jeunes filles, dans la liberté de leurs comportements, ne savent où mettre le point final à leurs délices. Les unes sont trop sauvages, les autres trop directes. Quant à la troisième catégorie, elles sont trop frivoles ou trop gaies. Elles goûtent à ces choses exquises qu'elles ne veulent pas cacher. En gros, c'est une atmosphère éternellement originale et perpétuellement affable. Ce sont surtout les belles grecques qui me réconfortent et qui me soulagent l'âme. Elles ont quitté la terre des Hellènes, où elles ne peuvent avoir d'existence propre, pour ce royaume de la mer Noire, où elles ont enfin conquis tous les privilèges de la liberté. »

Dans cette ville immaculée en bord de mer, le soleil du midi dévaste les cœurs. La sensualité est la secrète souveraine de la ville d'Odessa. Et comme dans les romans libertins du xviiie siècle de Crébillon fils ou de Laclos, c'est la ronde. La ronde des amours qui se succèdent, qui se superposent, qui se croisent dans les drames et les réconciliations passionnées. Qui, dans ce bassin magique, peut nager tel un poisson dans l'eau? Pouchkine. Dans ses redingotes vert de mer, coiffé de son insolite chapeau bolivar, il navigue à vue, incertain et décidé, cœur toujours meurtri et cœur toujours à prendre. Comme repos préalable à toutes ces voluptés, il choisit d'abord le lac placide de l'amitié. Il aime les conversations chez les amis qui reviennent de Paris avec les nouvelles littéraires et les gazettes, l'évocation de souvenirs parfumés et les affinités insolites, les propos de bord de mer sur les beautés arrogantes aux réputations trop affirmées. Ces jeunes gens, tels des marins des horizons lointains, ne cherchent pas leurs sœurs, leurs fiancées, leurs muses russes. Ils sont plutôt captivés par les séductions de l'ailleurs, la beauté sombre des regards grecs, le rire français à nul autre pareil. Car, autour d'eux, c'est le bal des beautés d'adoption, la grâce de toutes les races qui, à Odessa, ont fixé leur port d'attache.

Asiatiques dans les caresses de l'amour, cosmopolites dans l'agilité de l'esprit, raffinées dans la tendresse et les pleurs comme les héroïnes de Vienne, ces beautés ont aussi l'orgueil et le panache des Parisiennes. Pouchkine, la tête tournée, se demande quelle nouvelle race est née. Dans le port blanc de la Crimée, le plus grand des pouvoirs appartient aux femmes. Deux femmes, bientôt, vont y aborder. Deux sœurs, Caroline et Eveline, deux jeunes beautés mariées à des hommes plus âgés. Elles appartiennent à une grande famille polonaise, les Rzewuski, mais ce qui les distingue, c'est le pouvoir, la fascination et la séduction qu'elles vont exercer sur trois génies du siècle, Pouchkine, Mieckiewicz et Balzac. Autant dire qu'elles ont mis à leurs genoux les sensibilités majeures de la Russie, de la Pologne et de la France de l'époque.

LA DÉMONE DE CRIMÉE

Au commencement de leur histoire, leur père, le comte Adam Rzewuski, qui tombe éperdument amoureux d'une esclave d'origine grecque capturée par les Turcs. Comme dans les poèmes de Lord Byron où l'érotisme, l'exotisme, l'évasion et la détention se répondent, ce grand seigneur polonais va arracher à son sort la belle captive. Elle va lui donner deux filles qui ont la beauté du diable et un fils, Henrik, qui sera lui aussi un poète et publiera des romans historiques. Bientôt le comte est ruiné et il ne lui reste plus qu'à confier ses enfants, à sa cousine Rosalie. C'est elle qui donnera aux deux filles une éducation parfaite et les fera échapper à la misère. Qui sait si cette peur de manquer et cette hantise de la gêne ne vont pas jouer dans les destinées de Caroline et Eveline un rôle secret ? Toutes deux vont épouser des hommes riches et plus âgés, mais toutes deux le feront en gardant jalousement leur liberté de penser, leur liberté d'action et leur liberté de mouvement. Ces unions ne dureront guère. Caroline, l'aînée, délaisse assez vite Sobanski, son propriétaire terrien de mari, pour vivre aux yeux de tous une liaison avec le chef des installations militaires du Sud, le général I. Witt. Elle s'affiche, provocante, avec lui dont la carrière est due à quelques ambiguïtés. Ne pratique-t-il pas un double jeu digne de Machiavel ? On le sait ami intime des décembristes, notamment de Paul Pestel qui, plus tard, prendra la tête de la conjuration, mais aussi agent secret du tsar à qui il adresse des rapports d'une redoutable précision sur les agissements et les pensées de ces officiers romantiques, révélant au souverain les plans secrets des révoltés et les noms du cercle des poètes insurgés.

Caroline et Witt sont liés par une ambition sans limites. Ils forment un couple fatal, manœuvrier, digne des *Liaisons dangereuses*. Leur soif de pouvoir est telle qu'ils se croient capables de se jouer des deux partis, s'assurer la confiance de l'empereur par la manipulation du renseignement tout en entrant au cœur du complot sous des couleurs complices, afin de pouvoir jouer les arbitres le jour venu. Imaginons un instant ces amants diaboliques, en tête à tête dans leur cabinet d'Odessa, les yeux brûlants de passion et de volonté de puissance. Ils s'étreignent sauvagement, puis, apaisés, rédigent froidement des rapports de police. Détail affligeant : c'est lui qui lui dicte les termes de la dénonciation car sa plume est incertaine et c'est elle qui parfait sur le papier la forme de cette abomination. Même le mal cherche l'élégance de la syntaxe et la mécanique bien huilée de la grammaire. Tout est là, désir de puissance, attirance pour la destruction, sexualité et mensonge. Ce couple qui unit un militaire dévoué à une femme à l'âme policière ne laissera pas dans l'histoire russe une trace particulière. Ni blâme, ni oubli. Plutôt le mépris. De cet attelage satanique, il demeurera des mots. Pas ceux de Balzac qui, pourtant, deviendra plus tard le beau-frère de la redoutable Caroline, laquelle conseille sa sœur Eve Hanska, dans ses va-et-vient amoureux avec l'écrivain de la Touraine. Et pourtant, l'auteur de la *Comédie humaine* n'hésitera pas à faire des portraits caustiques de ces aventurières venues du Nord qu'il a rencontrées sur les quais de la Neva ou les berges de la Seine. Mais s'il épargne les deux sœurs et si la littérature laisse passer un tour, c'est parce que les entrelacs sulfureux et le cloaque inconscient des amants diaboliques méritent mieux : le talent torturé d'un Fedor Dostoïevski. La vie est ainsi faite que le mal s'assoit parfois sur les genoux du beau et que l'inspiration du bien peut naître d'une promenade égarée dans les allées sombres de l'âme humaine. Cela a un nom : passion fatale. Cela a un cadre : la Crimée. Cela a un territoire : l'énigme de l'âme slave. Car en vérité, nous voyons régner une femme sans scrupule et qui pourtant inspire des sentiments élevés, nous assistons à ses mises en scène qui partent de la plus basse intrigue pour toucher, on ne sait encore comment, les sommets de la poésie. Il y a là un miracle de l'immatérialité, un travestissement hypnotique de la réalité. Il y a là une métamorphose des choses qui sied si bien aux illusions du cœur. Ah ! Chers poètes romantiques. Ne sont-ils pas destinés à appeler « mon ange » ces démones qui savent décorer leur cœur en vers ? On les dirait prédestinés aux pièges du malheur amoureux tant ils se précipitent, aériens, sur les bûchers de Lucifer. Ce sont des romantiques, ils ont la conviction que les énergies du rêve peuvent forcer la réalité et, surtout, ils croient que le beau est toujours le reflet du bien. Caroline, la sublime démone de Crimée, leur donne son visage et son corps à livre ouvert. De son existence même, elle fait un livre d'or, elle attend les grandes signatures. Car, à l'époque, il ne suffit pas à une femme fatale de mettre un général à ses pieds après avoir offusqué son mari, il ne suffit pas de régner sur une petite coterie de rebelles en puissance qui, pourtant, n'iront pas jusqu'au bout, il ne suffit pas d'être l'étoile du sud quand passent à portée de main des poètes au lustre européen. Il faut tout emporter sur son chemin, l'argent, la puissance et, si possible, cette immortalité que seule vous offre la dédicace du poète.

Les deux sœurs l'ont compris. Grâce à la douceur incomparable de leur peau, à leurs promesses subtiles, à leurs caresses savantes c'est par les œuvres complètes qu'elles entreront dans la postérité. Disons la vérité : Mickiewicz et Pouchkine pour Caroline, Honoré de Balzac pour Eva, aucun des trois n'a pu oublier les deux femmes... La chute de reins de Caroline a ainsi laissé au poète polonais un souvenir inoubliable. Il lui consacre des vers extasiés dans ses *Sonnets érotiques de Crimée* où l'on devine que son appétit d'amant n'a jamais été rassasié. Il rêve encore de cette forme parfaite, de caresses audacieuses et s'attache à en fixer pour l'éternité la teinte exacte et délicieuse. Tel le peintre Boucher, il parle du corail incomparable de sa peau au lieu rebondi de son bonheur. Quand vient l'heure de la séparation, c'est la douleur pour le poète. De sa belle écriture, il écrit dans un distique les mots du déchirement. Mais ces quelques strophes jetées à la postérité ne sont pas suffisantes pour Caroline. Elle veut que l'amour qu'on lui porte soit un empire qu'on lui soumet. Lorsque s'avance vers son charme funeste le grand Alexandre Pouchkine, une passion dévastatrice commence pour lui.

Le poète en devient fou, il oublie ses plus nobles serments et perd la tête au point d'offrir l'inimaginable à cette femme qui ne se donne pas qu'à lui. Alors qu'il est fiancé avec la virginale Nathalie Gontcharov, que son cœur est promis, presque scellé déjà dans le projet de mariage, il ose lui proposer de s'enfuir avec lui. Des années plus tard, et bien qu'il se soit entre-temps marié, le souvenir de cette passion est encore si vivace qu'après l'avoir croisée à Saint-Pétersbourg, il lui écrit cette lettre enflammée : « Aujourd'hui, c'est le neuvième anniversaire du jour où je vous ai vue la première fois. Ce jour fut décisif dans ma vie. Plus j'y pense, plus j'ai la certitude que toute mon existence est liée d'une manière irrémédiable avec la vôtre. Je suis né pour vous aimer. Pour vous suivre. Et n'importe quel autre souci de ma part est une erreur et une folie. Loin de vous, je n'ai plus qu'une pensée : celle du bonheur que je n'ai pas su satisfaire et cette pensée obsessionnelle me dévore le cœur. Tôt ou tard, je serai obligé de tout laisser et de me jeter à vos pieds. Parmi tous mes sombres regrets, il n'y a qu'une pensée qui me séduit et me fait revivre, celle d'avoir tôt ou tard un morceau de terre en Crimée. Alors, je serai en mesure de faire le pèlerinage, de rôder autour de votre maison et de vous entrevoir de temps à autre. »

La belle Caroline Sobanska n'a pas renoncé à capti-ver, une nouvelle fois, le poète. Au moment où il lui écrit cette lettre folle que, Dieu merci, il n'enverra jamais, il reçoit d'elle un petit mot : elle retarde son rendez-vous avec lui, mais sans renoncer à l'idée des retrouvailles. Alors Pouchkine devient fou. Il écrit une deuxième lettre : « Vous ridiculisez mon impatience.

Est-ce que cela vous donne une satisfaction particulière de tromper ainsi mes attentes ? Ainsi, je ne vous verrai que demain. Tant pis, qu'il en soit ainsi. En attendant, je ne vais penser qu'à vous. Quoique vous voir et vous entendre est pour moi le suprême bonheur. Je préfère ne pas vous parler mais vous écrire. Car mes sentiments sont douloureux et les exprimer par des mots en votre présence serait comme lancer des blagues vides. Il y a en vous une ironie, une malice qui excite et désespère à la fois. » Après cet ultime appel, c'est le constat sans pitié du poète qui se révèle d'un coup l'observateur lucide qu'on n'attendait plus : « Vous êtes un démon ! » Pouchkine a lâché son cri. Il va, en quelques lignes, expliquer de quelle profondeur il a pu surgir : « Vous êtes un démon qui met en doute et qui nie, comme disent les Écritures. » Mais un romantique ne peut renoncer aux lamentations : après son anathème, il revient à plus de douceur, enchaîné à son mal, et lui écrit encore : « La dernière fois, vous avez parlé de notre passé d'une manière si impitoyable, vous m'avez dit ce que j'ai essayé de ne pas croire, pendant toutes ces années. Pourquoi ? Le bonheur est si peu fait pour moi que je ne pouvais pas l'identifier alors qu'il était devant moi. Ne me parlez pas de cela, au nom du Christ. Dans les turpitudes de conscience que j'ai éprouvées, il y avait quelque chose de délicieux et ce genre de regrets étranges suscite dans mon âme des sentiments et des rages qui devraient offenser Dieu. Au nom des écritures, des lectures brûlantes de mes jeunes années, je veux désormais vous appeler Eléonore comme dans le roman de Benjamin Constant. Un fantôme doux qui m'a séduit à l'époque. Et votre propre existence si féroce et pleine de bourrasque est si différente de celle qu'elle aurait dû être. Je vous dois tout ce que j'ai connu de plus torturant et qui ne cesse de provoquer des soubresauts dans la griserie de l'amour. De tout ce qu'il y a dans l'amour de marquant et de tout cela j'ai gardé juste une faiblesse, celle du malade en train de se rétablir, juste un attachement mais si tendre et si sincère, et un peu de timidité que je ne parviens pas à maîtriser. Je sais très bien qu'un jour en lisant cette lettre, vous penserez "Qu'il est maladroit" et "Qu'il a honte de son passé!" ou "Qu'il mérite qu'on le ridiculise de nouveau, qu'il est plein de suffisance, comme son maître Satan!" n'est-ce pas? »

Quelle avalanche de sentiments, que de neige blanche, que de neige noire, que de montagnes russes! Le désir de se faire mal précède de peu le mépris glacé, mais ce qui domine surtout c'est la volonté de porter sur l'autre comme sur soi-même, avec les avantages du temps passé, un regard d'une lucidité inouïe. C'est l'inlassable mouvement de la rancune, toujours ressuscitée, et du pardon toujours prêt à partir : « Quand j'ai pris ma plume, j'aurais voulu demander quelque chose mais je ne me souviens quoi. Ah oui, je voulais solliciter de vous une amitié. Cette demande est banale, très banale comme celle d'un pauvre quémandant du pain. Toute la question, c'est qu'il m'est nécessaire d'être proche de vous. Je sais que vous êtes toujours sublime comme pendant cette journée où nous avons traversé la rivière, quand la première fois votre main a touché mon front. C'est cette sensation à la fois fraîche et humide qui fait de moi un catholique. Mais vous allez faner et votre beauté tombera dans l'abîme. Votre âme, pendant quelque temps, survivra à vos beautés fatiguées et puis elle prendra la fuite comme une esclave craintive. Peut-être la mienne ira à sa rencontre dans l'éternité sans limite. Mais qu'est-ce que l'âme? Ni un regard, ni une mélodie. Peut-être cependant une mélodie quand même. »

LA SAISON DES MOISSONS

Malgré ces années de désir et de douleurs mêlés, Pouchkine écrit et écrit encore à celle qui, jadis, a bafoué son cœur. Aurait-il oublié qu'au moment où il la courtisait à Odessa, il menait mille autres manèges ? En particulier la cour en règle qu'il faisait à la femme du gouverneur ? Elle aussi était polonaise et s'appelait Elisabeth Vorontzov. Balzac eût dit d'elle qu'elle était la femme de trente ans dans toute sa splendeur. Son mari était un grand seigneur volage. Le témoin peut-être le plus pertinent de l'époque, l'homme de lettres par excellence, Annenkov, mentionne cette égérie comme une femme qui sait maîtriser autant les pensées que le cœur des poètes. Et il distingue chez elle cette qualité supérieure, le sens du secret qui plus que tout sait attiser les forces de l'amour. Encore aujourd'hui, les spécialistes de Pouchkine glosent pour savoir jusqu'où est allée la relation qui l'unissait à la jeune femme. Amoureux sans conteste, amants peut-être, amis certainement et confidents pour la vie. Quoi qu'il en soit, Caroline mais surtout Elisabeth représentent la dame digne de Crimée. Prise entre des faisceaux d'amour, elle tente de garder la tête haute. Dans le climat du plus beau port de Crimée, le xviiie siècle exprime ses derniers relents et, en descendant les marches de marbre dans le parfum des roses à l'heure du coucher de soleil, l'on passe, sans s'en apercevoir, de Marivaux à Lamartine, de la douceur de vivre au romantisme absolu.

A la croisée des chemins, Alexandre Pouchkine

scrute ces deux époques face à l'escalier majestueux du palais Vorontzov et vit sans le savoir la dernière année de sa jeunesse. Deux hommes contribuent au changement qui se prépare. L'un est son ami, le fils du général Raïevski. L'autre est le gouverneur de la ville, mondain impénitent, amateur de chevaux, dont le caractère est tout imprégné d'anglomanie. Un long séjour à Londres a métamorphosé ce Russe civilisé en Britannique froid au regard dédaigneux. Dans son caractère ombrageux, il marie les brumes de Chelsea aux brouillards de Saint-Pétersbourg. Raïevski est, comme Alexandre, amoureux de la femme du gouverneur. En ami qui trahit, il attisera la jalousie du mari en désignant le danger : Pouchkine. A l'idée que sa femme peut le tromper, Vorontzov secoue soudain son flegme britannique et, sous des prétextes divers, réclame à l'empereur lui-même l'exil du trublion qui partout sème le désordre. La réaction d'Alexandre Ier ne se fait pas attendre : en août 1824, le poète est condamné à se retirer sur ses terres, à Mikhaïlovskoïe.

Une vie nouvelle commence pour Pouchkine, bucolique, poétique et profondément créatrice où le mot exil va enfin prendre toute sa valeur. D'ailleurs, c'est la volonté de l'empereur qui, à travers l'ordre d'exil signifié par son ministre Nesselrode, donne souverainement ses raisons : son argument est que les bruits de la ville d'Odessa peuvent être extrêmement nocifs pour la santé morale et physique du jeune homme.

Au cœur même de la Russie, au moment des moissons, à cet instant particulier où les souffles avant-coureurs de l'automne riment avec les petites taches dorées de l'écorce des bouleaux, Pouchkine arrive à cheval dans le pays de ses ancêtres, accompagné de son fidèle valet Nikita. La propriété de Mikhaïlovskoïe, située non loin de la ville historique de Pskov, connue pour la vaillance de ses chevaliers et la permanence de leur esprit rebelle, offre à la vue du poète ses champs de blé à l'infini et des étendues de bois où le bouleau règne en maître. Les voisins sont rares, les distractions aussi hormis, le soir venu, les rondes avec les belles paysannes aux bras rougis par les gerbes de blé. A quelques verstes de là, un lointain voisin nous laisse ce témoignage : « Alexandre Sergueivitch Pouchkine plongeait avec délices dans ce tableau exquis qui s'ouvrait devant lui. Trois collines couvertes de maquis et de verdure, deux églises accrochées à leur flanc, un cimetière aux croix penchées où le chuchotement de la rivière fait office de prière. Dans la beauté pastorale du soir, on entend parfois les chants des paysans et la clochette du traîneau des barines. » A cette symphonie pastorale, Alexandre apporte sa fantaisie débridée, ses costumes folkloriques, ses coiffures et ses cannes, son grand rire frais et ses plaisanteries de dandy.

En quelques jours, il reprend le dessus. A son arrivée, le contraste entre l'éden bleu de Crimée et la vie champêtre a été trop fort. Finis les bals, les intrigues amoureuses dans les salons, la vie intellectuelle intense. Le poète est surtout inconsolable de la femme du gouverneur, la belle Elisabeth, qu'il dessine sur toutes ses pages. Il est saisi d'une telle mélancolie que ses amis s'inquiétaient, craignant qu'il ne plonge dans l'alcool ou, pis, un geste désespéré. Le climat familial n'aide pas à supporter cette épreuve : le père du poète, avec son esprit borné qui ne jure que par la discipline, va jusqu'à proposer aux autorités locales de surveiller son fils et de rendre compte de ses divagations politiques. Cette maladresse coupable crée une dissension telle au sein de la famille que le père, la mère, le frère et la sœur d'Alexandre préféreront quitter Mikhaïlovskoïe en laissant Pouchkine seul face à ses souvenirs, ses nostalgies, ses songes en vers et son avenir.

Mais ceux qui quittent un poète le rendent toujours à lui-même, c'est-à-dire à son œuvre. Pouchkine s'installe alors avec délices dans une fausse solitude. Seul maître de la maison désormais, il retrouve la nourrice de ses premiers jours à laquelle des sentiments filiaux l'unissent. C'est une seconde mère qui lui parle avec les mots consolateurs de l'enfance, qui le soir le met au lit et lui caresse inlassablement la plante des pieds avec une plume jusqu'à ce qu'il s'endorme. On vit rarement plus de trois semaines à la campagne sans découvrir qu'elle est pleine de ressources insoupçonnées. Ainsi le soir, en fumant sa pipe, le poète écoute inlassablement les anciens contes russes que ressuscite sa nourrice tandis qu'à la lueur capricieuse des bougies dans les courants d'air, des ombres s'animent sur les vieux murs gris comme pour illustrer son récit. Il suffit de lire Pouchkine pour revivre avec lui ces soirs évocateurs, ces matins paisibles, ces après-midi paresseux, ces repas animés. Lorsque l'ancien mondain est soudain saisi d'une envie de société ou de conversation élevée, il n'a qu'à parcourir quelques verstes à pied, à cheval ou en *kibitka*, pour rejoindre la propriété de Trigorkoïe où la famille de sa délicieuse voisine Maria Ossipova perpétue cette tradition de l'art de la conversation, du commentaire autorisé de la politique et des arts tandis que les jeunes filles de la maison font leurs gammes au piano. Le dandy d'Odessa apporte à cette assemblée provinciale le parfum de l'audace et l'esprit de la provocation. Il est un lutin permanent qui ose parfois monter sur la table pour déclamer un poème superbe écrit au matin. Car tout pour lui est prétexte à la poésie : les mouvements de la lune, les souvenirs de sa chère nourrice, la fatigue d'une soie verte, le regard toujours scrutateur d'un personnage que l'éternité a fixé dans un tableau.

C'est de cet exil à la campagne, de cette longue et studieuse villégiature que va naître le plus grand chef-d'œuvre de la littérature russe, son grand poème intitulé *Eugène Onéguine*. Dans ce roman en vers commencé en 1823, Pouchkine met en scène son enfant du siècle sur un ton ironique qui s'inspire du *Don Juan* de Byron. Dans le premier chapitre, il décrit l'éducation facile et la vie frivole d'un dandy des rives de la Neva. Puis, il plonge dans la province russe où Onéguine s'est fait exiler et où il fraye avec les Larine, nobliaux campagnards dont le mode de vie laisse échapper sous son vernis européen le fumet du terroir. Dans cette famille amoureuse des romans français, Tatiana est cette jeune fille effacée et rêveuse qui plaît tant au poète. Apparaît également une vieille nourrice paysanne qui sera la confidente de ses rêveries. Fidèle à son personnage byronien, Eugène Onéguine tue en duel son meilleur ami, le poète Lenski, et repousse les aveux tendres de Tatiana. Quelques années plus tard, il la retrouvera, reine éblouissante et inaccessible des salons de la capitale, mariée sans amour mais décidée à demeurer fidèle. Ainsi est cette confession lyrique où Pouchkine nous fait prendre conscience de son évolution profonde et de la nature changeante de ses goûts. Si *Eugène Onéguine* est le premier roman russe digne de ce nom, il est aussi la première incarnation de l'« homme de trop », héros central de la littérature russe de la première moitié du XIXe siècle.

Pouchkine, le cœur innombrable

En 1830, Pouchkine compose aussi sa « tragédie romantique » *Boris Godounov*. A la manière de Victor Hugo dans la préface de *Cromwell*, il annonce la nouvelle architecture de ce drame historique qui s'oppose à la tragédie classique par une succession libre de tableaux dans l'organisation dramatique des actes et des scènes. C'est la Russie d'antan qu'il ressuscite avec le grand mouvement coloré et contrasté de ses forces politiques, morales et sociales avant Pierre le Grand. Ainsi, est-ce par les feux de l'histoire que le mouvement romantique propage l'incendie dans la tragédie classique, et c'est de ces cendres brûlantes que Pouchkine fait surgir la modernité romantique. Le meilleur d'*Eugène Onéguine* et la totalité de *Boris Godounov* sont nés à Mikhaïlovskoïe, dans la chambre du poète qui donne au rez-de-chaussée sur la cour. Un petit lit avec un simulacre de baldaquin, un bureau et un divan constituent le mobilier sommaire de ces deux mises en scène de géant. Désordre du poète : sur le parquet des bouts de papier, des plumes à moitié mordues, des ouvrages entassés, des incunables précieux. Exilé par le tsar, Pouchkine est aussi un exilé intérieur dans cette demeure qu'il appelle sa « pauvre masure ». S'il réside au rez-de-chaussée, c'est que les chambres d'apparat ont été bouclées par son père avant son départ. Qu'importe ! Le bonheur est là, la création est au rendez-vous et il a retrouvé sa chambre d'enfant. Sa vie est à la fois spartiate, paresseuse et studieuse. A son frère Lev, il décrit ainsi son emploi du temps : « Jusqu'au déjeuner, j'écris mes notes. Je déjeune tard et, après le repas, je pars à cheval dans la campagne. Le soir, j'écoute avec délices les contes de ma nourrice. » C'est là que, d'une façon tout à fait insolite, la gloire nationale va le rattraper.

Dans les journaux, on commence à mesurer le génie du poète, les hommes de lettres les plus réputés, comme Delvig et Joukovski, l'appellent désormais le grand Pouchkine. Une tempête de gloire s'abat sur lui et les éloges viennent de toutes les Russies. On lui écrit, on vient le visiter, on le couvre de compliments. Il les accueille avec le même sang-froid que, naguère, il recevait les blâmes. Il invente même une attitude, celle de l'exilé intérieur, du perpétuel indépendant et du poète placide qui désormais privilégie l'approche directe. Plus de place pour la prose, il pratique l'exercice d'une vraie et vigoureuse simplicité qui ne le prive aucunement des plaisirs et des fantaisies de la vie. Il réunit quelques qualités rares, la religion du rêve, la spontanéité des élans, le regard lucide sur soi-même et le génie poétique inviolé. Ce n'est pas par hasard que les Russes l'appellent le seul esprit sain de leur littérature. A l'époque romantique, on le surnommait le « soleil de l'écriture ».

Indifférent aux honneurs, Alexandre Pouchkine ne boude pas toutefois son plaisir d'être reconnu. Convié à déjeuner par ses chers voisins, il se rend, un jour, par les chemins de campagne à Trogorskoïe, tel un *gentleman farmer* dont il portera plus tard le plaid écossais. Arrivé en retard, il trouvera ses amis déjà assis autour de la table. Un témoin raconte : « L'assemblée était pleine d'éclats de rire. Pouchkine est entré, tenant à la main une canne épaisse. Il s'est incliné, peut-être trop bas, sans prononcer un mot. La timidité se faisait sentir dans ses mouvements. Pourquoi timidité ? allez-vous me demander. Parce que, autour de la table, était présente celle qu'il allait immortaliser comme Dante l'avait fait pour Béatrice ou Pétrarque pour Laure. » Elle s'appelait Anna Kern. Pouchkine la connaît déjà. Il l'a entrevue, six ans plus tôt, à Saint-Pétersbourg où, jeune fille, elle venait d'épouser un vieux général. Comment était-il permis d'être si belle ? lui demandait le poète à l'époque. Aujourd'hui, il se tait même si son sang africain a déjà fait dix tours. C'est un véritable coup de foudre qui vient de se produire et de cette ébauche d'amour va naître le plus grand poème de la littérature russe : « Je me souviens de ce moment merveilleux... »

Quelques jours plus tard, toute la maisonnée de Trogorskoïe vient visiter Pouchkine à Mikhaïlovskoïe. C'est un soir de juillet parfumé par les arômes des champs. Pouchkine est éblouissant, plein de bons mots et de sarcasmes. Il fait même des compliments à la lune dont la pâleur pointe. Et il ajoute ce soir-là : « La lune est si belle quand elle sait allumer un visage si sublime. » Il sourit à Anna Kern et lui offre son bras. Après cette belle soirée, ses invités partis, Pouchkine va encore dire bonsoir à la lune avant d'écrire dans la nuit un poème ravissant. A côté de sa plume, un petit caillou qui a touché le pied de la belle comme dans un soulier de conte de fées : « Maintenant, c'est la nuit, écrit Pouchkine, votre image est devant moi pleine de tristesse, elle exprime en même temps une détente luxurieuse. Je vois votre regard et votre bouche entrouverte, et j'ai l'impression que je suis à vos genoux, que je les serre contre ma poitrine. Je le sens si fort à l'instant que je donnerais toute ma vie pour que cette impression soit la réalité. »

Alexandre ne reverra Anne qu'une seule fois, avant son départ pour Saint-Pétersbourg. Elle repartira comblée, avec un cadeau sans prix : avant de la saluer, le poète en souriant lui donne le premier volume d'*Eugène Onéguine* dans lequel il a glissé le poème qu'il vient d'écrire pour elle. Puis elle disparaît de sa vie, les années passent et puis ils se revoient, et puis ils deviennent amants. Il reste de cette liaison un héritage épistolaire où Pouchkine laisse encore sa marque, ironie et amour, lucidité et blessure. Beaucoup de ces lettres sont écrites en français. Qui aurait pu imaginer, cependant, que cette égérie romantique allait devenir quelques mois plus tard, sous l'influence de son amant, Alexis Raïevski, une véritable marquise de Merteuil experte en volupté? Avec ce séducteur impénitent, ami d'Alexandre Pouchkine et qu'on surnomme le « Faust de la Neva », elle correspond avec une impudeur et une franchise absolue. Tous deux se racontent avant, après et peut-être même pendant l'amour, les exploits érotiques qu'ils partagent avec d'autres. La sylphide de Trogorskoïe est devenue en quelques tours de main de son amant luciférien « la pécheresse de Babylone » ainsi que l'appellera désormais Pouchkine, à la fois subjugué et secrètement déçu. Plus tard, ces ardeurs se calmeront et Anne Kern trouvera la sérénité avec un nouveau mari, de vingt ans son cadet, éperdument amoureux d'elle et tout frais émoulu du corps des pages.

LE SANG D'UN POÈTE

Pouchkine, lui, continue de vivre jusqu'en 1826 à Mikhaïlovskoïe et à y écrire avec ardeur. Rentré à Saint-Pétersbourg, il se consacre bientôt à des œuvres en prose et à la jeune fille qui a su le séduire par sa fraîcheur et sa grâce, Nathalie Gontcharov. Marié avec elle en 1830, sept années le séparent seulement de sa mort, dont elle sera involontairement la cause ou simplement le prétexte.

Pouchkine, le cœur innombrable

Le 27 janvier 1837, tandis que les derniers attelages reviennent vers la ville pour des soirées de lustre, de feu ou de dentelles, deux hommes quittent Saint-Pétersbourg, enveloppés de fourrure, chacun dans son traîneau. La neige, la Neva, le pont de la Trinité et, comme ils s'éloignent du vieux fleuve, une connaissance leur crie au passage : « Pourquoi partez-vous si tard, tout le monde rentre maintenant ? » Pourtant ils vont toujours de l'avant avec le silence pour les encercler et la haine pour leur tenir chaud. Les deux traîneaux arrivent au même moment à l'endroit convenu. Il est environ quatre heures et demie. Les inconnus quittent leur voiture. La neige monte jusqu'à leurs genoux et un vent glacé les fouette au visage. Pour se protéger du regard des cochers, ils se perdent dans les pins et débouchent sur une clairière. L'endroit est calme, ils semblent calmes aussi. Les témoins commencent à s'activer, piétinant la neige sur un chemin de douze pieds de large.

Entre les arbres, ils ressemblent au loin à ces silhouettes qui arpentent la campagne le temps d'une réflexion. Mais à la réflexion c'est d'un duel qu'il s'agit. On a apporté de l'armurerie Kourakine deux pistolets identiques et l'un des témoins agite bientôt son chapeau. C'est le signal.

A vingt pas l'un de l'autre, ils se regardent. Georges d'Anthès est beau, audacieux et français. Après avoir été chouan quelques semaines, il a choisi l'armée du tsar et l'uniforme blanc des chevaliers-gardes. Face à lui, un être étrange à la peau sombre. Un poète, pistolet à la main, Alexandre Pouchkine. Entre eux, une femme, pas encore maîtresse du premier mais déjà épouse du second. Georges d'Anthès fait la cour à Nathalie et Pouchkine s'en offusque. Mais pour lui, ce duel est plutôt un prétexte. Un prétexte pour en finir... On entend un coup de feu. D'Anthès a tiré. Puis une voix blessée qui dit : « Attendez, je suis encore assez fort pour prendre mon tour. » Pouchkine, vise, tire et crie : « Bravo ! » En face, le sang de l'officier dessine un galon rouge sur son épaule. Pouchkine demande : « Est-il mort ? » mais c'est lui qui souffre atrocement. Et qui bientôt rend l'âme.

D'Anthès n'est pour rien dans cette affaire : fait de droiture et d'insouciance, il dansera la mazurka à Marienbad, un an après la mort du poète. Ce qui tue Pouchkine à petit feu, c'est l'incompréhension de cette société russe qu'il veut pourtant réformer de l'intérieur. Mais l'empereur Nicolas Ier le trompe, on l'écarte de la politique, à la cour on le ridiculise. L'atmosphère d'intrigue et de calomnie qui a envahi Saint-Pétersbourg lui est devenue insupportable. Pis encore, Ouvarov, ministre de l'Intérieur, et Benkendorf, chef de la chancellerie, le font surveiller par la police. Son courrier est ouvert, ses livres censurés, sa maison perquisitionnée. Il ne se déplace plus sans autorisation, et n'a jamais le droit de faire un voyage à l'étranger. Peut-on vivre comme un éternel proscrit dans son propre pays ? semble se demander le poète.

Qui a tué Pouchkine ? En vérité rien d'autre que ses écrits arrachés à l'innocence.

3

LES ÉGÉRIES DE DÉCEMBRE

Shakespeare disait : « Être grand, c'est soutenir une grande querelle. » Les décembristes défiant le nouveau tsar de toutes les Russies — qui les connaissait tous — ont joué à fond, dans l'hiver glacé de 1825, une pièce de Shakespeare à la mode russe. Dans la conjuration de décembre, tout l'arsenal de la tragédie était réuni. Ce sont les meilleurs qui se sont engagés dans le panache, non seulement des princes de sang mais des aristocrates de l'âme qui ont agi au nom du peuple. Nicolas Ier a vécu cette conjuration comme la trahison des meilleurs, sa garde et ses régiments d'élite bafouaient la fidélité en refusant de lui prêter serment. Tragédie, avons-nous dit : comment résumer la réaction du tsar devant l'ampleur de la trahison, sa stupéfaction, ce côté « *Tu quoque, mi fili* » ? Les racines de la révolte remontent à l'occupation russe à Paris, quand les cosaques campaient sur les Champs-Élysées. Alors, les plus distingués des officiers russes ont fait connaissance avec les derniers reflets du siècle des Lumières.

Parfois, de coquettes Parisiennes les ont aidés à mieux humer cette atmosphère de liberté, avec le plus grand dévouement. Dans son *Journal d'un poète* de 1815, Alfred de Vigny note, non sans amertume : « Toutes les femmes du monde veulent coucher avec des officiers russes. »

Au retour de Paris, illuminés par les illusions de la Révolution française, les officiers russes rêvent de contribuer à un nouvel empire des lumières. En retrouvant Saint-Pétersbourg, ils portent un regard différent sur l'impérieux cavalier de bronze qui domine les brumes de la Neva. Ils veulent une société libérale et ils pensent que le tsar lui-même n'y est pas opposé. En effet, de 1801 à 1812, Alexandre a émis des signes qui pouvaient faire penser qu'il acceptait d'établir un nouveau rapport entre le pouvoir impérial et une société civile qui commençait de prendre corps. Mais un an seulement après son retour de Paris, Alexandre fait une de ces volte-face dont il est coutumier. En vérité, il refuse à une élite doublement formée par l'expérience de la guerre nationale et la découverte politique de l'Occident toute participation au pouvoir. Il s'ensuit un malentendu dont les conséquences seront incalculables, pour citer l'historien André Robert qui s'est penché sur ce divorce entre un régime revenu aux fantasmes de l'autorité et une jeunesse déçue qu'exalte l'effervescence romantique : « Des sociétés secrètes se constituent, reflets mimétiques de loges maçonniques et du Tugendbund allemand. Après 1820, l'une d'elles, la société du Nord, centrée sur Saint-Pétersbourg, groupe, autour du poète Ryléiev et des frères Mouraviev, les partisans d'une monarchie constitutionnelle qui s'étonnent de voir l'Empereur prôner ce régime à l'étranger — et même l'accorder à la Finlande ou à la

Pologne — alors qu'il en repousse l'éventualité en Russie. Cette agitation manque de cohésion mais elle inquiète suffisamment l'autorité pour qu'Araktcheiev juge bon de fermer à nouveau les loges. La disparition brutale d'Alexandre Ier en novembre 1825 précipite soudain les événements. »

Il s'agit là d'un des plus grands mystères de l'Histoire que l'un de nous évoque dans son ouvrage *Le Département du diable*[1]. Le tsar est-il vraiment mort à Taganrog d'une mauvaise fièvre, le 19 novembre 1825, alors qu'il inspectait le sud de l'empire ? Ou, au contraire, faut-il porter foi à la légende toujours vivace selon laquelle il se serait fait passer pour mort afin de vivre une autre existence, de nature essentiellement spirituelle, et expier ses péchés en Sibérie comme le sage d'un ermitage lointain ? Il aurait répondu ainsi à la juste expression russe, le *staretz*, c'est-à-dire le vieux sage. Ceux qui croient à cette version des choses disent qu'Alexandre aurait encore poursuivi son existence une quarantaine d'années sous le nom de Fedor Kouzmitch. Quoi qu'il en soit, la disparition du tsar incite les conjurés à accélérer leur action. L'empereur n'a pas d'héritier direct et la couronne doit revenir à l'un de ses frères. Pendant deux semaines, le doute subsiste sur le successeur de l'empereur. L'ordre dynastique précisait que ce serait le grand-duc Constantin, vice-roi constitutionnel de Pologne et espoir des libéraux. En vérité, celui-ci avait déjà renoncé secrètement à ses droits en 1822, préférant au fardeau du trône de Pierre le Grand vivre des nuits passionnées avec sa belle épouse polonaise.

---

1. *Le Département du diable*, Vladimir Fedorovski, Plon, 1996.

LA RÉBELLION TRAHIE

Profitant de cette indécision du pouvoir, la Société du Nord va tenter sa chance, et Paul Pestel, qui se prend pour un Robespierre russe, lance le coup d'État. C'est l'un des régiments de la Garde qui, le premier, s'avance dans cette aventure dirigée par le prince Troubetzkoï. Le 26 décembre 1825, la tentative de coup de force, appuyée à contre-temps par la Société du Sud, une autre fraternité secrète que nous avons déjà vue avec Pouchkine à Kamenka en Ukraine, échoue à Saint-Pétersbourg. C'est à coups de canon que des conjurés mal préparés sont dispersés par les forces loyalistes. Ceux qu'on appelle dorénavant les décembristes n'auront eu que le temps de tirer sur le métropolite et de tuer le gouverneur militaire avant que l'implacable mécanique de la répression se mette en marche. Pourtant, on aurait tort de tomber dans les trompe-l'œil de l'apparence. Même si ce complot fragile a vite échoué, le fossé qu'il a creusé est profond, c'est même un gouffre avant-coureur. Car cette fois, ce n'est pas une intrigue de palais montée avec l'appui d'une partie de la Garde mais la racine même d'une revendication plus forte qui a surgi. Une véritable entreprise révolutionnaire qui voulait imprimer à la Russie une marche nouvelle inspirée du pas occidental. Paradoxe de l'Histoire, ce furent des gens jeunes, souvent issus de milieux élevés, inspirés en grande partie par l'esprit cosmopolite de l'aristocratie européenne qui jouèrent pour le parterre.

Le premier acte de ce drame historique est sans doute la répétition de ce qui sera le cataclysme de la révolution russe. Le drame des décembristes n'est pas seulement un drame historique, il est aussi un chef-d'œuvre de la création littéraire. Il a inspiré les plus grands, de Pouchkine à Tolstoï, de Nekrassov à Troyat, sans oublier Alexandre Dumas et Alfred de Vigny. Si les révolutions ratées font les romantismes réussis, les coups d'État fracassés peuvent produire des pages éternelles. Pourquoi? Parce que, dans chaque aspect de cette journée hésitante et décisive, la psychologie de chacun est démasquée par le drame. Plus rien n'est secret sous la lueur du danger, plus rien n'est caché quand il faut se décider. Unité de lieu, la place du palais d'Hiver, unité de temps, le fameux 14 décembre dans l'ancien calendrier russe, et unité d'action, l'esprit de rébellion en marche, constituent la perfection de cet ensemble. On y retrouve un héros qui hésite, le superbe prince Serge Troubetzkoï, chef des conjurés, un tsar, Nicolas Ier, qui, s'il a la vertu d'être décidé et jusqu'au-boutiste, sera marqué toute sa vie par cet épisode sanglant et fatidique, et des femmes, les épouses des décembristes, révélées dans leur élévation morale et parées d'un courage magnifique. Ce sont elles, finalement, les vraies héroïnes de ce roman.

Le prince Troubetzkoï préfigure déjà « les hommes de trop ». Grâce aux archives de la société Alfred de Vigny c'est le témoignage de son descendant, le prince Vladimir, que nous livrons ici. Il nous éclaire sur les circonstances exactes de la conjuration : « Voici ce qui s'est passé. Sous l'impulsion du poète Ryleev, un plan est arrêté et aussitôt exécuté. Il faut faire sortir les troupes des casernes le matin du jour où l'on doit prêter le nouveau serment, les masser devant le Sénat, à côté de la statue de Pierre le Grand par Falconet, pour empêcher les sénateurs qui composent l'organe juridique suprême de l'empire de prêter serment et de déclarer solennellement Nicolas empereur. » Un « dictateur » est élu pour diriger les opérations des révolutionnaires et gouverner provisoirement l'empire, c'est le prince Serge Petrovitch Troubetzkoï, choisi pour sa personnalité et sa position. En effet, il est, à trente-six ans, colonel de la Garde. C'est un homme d'action et d'expérience, il a fait bravement toutes les guerres napoléoniennes de 1812 à 1815. Son nom est fameux, à la hauteur de celui des Romanov, il devrait en imposer. Mais déjà, on remarque, en français, la langue des gens du monde et des conspirateurs, que ce dictateur « désigné » a plutôt l'air d'un dictateur « résigné ». Le Sénat une fois bloqué, une délégation révolutionnaire y entrera avec, à sa tête, Ryléiev et Pouchtchine, qui empêchera de prêter serment à Nicolas, déclarera le régime déchu et fera publier par le Sénat un Manifeste au peuple, comportant le programme décembriste dont le brouillon a été retrouvé chez Troubetzkoï après son arrestation : abolition du régime ; instauration d'un gouvernement révolutionnaire provisoire ; abolition du servage des paysans ; égalité de tous les citoyens devant la loi ; liberté de la presse, liberté de confession, liberté du choix d'un métier ; instauration d'un tribunal avec un jury indépendant ; abolition du recrutement (à l'époque, pour un service de vingt-cinq ans) ; obligation du service militaire pour tous ; suppression de l'armée permanente ; création d'une « garde nationale intérieure » ; abolition de la capitation (l'impôt par tête) ; plus de fonctionnaires professionnels (*tchinovniki*) mais des magistrats et des fonctionnaires élus.

Ce plan d'action est bien conçu mais, d'emblée, il est mal appliqué. Kakhovski puis Iakoubovitch se récusent : le premier refuse de tirer sur Nicolas, le second craint, en prenant d'assaut le palais d'Hiver, le même accident, car Nicolas est brave, il va résister, et les marins, qui le haïssent, le tueront. Les troupes insurgées, menées par leurs officiers, n'investissent le Sénat qu'à onze heures du matin, or les vieux sénateurs sont venus à sept heures prêter serment, proclamer Nicolas empereur, et sont déjà partis se recoucher. C'est à ce moment, sans doute, que le dictateur « désigné » s'est vraiment « résigné » : poursuivre une aventure qui apparaissait à l'évidence comme irrémédiablement manquée, et comme grosse de toutes les horreurs, était de la folie. Son tort inexcusable a été de ne pas avoir cherché à en convaincre Ryléiev et qu'il abandonne lâchement. Caché au coin de l'État-Major, ce grand arc de cercle qui fait face au palais d'Hiver, il observe de loin ses troupes qui l'attendent. Que s'est-il passé dans l'esprit de cet homme courageux, noble et décidé qu'est Troubetzkoï ? Son éclipse totale de volonté et du sens de l'honneur le plus élémentaire doit être mise au compte de l'horreur sacrée du régicide : pour cet aristocrate, serviteur héréditaire des tsars, il était pensable de changer de régime, il ne l'était pas de porter atteinte à la personne impériale et de faire démarrer le chaos sanglant de la violence généralisée, de la révolte populaire. De ce point de vue, il était plus raisonnable que les autres qui, romantiques, fuyaient en avant de leur propre échec dans ce qui, 1917 l'a montré un siècle plus tard, ne pouvait que dégénérer en une interminable apocalypse.

UNE TERRIBLE RÉPRESSION

Nicolas Ier, qui n'en mène pas large, obtient ainsi des heures précieuses pour mesurer l'extension de la révolte, pour rassembler les troupes restées fidèles autour des mutins rangés en carré de bataille entre la statue de Pierre le Grand et le Sénat. Les régiments révoltés demeurent l'arme au pied, les conjurés ne parvenant pas à se mettre d'accord sur le nom d'un nouveau chef pour prendre des initiatives. Qu'est-ce qu'une Révolution immobile? Une Révolution condamnée. Le général-gouverneur Milorodovitch, héros de 1812, venu haranguer les soldats rebelles, est tué, le Métropolite fuit en traîneau sous les balles. Près de cent cinquante mille personnes du peuple se rassemblent autour de la place. Un premier anneau, donc, formé de troupes loyalistes, entoure le carré rebelle; un second, la foule, serre par-derrière les troupes du gouvernement, et les abreuve de pierres, de bûches et de boules de neige, en particulier les ouvriers du chantier de la cathédrale Saint-Isaac tout proche.

Il faut en finir avant la nuit qui tombe, en ce jour d'hiver septentrional, vers trois heures de l'après-midi, sinon c'est la révolution à la faveur des ténèbres! Les rebelles n'ont ni artillerie ni cavalerie. Nicolas, lui, a la Garde à cheval, et trente-six canons. Vers deux heures et demie, l'ordre est donné, on tire à mitraille à bout portant, longuement, à plusieurs reprises sur le carré rebelle, on poursuit les révoltés sur les glaces de la Neva, la cavalerie pourchasse les fuyards dans les rues, et la police ramasse ceux qui se sont réfugiés dans les immeubles voisins. 1271 morts, exactement, selon un document administratif vétilleux dressé à l'époque et tenu secret jusqu'en 1917 : tel est le coût humain de cette journée historique.

Nicolas I⁰ʳ, installé dans son cabinet de travail au rez-de-chaussée de l'Ermitage, interroge personnellement les principaux décembristes qui lui sont amenés. Ces séances sont d'autant plus douloureuses que les loyalistes comme les insurgés se connaissent, appartiennent aux mêmes familles, ont les mêmes cousines, les mêmes amis. Avec sa ruse, sa brutalité et ses promesses, l'empereur arrache des aveux aux meilleurs. La trahison, la délation, la dénonciation s'installent parmi les officiers sous son regard de plomb. Nombre d'entre eux se repentent, dont Troubetzkoï, arrêté dans un salon de son beau-frère, l'ambassadeur d'Autriche. Cinq décembristes seront condamnés à l'écartèlement, le châtiment des régicides, commué en pendaison. Le 14 juillet 1826, Paul Pestel, Kondrati Ryléiev, Serge Mouraviev-Apostol, Michel Bestoujev-Rioumine et Pierre Kakhovski sont pendus sur le mur de la forteresse Pierre-et-Paul. Ce régime réputé pour être si policier ne dispose même pas de cordes en bon état pour le supplice : trois des cinq cassent, précipitant Ryléiev, Mouraviev-Apostol et Kakhovski, les jambes brisées, dans le fossé. On trouve non sans mal — il est très tôt, ce matin, les boutiques de la ville sont encore fermées ! — de nouvelles cordes et on pend à nouveau les condamnés : lamentable, le régime, qui ne sait ni pendre ni faire grâce, ne leur accorde même pas la vie sauve, comme c'est l'usage en Europe depuis le Moyen Age, en cas de pendaison manquée.

Cent vingt décembristes sont envoyés au bagne ou en relégation en Sibérie, au-delà du lac Baïkal, à Nertchinsk d'abord, dans les mines pour quelques-uns d'entre eux, puis à Tchita. En 1830, ils sont rassemblés dans la région d'Irkoutsk, à Pétrozavodsk. Nicolas Ier n'a jamais oublié le 14 décembre, et toute sa vie il s'est acharné sur cette crise fatale qui l'a encore plus horrifié qu'elle ne lui a fait peur. Car il a découvert que toute la « société », c'est-à-dire les classes dirigeantes de l'empire, est pénétrée par les idées du décembrisme, de la plus haute aristocratie — les princes Troubetzkoï, Volkonski, Obolensky, Odoevsky, Chakhovskoy — aux officiers de l'armée en passant par ceux de la Garde, l'administration et le monde des lettres — Ryléiev, Alexandre Bestoujev, Griboiédov. Cela explique sans doute que ses condamnations ont été assez clémentes envers ces gênants, Nicolas Ier ayant cherché, durant tout son règne, à endormir le ressentiment de cette société qui est le socle de son régime. Car il faut reconnaître que cinq pendus, cent vingt condamnés à des peines diverses, c'est peu pour une affaire aussi grave : à la même époque, des régimes européens bien plus libéraux que celui de Nicolas Ier sont autrement sévères avec leurs *carbonari*. Et permettre aux épouses de rejoindre leurs maris au voisinage du bagne était bien risqué, du point de vue même du tsar : on ne l'a effectivement pas crédité d'indulgence ni de générosité, on l'a accusé d'inhumanité aggravée. Mais peut-on refuser quelque chose aux Troubetzkoï, aux Laval, aux Volkonsky, à leurs frères, sœurs, cousins, parents, amis qui peuplent la cour et l'entourage proche de Nicolas Ier ?

Bientôt, le climat de doute que Nicolas Ier a installé s'étend dans toute la Russie, pourrissant à tout jamais ces terres qui avaient eu le tort de rêver d'un empire de lumières. Basses œuvres de polices, rapport des gouverneurs, et méfiance partout, même dans ce café littéraire sur la perspective Nevski où naguère régnait l'allégresse et où chacun désormais se méfie de son voisin de table.

Qui ne baissera pas les yeux ? Qui ne courbera pas l'échine ? Qui osera relever la tête ? Ce seront les femmes. Celles de ceux qui sont condamnés à cet exil perpétuel dans les neiges de Sibérie qui signifie le froid, l'éloignement, la haute surveillance, la détention, le désespoir, la mort glacée. Car comme l'écrit Astolphe de Custine : « A chaque fois que je suis ici, je vois se lever devant moi le fantôme de la Sibérie, et je pense à tout ce que signifie le nom de ce désert politique, de cet abîme de misères, de ce cimetière de vivants. » Ils sont quelques dizaines destinés spécialement à pourrir dans la maison des morts. Onze femmes décident de rejoindre ceux à qui la vie les a liées. Elles entrent dès lors dans la mythologie russe sous le triple signe du cœur, du courage et de l'esprit de sacrifice. Parmi ces égéries de décembre, deux Françaises : Camille le Dentu, fiancée d'Ivachev, et Pauline Guéblé, celle d'Annenkov. Les autres sont de grandes aristocrates : la princesse Catherine Troubetzkoï, la princesse Marie Volkonski, Alexandra Davidov, Nathalie Fonzivine, la comtesse Alexandra Mouraviev, la comtesse Elisabeth Narychkine, la baronne Anna Rosen, Alexandre Ientalt-sev et Marie Ouchnevski.

Toutes en arrivant en Sibérie doivent signer la déclaration suivante : « Moi, soussignée, ayant le désir définitif de partager le sort de mon mari, le criminel d'État N.N., condamné par le tribunal criminel suprême, et de vivre dans la résidence de mine, d'usine ou d'autre où il sera détenu, ainsi qu'en disposera le général-major de cavalerie Leparski, je m'engage, en toute conscience, à observer les prescriptions ci-dessous qui m'ont été communiquées par M. le commandant; au cas contraire, et à la moindre infraction à ces prescriptions, je me soumettrai à la peine légale. Ces prescriptions, ainsi qu'elles me sont communiquées, sont les suivantes :

1. Désirant partager (ainsi déclaré ci-dessus) le sort de mon mari, le criminel d'État N.N. et vivre dans la résidence où il sera détenu, je ne dois, d'aucune façon, par aucune intrigue et par aucun moyen

détourné, chercher à le rencontrer, mais uniquement par la permission que j'aurai demandée à monsieur le commandant, et cela seulement au jour indiqué, et jamais plus souvent que tous les trois jours.

2. Je ne dois lui procurer ni objet, ni argent, ni papier, ni encre, ni crayon, sans autorisation.

3. De même, je ne dois accepter de lui aucun objet, particulièrement aucune lettre.

4. Je ne dois pas, et cela sous aucun prétexte, ni à qui que ce soit, écrire ou envoyer, en quelque lieu que ce soit, mes lettres.

5. De même, je promets d'observer les règles concernant les envois qui seraient faits à moi ou à mon mari.

6. Les objets qui m'appartiennent et qui sont en ma possession, et dont la liste se trouve chez M. le commandant, ne peuvent être vendus par moi sans son autorisation ; je ne peux ni les donner ni les détruire. En ce qui concerne l'argent détenu par moi, pour mes besoins actuels et à venir, que le commandant aurait laissé à ma disposition, je m'engage à tenir un livre d'entrées et de sorties et à inscrire dans celui-ci toutes mes dépenses.

7. De même, je ne dois, en aucun cas, envoyer à mon mari des boissons alcoolisées telles que : vodka, vin, bière, hydromel, en dehors de la nourriture.

8. Je m'engage à ne pas avoir de rencontre avec mon mari ailleurs que dans la pièce à cet effet, à l'heure qui me sera indiquée et en présence du sous-officier de jour, à ne rien lui dire de superflu, ni le concernant pas directement, et d'une façon générale, à ne pas avoir cette conversation autrement qu'en langue russe.

9. Je ne dois engager aucun autre domestique ni aucun autre travailleur en dehors des services d'un

homme et d'une femme, de la conduite desquels je serai responsable et qui ne devront avoir aucun rapport avec mon mari.

10. Enfin, ayant pris cet engagement, je ne dois pas, moi-même, m'éloigner de l'endroit qui me sera indiqué comme lieu de résidence.

Pour l'exécution de tout ce qui est ci-dessus prescrit avec exactitude, je signe ci-dessous. Forteresse de Tchita (région du Baïkal). »

Les égéries de Sibérie vont ainsi connaître la restriction de leurs mouvements, la réduction de leur liberté d'expression et la punition économique. Elles vont affronter les privations, une vie des plus rudes, parfois même la malédiction de leur père, l'éloignement définitif de leur foyer et, bien entendu, les rumeurs et les ragots de Moscou. Le départ pour la Sibérie va bouleverser leur existence. Ces princesses et ces femmes d'officiers supérieurs qui n'ont jamais eu à faire la cuisine, à coudre, à jardiner vont cesser d'être des dames aux mains blanches et devenir de vraies ménagères. Fini les nuées de servantes, les régiments de domestiques, les palais, les carrosses, les troïkas, une vie simple, austère, dure dans des maisons de bois les attend. C'est une vie d'amour. Les premières à partir seront les princesses Troubetzkoï et Volkonski. Catherine Troubetzkoï, dont le diminutif affectueux est Catacha, est chère à notre cœur parce que, sous le grand nom russe qu'elle porte depuis son mariage avec le prince, se cache la fille d'un Français émigré Jean-Charles François de Laval de la Louberie. Son adresse à Saint-Pétersbourg est un peu devenue la nôtre tant nous avons passé de journées dans son palais, devenu celui des Archives d'État, à compulser de vieux papiers, percevant presque physiquement à leur toucher la pulsation de son amour, la preuve de son dévouement, la matière écrite de son panache. Quand, en fin d'après-midi, nous quittions les hautes pièces encombrées de dossier verts et que l'air marin de Saint-Pétersbourg envahissait nos poumons, nous ne pouvions nous empêcher de nous retourner vers les hautes fenêtres des façades du palais encadrées de colonnades pour vérifier si, par le miracle de l'évocation, elles n'avaient pas retrouvé la lumière dorée des bals du passé.

Ce bal rêvé, ce bal magique a vraiment eu lieu, une soirée donnée au palais de Kouchoubeï, peu après le coup d'État manqué. Nous en avons retrouvé le récit dans les archives. D'un côté, les mazurkas, les orchestres, les buffets surchargés, les candélabres géants et une haute société qui tente d'oublier dans la danse sa lâcheté récente. De l'autre, les condamnés qui passent sous les fenêtres violemment éclairées de la fête. Convoyés vers l'enfer, leurs regards attrapent, avec l'appétit du désespoir, l'ultime vision d'un luxe qu'ils ne connaîtront plus. Escortés de policiers, les poignets noués, ils offrent leur visage à la lumière de la fête.

CATHERINE OU LA PRINCESSE ADMIRABLE

Dressé devant la Neva aux côtés du Sénat, le palais de Laval est caractéristique du style de Saint-Pétersbourg. Signé par l'architecte français Thomas de Thomon, émigré royaliste, on y distingue la marque du maître de l'élégance classique, colonnade centrale, balcons à l'antique, et surtout un escalier majestueux dont Joseph de Maistre dira : « Cet escalier de granit est sans doute le plus beau de tout Saint-Pétersbourg. » Le palais abrite la famille de Laval dont l'histoire est digne d'être contée. Un jeune Français bien tourné et qui s'est fait connaître par son dévouement à Louis XVIII lors de son exil — ce qui lui a valu le titre de comte — commence sa carrière à Saint-Pétersbourg. Ce Laval de La Louberie possède surtout l'art de conter. Ce n'est pas un beau parleur comme les salons en débordent, c'est un être rare à l'éloquence remarquable. « Magique », disent les femmes. Mais qu'est-ce qui produit cette magie ? La finesse de ses traits, ses mouvements gracieux et respectueux avec les dames, sa façon de se mouvoir ou l'étrange fixité de ses yeux quand il raconte, comme s'ils étaient tournés vers les lacs intérieurs de l'inconscient ? Le mélange de tout cela, sans doute.

Dans les salons qu'il fréquente, une jeune fille ne peut plus le quitter des yeux, c'est l'une des plus riches héritières de Russie, la ravissante Koztitskaia. Elle ne cache pas longtemps son désir d'épouser le beau Français. Les mérites de celui-ci représentant peu comparés à ceux d'une famille aussi prestigieuse, la mère de l'héritière amoureuse s'oppose naturellement à ce projet. C'est mal mesurer la détermination d'une jeune fille qui cristallise ses rêves sur le premier homme qui a su retenir son attention. Laval a vingt-cinq ans et celle qui soupire vient de fêter ses dix-huit printemps. Comme dans la République de Venise où l'on peut jeter une dénonciation dans « la bouche de la vérité », il existe en Russie une poste directe beaucoup plus romantique où les doléances les plus secrètes comme les plus ardentes peuvent monter jusqu'au sommet, c'est-à-dire à l'empereur lui-même. C'est Paul Ier qui a inauguré cette tradition. Éprise, l'héritière n'hésite pas à écrire au tsar en personne. Convaincu par les arguments de la jeune fille qui sont simplement ceux du cœur, il s'adresse à sa mère et exige des explications. Celle-ci ose donner ses raisons qui sont plus de l'ordre des conventions et affirme : « Tout d'abord Laval n'est pas de notre confession. Deuxièmement personne ne sait d'où il vient. Et troisièmement ses fonctions de professeur de l'Académie au corps de marine ne sont pas du niveau de ses prétentions. » Paul Ier lui fait cette réponse tranchante, aussi laconique et brutale que les « attendus » de la mère : « Premièrement, il est chrétien, deuxièmement je le connais. Et troisièmement ses fonctions sont largement suffisantes pour vous plaire, Madame. » La conclusion qui suit est sans appel : « A cause de cela, mariez-les vite. » La mère, affolée à l'idée d'encourir le courroux impérial, les foudres d'un souverain connu pour ses meurtrières sautes d'humeur et ses caprices fantasques, ne se fait plus prier et se hâte d'obéir au maître de toutes les Russies. Pour lui complaire, elle va même jusqu'à rompre avec une tradition millénaire et ose décréter la date des noces dans une période de jeûne. Entre les sourires discrets des servantes complaisantes et les cris indignés des vieilles tantes de la famille auxquels s'ajoutent les lamentations paysannes des nourrices affolées, les préparatifs du mariage sont ordonnés. Et la jeune fille éclate de bonheur.

Cela ouvre à Laval une carrière exceptionnelle sous le signe de la faveur suprême. Non seulement par son union, Laval de la Louberie devient un des hommes les plus riches de la Russie, mais de plus sa légende de jeune aristocrate persécuté par la Révolution française se développe à la cour grâce à un puissant protecteur, le machiavélique comte Palhen. Ce dernier, gouverneur de Saint-Pétersbourg, va le pousser jusqu'au poste, ô combien convoité, de Maître de cérémonie du tsar. Fonction que Laval remplit admirablement avec une grâce toute française et un respect tout russe de son empereur. Les mêmes qualités de séduction qui lui ont permis d'emporter un cœur en or, il les met au service de cette dynastie d'airain. Son don de metteur en scène de fêtes, ses qualités d'homme d'esprit, ses prédispositions de diplomate lui permettent d'élever le triste protocole à la hauteur d'un art.

Heureuse époque où une carrière était couronnée grâce à des dons naturels. Temps béni où non seulement l'intelligence et la courtoisie mais aussi la grâce, la beauté et ce fameux goût français permettaient, sans complication et en quelques semaines, d'atteindre une des plus hautes fonctions de l'État, celle de conseiller d'État. Et même de recevoir dans la foulée l'une des distinctions les plus prisées de l'empire, celle de chevalier de l'Ordre Alexandre Nevski. Contrairement aux inquiétudes de la mère, Laval n'est pas un de ces coureurs de dot qui, une fois le mariage consommé, révèle son piètre cœur. Au contraire, il forme avec sa femme un couple créatif, prestigieux et mécène de l'esprit. Ensemble, ils vont faire du palais qui donne sur la Neva un sanctuaire de l'art. Avec son goût affirmé et subtil pour les chefs-d'œuvre de la peinture, sa science des beautés sculptées, sa connaissance de l'art romain, Laval métamorphose la demeure de sa femme en un rêve de musée de réputation internationale. Le témoignage de l'ambassadeur des États-Unis à Saint-Pétersbourg, Gene Quincy Adams, nous éclaire sur cette collection exceptionnelle et nous décrit tout autant les tableaux de Fra Bartolomeo ou la splendeur des statues romaines que les collections d'armures étincelantes sur fond de tapis persans. Son plus grand éblouissement sera pour un salon où a été disposé le sarcophage de la fille de l'empereur Auguste.

Les époux Laval ne s'arrêtent pas à l'art de l'Antiquité. Non contents de réunir des chefs-d'œuvre pétrifiés par l'éternité, ils offrent à la jeune génération romantique russe, dans ce cadre superbe, la scène de son expression littéraire. Un tableau magnifique ressuscite cette ferveur poétique et les instants privilégiés du salon crépitant d'esprit qui fit la réputation des soirées de Saint-Pétersbourg. Il représente Alexandre Pouchkine, inspiré, lisant chez les Laval les meilleures pages de son *Boris Godounov* devant les yeux admiratifs d'un autre grand poète russe, Griboiedov, et d'un génie polonais, Adam Mickiewicz. On dirait que la grâce de Laval et l'esprit de sa femme, comme les dons du hasard qui ont comblé leur vie, leur ont permis d'échapper à l'usure du temps. Leur amour et leur respect mutuel, les feux de leur salon littéraire, leur harmonie enfin sont récompensés par la naissance des enfants. Parmi eux, une petite à l'air malicieux, au visage d'ange réveillé par des yeux brillants, porte le nom de Catherine. Elle est si gentille et si souriante que tout Pétersbourg l'appellera Catioucha.

Elle aussi aura son coup de foudre d'adolescente, elle aussi agira à sa guise en suivant les impulsions de son cœur, elle aussi entrera dans l'histoire. Pas dans l'histoire officielle, à la suite de ses parents et protégée par les faveurs de la cour, mais dans la grande histoire, celle qui se signe avec du sang sur la neige. Elle en vivra toute la réalité tragique avec un esprit d'abnégation qui la rendra légendaire. Elle connaîtra le sacrifice et apprendra le sens profond de l'expression « pour le meilleur et pour le pire ». Elle vivra l'opprobre et l'exil par amour pour un homme, puis le triomphe d'avoir partagé puis dépassé avec lui tous les malheurs du monde.

Les égéries de décembre

Dans les histoires de la Russie romantique, les malheurs de la vie réelle commencent sous des couleurs de conte de fées. Catioucha connaît d'abord le plus merveilleux des contes d'hiver. Une mère adorable et un père pygmalion dont elle croit dans son adolescence qu'elle aura du mal, un jour, à le remplacer par un prince plus charmant. Avec ses complexes de petite fille modèle avant la lettre, Catioucha se demande, inquiète devant son grand miroir, si un homme à son goût passera sur les petits défauts dont elle se croit accablée : les empreintes d'une petite vérole qui a assombri son enfance ou un embonpoint naissant qu'elle se promet de contrôler malgré les délicieux petits gâteaux et pirochkis au miel préparés par sa « niania et nounou ». Ce Prince charmant existe bel et bien. Il appartient à une grande famille qui a rivalisé avec les Romanov pour le trône de la Sainte Russie, les Troubetzkoï dont le nom apparaît à chaque page de l'histoire. Aux yeux de cette jeune fille comme aux yeux de tout Saint-Pétersbourg, Troubetzkoï est le héros idéal. Chef de guerre dans la résistance à l'invasion napoléonienne, poursuivant glorieux des Français en déroute de la campagne de Russie, il fut comme un lion dans la bataille. Et il garde sa superbe dans la paix, comme lorsqu'il entre dans Paris sur son cheval blanc, suscitant la curiosité malicieuse des Parisiennes qui le détaillent des hautes fenêtres de la rue de Rivoli. Autant Laval, pour se marier, a eu du mal à convaincre sa belle-mère, autant Troubetzkoï lui paraît, sans hésitation, un parti parfait pour sa fille. Ce mariage unissant la fille d'un comte français et le représentant d'une famille qui remonte aux sources de l'Empire russe, se déroule à Paris en l'église russe.

De retour à Saint-Pétersbourg, les jeunes gens

s'installent dans le palais paternel et participent à la vie sociale et littéraire de Jean Charles François de Laval de la Louberie que tout le monde appelle désormais, et sa femme la première, « Ivan ». Les jeunes mariés font l'enchantement des invités, ils sont toujours gais, toujours tendres, toujours amoureux. Aucune faille dans ce couple. Sauf, peut-être, les habitudes tardives du prince qui semble prendre son temps avant de retrouver la couche nuptiale. Il n'est pas un débauché, ne sort pratiquement pas, n'a que de très rares rendez-vous à l'extérieur, mais le soir au palais, Troubetzkoï a du mal à se coucher tôt. Que fait-il ? Joue-t-il aux cartes ? Peu. S'éternise-t-il dans des conversations littéraires ? Pas davantage. Alors que viennent faire autour de lui la crème de l'armée, l'élite de l'aristocratie, tous ces hommes distingués qui réunissent réputation, compétence et intelligence ? Ils tardent au palais et parlent une partie de la nuit. Que peuvent-ils se dire de si important pour repartir aux aurores, exaltés et enveloppés de secrets ?

Catioucha dans sa chambre attend son mari. Dans ses draps de batiste, elle rêve d'un nouvel enfant, mais aussi d'une nouvelle Russie moins barbare, plus civilisée, plus élégante, à la française. N'est-il pas possible d'adopter la civilisation des Lumières dans l'empire des neiges ? Elle attend le prince. Va-t-elle lui en parler, lui en a-t-il déjà parlé ? Connaît-elle la nature de ces réunions secrètes où, derrière des jeux de cartes qui servent de trompe-l'œil à une conjuration, c'est le château de cartes de l'empire que ces jeunes gens s'apprêtent à abattre. C'est donc sous le toit du comte de Laval, favori et conseiller d'État, qu'on complote et l'âme du complot est son gendre, le prince Troubetzkoï, celui qu'on appelle le beau Serge. Contrairement à ce qu'on a initialement pensé, notamment au XIXᵉ siècle, les historiens russes contemporains ont incontestablement prouvé que le rôle de Troubetzkoï avait été de tout premier plan dans l'affaire des décembristes. L'excellente étude de l'académicien russe Netchkina, historien de renom, ne laisse aucun doute à cet égard. Plus que Paul Pestel resté dans l'histoire comme le Robespierre des décembristes, c'est bien Troubetzkoï qui était pressenti par ses compagnons comme le futur maître de la Russie. On a vu ce qu'il en est advenu.

Dès qu'elle apprend que son mari est gracié par le tsar et envoyé en Sibérie, Catioucha Troubetzkoï lui fait parvenir à la prison Pierre-et-Paul une lettre pleine de compassion et de tendresse pour lui annoncer qu'elle veut partager son triste sort. Une déclaration qui provoque un coup de tonnerre non seulement au palais Laval, mais aussi dans les cercles les plus huppés de Saint-Pétersbourg. Avant que la rumeur de ce dévouement ne remonte jusqu'à Nicolas Iᵉʳ, Catioucha lui a déjà écrit pour solliciter la faveur de partager la condamnation de son mari, conformément à la promesse faite lors de son mariage de lui être unie pour le pire et le meilleur. Plus tard, l'entourage du tsar laissera entendre que l'argument de la fidélité à la promesse nuptiale prononcée devant Dieu fut l'élément décisif de la relative clémence du souverain et de l'accord qu'il donna à sa requête. N'oublions pas que Nicolas est persuadé que, seule, la Providence l'a sauvé durant cette journée fatidique.

Catioucha va donc partir sur les chemins de l'exil et parcourir jusqu'à Irkoutsk la longue route qu'un Français, Jules Verne, fit emprunter à son héros, Michel Strogoff. Dans la carriole paysanne sans ressort qui la transporte depuis que son carrosse princier a cassé, des noms nouveaux aux accents presque païens résonnent à ses oreilles bourdonnantes de fatigue : Tchita, Baïkal. Elle découvre aussi que le mois de septembre en Sibérie est bien plus rude qu'en Russie. Entre les vents glacés, les mauvais chemins, les étapes inconfortables et ces visages hostiles découpés à la serpe qui, après bien des verstes, se font de plus en plus asiatiques, bridés et fermés, elle se dit qu'elle n'entendra plus jamais les chanteurs de la chapelle en grand habit de velours broché, qu'elle ne verra plus jamais les scintillements de l'or et des cierges dans le sanctuaire où prient l'empereur et la famille impériale, qu'elle ne jouira plus jamais du spectacle imposant et magnifique donné par la bénédiction de la Neva quand l'empereur, les grands ducs en uniforme, le clergé avec ses chapes de brocart d'argent, ses splendides costumes sacerdotaux de coupe byzantine et la foule diaprée des généraux et des grands officiers traversent la masse compacte des troupes alignées qui incarnent devant elle l'éternelle Russie.

Le sacrifice de Catioucha est d'autant plus admirable qu'il contraste totalement avec celui de l'homme qu'elle aime le plus au monde après son mari, son père. Pour le comte de Laval, Troubetzkoï n'existe plus. Il est la cause du malheur de sa fille, il ne peut donc lui pardonner. Quand elle recevra en exil la première lettre de son père, elle ne pourra retenir ses larmes : il ne citera même plus le nom de son mari. Sous celui de Laval, à partir de cet instant, deux identités vont suivre des routes séparées et un mur invisible va s'élever entre le palais des bords de la Neva où un courtisan continue son office entre les fêtes, les concerts de l'Académie musicale, les visites de Pauline Viardot, la cantatrice française, et une misérable hutte dans les bas-fonds de la Sibérie, avec ses matelas jetés à même la terre battue et mordus par les rats. Mais Catioucha n'a peur de rien et se dit que la Providence est en train de faire pour elle le partage entre les ors factices de la vie mondaine et les valeurs du devoir, de la fidélité et de l'amour. Alors qu'éperdue de fatigue, elle s'abat sur un grabat à l'étape, cette phrase entendue la veille de son départ au palais résonne dans sa tête : « Là où croît le péril, croît aussi ce qui sauve. » Pendant ce temps, et elle ne le savait pas, Nicolas Ier marmonnait sous ses moustaches des mots qui frôlaient l'admiration : « C'est un trait de dévouement digne de respect. »

A la fin septembre, la princesse Troubetzkoï touche enfin au terme de son voyage et retrouve son beau mari, déjà diminué, dans les mines de sel de Sibérie. La scène de leurs retrouvailles est bouleversante. Serge se met à genoux devant elle, il embrasse ses jambes à travers sa jupe. Elle lui relève la tête de ses doigts délicats, il reconnaît ses lèvres si chères, si incomparables et si douces et, de nouveau, son cœur cesse de battre un long instant. Le vent siffle à travers la chevelure désordonnée des forêts de l'automne et seule la pie crie l'ivresse des amants retrouvés. Dans cette nature sauvage et hostile, les mariés dans leur cabane ont le sentiment de revivre un voyage de noces à l'envers, plus intense et plus fort. Catioucha et Serge commencent une autre vie et trouvent dans cette intimité pastorale un bonheur au goût singulier dont ils constatent qu'ils auraient pu, durant une existence entière, y demeurer étrangers.

Les contraintes du bagne ont métamorphosé ces époux en amants : ils ne peuvent se voir que deux fois par semaine. Les mois passent, les sentiments refleurissent. Et bientôt le ventre de Catioucha s'arrondit. En février 1830, naît le premier enfant de l'exil, la petite

Alexandra. La déportation est loin d'altérer la fougue de Serge, toujours plus épris de son épouse : naissance de Nikita en 1835, d'Ivan en 1836, de Zinaïda un an plus tard et de Vladimir en 1838. Troubetzkoï subit son sort avec noblesse et, même s'il est atteint par la tuberculose, ne montre aucune résignation. Soutenu par sa foi inébranlable dans le Créateur et galvanisé par son idéal de générosité, il disperse sa fortune aux quatre coins de la misère dans des dons et actions de charité pour les prisonniers.

Les forces du couple ne sont malheureusement pas inépuisables. Le poids des ans et les souffrances endurées finiront par avoir raison d'eux. Comme chacun des prisonniers, Serge est enfermé dans une cellule sans fenêtre. L'humidité est épouvantable, le travail épuisant, le climat malsain. Et le ballet sinistre des rats annonce une mort qui vient toujours à l'heure. Tant de courage, tant de foi, tant d'amour, tant d'espérance ne suffisent plus. C'est une Catioucha diminuée qui apparaît à un témoin, lequel écrit : « Elle devient pire que dépressive. Elle devient indifférente. » Bientôt, le destin la frappe plus durement encore : à partir de 1843, elle perd successivement quatre de ses enfants. Il faudra attendre encore deux ans pour qu'une réelle amélioration des conditions de vie des détenus et, surtout de leurs épouses, se fasse sentir. A force de supplier le tsar, la comtesse de Laval mère obtient pour sa fille un sort meilleur. Désormais, elle aura droit de cité avec ses enfants dans la ville d'Irkoutsk. Mais croire que vivre en ville a les couleurs du salut, c'est mal connaître la province et ses petitesses si bien décrites par Gogol dans *Les Ames mortes*. Catioucha reste une maudite : les femmes des prisonniers sont des pestiférées, interdites de théâtre et mal reçues au concert. De son côté, Serge, étranger à cette mesure bénéfique, se montre de plus en plus prostré.

En 1847, les choses semblent prendre une autre tournure. L'arrivée d'un gouverneur débonnaire, aristocrate aux idées larges et libérales, est de bon augure. Rompant les duretés du carcan de la province, il considère un peu ses prisonniers comme des pairs et n'hésite pas à braver la hiérarchie militaire, tout autant que le conformisme de la petite cité, en envoyant des cartons d'invitation au prince Troubetzkoï. Solidarité de classe, geste fou, solitude mal supportée ou simple générosité de cœur, c'est en tout cas une petite vie de société qui se remet en mouvement autour du gouverneur Mouraviov et de sa famille, avec les Troubetzkoï et les Volkonski. Cependant la grâce d'une amitié, même un peu convenue, n'arrive-t-elle pas trop tard ? Qui reconnaîtrait dans ces fragiles silhouettes de petits vieux aux visages prématurément fanés qui se pressent à travers les amoncellements de neige l'ancien couple solaire du palais de Laval ? Catherine ne vient d'avoir que cinquante ans, mais ne peut dissimuler les ravages exercés sur elle par les épreuves et le temps. Avec une lucidité impitoyable, elle écrit à sa sœur : « J'ai l'apparence et les habits d'une vieille femme et je me sens terriblement vieillie. » Les forces lui manquent pour lutter contre le cancer qui la dévore et auquel elle finit par succomber. Désormais seul, Serge Troubetzkoï n'est bientôt plus qu'un fantôme aux cheveux blancs errant à la recherche d'une silhouette effacée par le destin, dans les faubourgs d'Irkoutsk et, plus tard, dans les ruelles de l'Arbat à Moscou.

Pour autant, ni Serge, ni sa femme n'entreront dans le cortège déconsidéré de ces illuminés qui ont gâché leur vie. L'exemple d'un si bel amour entrera dans la postérité, salué par les strophes de quelques grands poètes. Il est des tremblements de terre, en effet dont les soubresauts semblent sans fin et qui dégorgent à des rythmes inattendus dans de lointains sillons le sang de leurs martyrs. Ainsi décembre 1825 imprégnera durant une décennie l'âme de la Russie tout en pénétrant profondément l'histoire du romantisme européen. Les liens personnels, les configurations amoureuses vont marquer cette géographie historique et sentimentale de bornes inévitables. En France, c'est Alfred de Vigny auquel l'un de nous consacre une biographie[1], le nostalgique inconsolable de l'héroïsme frôlé, le seigneur puissant et solitaire toujours partagé entre la volupté et l'honneur, le seigneur des incompris et le roi secret des secrètes amours, qui va se faire le chantre des héros de décembre et restituer leurs illusions et leurs rêves, leurs servitudes et leurs grandeurs.

Cette fraternité symbolique est, une fois de plus, déclenchée par une histoire d'amour. En décembre 1844, presque vingt ans après l'affaire, Alfred de Vigny rencontre dans le salon de la comtesse de Circourt, une Russe catholique de Paris, la sœur cadette de Catherine Troubetzkoï. Elle s'appelle Alexandra Krowin-Kossakovski et Vigny met en scène pour elle tous les secrets de sa science amoureuse. Quand elle raconte au poète ébloui l'histoire de sa sœur reléguée au bout du monde, Vigny, troublé au fond de son cœur, lui écrit : « Wanda, j'écoute encore après votre silence... »

Le terrain de ce trouble était déjà préparé par l'intérêt prémonitoire que Vigny porte à la Russie depuis le début des années 1840. Bien sûr, il a lu *La Russie en 1839* du marquis de Custine paru en 1843, et

---

1. Gonzague Saint Bris : *Vigny, la volupté et l'honneur*, Grasset.

sans cesse réédité depuis. La Russie entre dans la mythologie de Paris et Custine, non content d'apporter sur un plateau d'argent les clefs de fer de l'empire des neiges, a fait notamment connaître la figure douloureuse de la princesse Troubetzkoï. Son descendant, le prince Wladimir, expliquera un jour devant les Amis d'Alfred de Vigny que, « saisi d'horreur, de pitié et d'admiration, Vigny va prolonger les paroles de Wanda dans le cristal de la poésie. Dédié à "Wanda", ce poème inclus dans *Les Destinées* en 1861 est aussi une réflexion sur le destin historique de la Russie, question qui se pose encore et peut-être plus que jamais aujourd'hui... Il convient de reconsidérer cet événement de décembre 1825 d'où tout est parti, et que Vigny connaissait mieux qu'on ne l'a cru : ses nombreuses relations russes à Paris, ses lectures critiques, les entretiens confidentiels, fort nombreux, qu'il a eus avec la comtesse Wanda Kossakowska, font de lui un expert averti sur la question russe du temps et aussi, comme poète de l'Esprit pur, un lecteur de l'avenir, de notre présent ».

L'exemple des femmes de Sibérie lui donne l'occasion d'entonner son refrain favori sur le sort des vaincus. L'esquisse en prose de *Wanda* est tout entière emplie de son leitmotiv qui dévoile en un vers l'idée principale du poème : « Sacrifice, ô toi seul peut-être es la vertu ! » Ce que Vigny aime aussi dans l'évocation des décembristes, c'est l'ample écho donné par l'Histoire à l'une de ses thèses personnelles. Celui qui n'est pas loin de se considérer comme un « boyard » de la poésie française ne veut pas que le rôle de l'aristocratie soit effacé même dans l'histoire des révolutions. Car il est des conjurations qui redorent les blasons. » Comme le note très justement, le prince Wladimir Troubetzkoï :

« L'affaire du 25 décembre, et surtout le nom des prota-
gonistes, ravivent en lui le romantisme historique qu'on
partage sans le savoir avec Pouchkine : le désir qu'un
grand rôle soit dévolu à l'aristocratie entre le souverain
et le peuple. Avec Chateaubriand et Byron ou Tocque-
ville, mais aussi Balzac et Stendhal, Pouchkine et Vigny
voient dans l'existence d'une aristocratie ancienne, fière
et autonome, la garantie des libertés du peuple, voué
sinon à l'esclavage sinistre du despotisme populaire. La
valeur heuristique de ce mythe romantique aide Vigny
à inscrire l'échauffourée du 25 décembre dans le
contexte plus large du combat entre le tsar et le Peuple,
ce qui est bien vu et fort en avance sur son temps. »

Maria ou le sacrifice suprême

Si, dans l'histoire des quatre dames de Sibérie,
Catherine Troubetzkoï donne l'exemple du sacrifice
supporté grâce à l'amour, une autre femme exprime
quelque chose de plus poignant encore, le sacrifice sans
amour vécu seulement par devoir. Celle qui aura cette
noblesse extrême n'est autre que cette Maria Raïevski
que nous avons déjà croisée avec Pouchkine au cours
d'un été en Crimée auprès de la fontaine de Baktchiseraï. Son père a près de soixante-dix ans quand il
décide de marier sa fille de dix-neuf ans à un homme
dont il est inutile de décliner les qualités quand on sait
que, général appartenant à une grande famille et
immensément riche, il a inspiré à Tolstoï un des plus
fascinants personnages de *Guerre et Paix*, Bolkonski,
l'écrivain se contentant de changer la première lettre de
son nom. Quand Maria épouse le prince Volkonski, ce
n'est pas la différence d'âge, très courante à l'époque —

dix-sept ans seulement —, mais plutôt la différence de caractère qui les sépare. Son exubérance à elle, colorée par une goutte de sang grec, pourrait s'opposer à la froideur que Volkonski cultive avec beaucoup d'insistance. De plus, il est un membre passionné de la Société secrète du Sud et, à la différence de Troubetzkoï, n'en dévoile rien à sa jeune femme qu'il a tendance à prendre pour une oie blanche. Ces dissonances ont créé dès le début des distances excessives qui ne seront pas rattrapées et expliquent que, peu après son mariage, Maria se soit sentie si mal qu'elle ait dû partir suivre une cure de repos à Odessa.

Volkonski était tant absorbé par ses activités secrètes et son ambition au cœur du complot des décembristes qu'il ne voit jamais Maria. C'est seulement après l'échec de la conspiration qu'au milieu de la nuit, il débarque dans sa chambre, en proie à une agitation extrême et totalement inhabituelle chez lui. Devant sa femme effrayée par ce comportement, le prince se jette sur ses tiroirs, arrache des poignées de papiers qu'il précipite dans la cheminée avant d'allumer fébrilement le feu. Dans une rage indescriptible, il lui lance ces mots, « Pestel est arrêté » qu'elle ne comprend pas. Il ne lui a rien dit. Comment pourrait-elle savoir que non seulement Pestel est une des âmes du complot, mais que son époux y a participé ? Bientôt le prince qui, pour la première fois, a perdu son sang-froid retrouve son impassibilité glacée. C'est dans cette attitude, d'autant plus blessante pour Maria qu'elle est enceinte, qu'il l'accompagne en carrosse — sans prononcer un mot — jusqu'à la demeure de son père, près de Kiev. Ce mutisme cache des craintes qui se révèlent justifiées : sur le chemin du retour, le prince Volkonski est arrêté par la police du tsar puis incarcéré dans la redoutable forteresse Pierre-et-Paul. Réfugiée chez son père, Maria vit une fin de grossesse difficile. Après avoir mis au monde un garçon, elle va subir pendant deux mois l'assaut des fièvres et, entre la vie et la mort, poser inlassablement cette question angoissée : « Où est mon mari, m'aurait-il quittée ? » Son père et ses frères prétendent qu'il est en Moldavie, ce qui ne la rassure guère : « Mais alors pourquoi ne vient-il pas voir notre enfant ? » C'est seulement après de longs mois qu'on lui révèle la vérité : son mari est en train de croupir dans un cachot.

Maria révèle alors sa grande nature. Même si elle n'est pas amoureuse de ce bel indifférent aujourd'hui prisonnier, elle se sent sa femme. Elle veut le voir, le réconforter, elle veut tout faire pour le sauver. Afin d'être libre de ses mouvements et de se consacrer tout entière à ce qu'elle considère comme son devoir, elle emmène leur petit garçon chez sa chère tante, la comtesse Braniski, puis elle se lance dans une folle chevauchée vers les barreaux de la prison, traversant, sans même sentir les premiers parfums du printemps et l'odeur tendre des premières feuilles du tilleul, la vaste campagne qui la sépare de Saint-Pétersbourg. Elle passe les fleuves qui débordent, elle secoue le cocher de ses « Vite, encore plus vite » parce qu'elle sait ce qu'elle veut, la libération de son mari. Grâce à sa folle détermination, elle obtiendra en entrant dans la ville impériale l'autorisation de voir le prince. Elle est prête à tout pour lui. Au point que son frère conserve les lettres qu'elle lui confie pour Volkonski tant il craint qu'elle ne prenne le parti de le rejoindre en Sibérie, quand il y est exilé. Dès qu'elle l'apprend, sa décision est prise : elle veut le rejoindre au plus vite. Son père s'y oppose et va jusqu'à la menacer de la déshériter si elle n'est pas rentrée de Sibérie avant un an. Maria fait voler en éclats toutes ces oppositions, finit par obtenir du tsar l'autorisation de rejoindre Serge Grigorievitch Volkonski et part pour la Sibérie, fin 1826. Elle y restera trente ans.

Son départ est aussi émouvant que son geste d'épouse. Sa belle-sœur organise dans son palais de Moscou un concert d'opéras italiens que la belle Maria écoute en réprimant ses sanglots. « L'opéra italien, je voudrais l'écouter encore et encore, dit-elle. Après, je ne l'entendrai plus jamais. » Et puis, elle franchit les six mille verstes qui la séparent de Volkonski. C'est elle-même qui raconte comment se sont passées leurs retrouvailles : « On l'a amené dans un cachot où la lumière était à peine visible. Serge a bondi vers moi, le bruit des chaînes m'a frappée, je n'avais même pas imaginé qu'il était prisonnier de ces fers, je me suis agenouillée devant lui pour baiser ses menottes avant de l'embrasser tout entier. » Cette scène est si émouvante que même le gardien, qui croyait avoir tout vu, laisse glisser une larme. Deux ans plus tard, le père de Maria meurt. Au moment suprême, il demande le portrait de sa fille. Devant son vieux serviteur en pleurs, il semble un instant retrouver la vie pour contempler, durant une minute de silence, les traits de celle que ses derniers mots décrivent : « C'est la femme la plus exceptionnelle que j'ai connue et Dieu sait si je l'ai aimée. » L'admiration d'un père semble toujours assurée à sa fille. N'est-il pas toujours, dans sa mythologie intérieure, son premier amoureux et toujours le dernier homme qu'elle décevra ? Devant la beauté de Maria, la tendresse paternelle ne peut expliquer seule l'admiration qu'exprime le mourant. Celle dont Pouchkine a célébré la grâce laisse parmi ses contemporains un sillage inoubliable.

Grande et svelte, avec son visage racé aux yeux très noirs, sa peau mate, sa distinction tout aristocratique est tempérée par ce nez légèrement retroussé typique des belles filles russes — qui lui donne un air mutin. Sa chevelure de nuit exprime, comme la Russie elle-même, le mariage des couleurs de l'Asie et de la lumière du Nord. D'ailleurs, les décembristes ont surnommé cette égérie des neiges « La fille du Gange ». C'est dire combien elle est à la fois languide et distinguée. Malgré les épreuves qu'elle traverse, elle n'exprime jamais la moindre tristesse, toujours affable avec les compagnons d'exil de son époux, mais fière et distante avec les gardes-chiourme comme avec les gouverneurs de la prison.

Durant de longues années, Maria vivra à côté du cachot de son mari. Ce n'est qu'au bout de vingt-sept ans qu'elle s'installera dans une maison de bois dans un village près d'Irkoutsk. Pendant toutes ces années, elle vivra la souffrance d'une détention qu'elle accepte avec son sens inné de l'absolu et celle, beaucoup plus difficile, du partage entre le devoir et les appels de son cœur de femme. Elle finira par ne plus lui dire non. C'est ainsi que le geste du baiser aux menottes mérite une interprétation : il dit la soumission au héros, l'admiration à la noblesse d'âme du mari ; il dit la vénération portée à l'image de l'homme chevalier plutôt qu'à l'être réel. Ce n'est pas le bout de ses doigts, la paume de ses mains que Maria a baisés de ses lèvres, c'est le fer des chaînes qu'elle embrasse, le signe de la souffrance qu'elle est venue partager. Elle n'a que vingt ans et on dirait que la souffrance est la première province de son destin : un époux au fond d'une geôle, un fils resté en Russie, Nicolenka, qu'elle ne verra plus à cause de sa disparition prématurée, un père chéri à l'agonie dont elle ne pourra recueillir les dernières pensées. La naissance d'une petite fille mort-née ajoute à son désespoir.

Que lui reste-t-il dans ce chemin parsemé d'épines ? La douce Catioucha Troubetzkoï. Toutes deux, devenues amies en Sibérie, ont accepté d'emblée le jugement de la Providence et se disent prêtes à accepter avec humilité toutes les épreuves que leur enverra le Seigneur. Aux rares fidèles qui poussent la porte du petit oratoire que les décembristes ont construit est donné parfois le spectacle de ces deux beautés encore jeunes, à genoux devant la Vierge dont la robe bleue est leur fenêtre vers Dieu. En voyant son visage lisse de « femme hindoue » penchée dans la prière, qui pourrait deviner que la vie de Maria Volkonski est un drame ? Laissons à un témoin privilégié, le fils du décembriste Iakouchkine qui a quotidiennement suivi la vie et l'évolution de ce couple durant toutes les années 1850, le soin de déchiffrer l'énigme de son cœur déchiré : « Ce mariage, en raison d'une incompatibilité totale de caractère, apportera par la suite beaucoup de douleur à Volkonski et conduira au drame qui est en train de se jouer dans cette famille. Maria Nicolaïevana a-t-elle aimé son mari ? Cette question est difficile à résoudre. De toute façon, elle fut une des premières à décider de partir en Sibérie pour partager avec son époux sa vie de bagnard. Un exploit qui ne serait pas si grand que cela si l'attachement entre eux était profond mais un exploit presque inexplicable si cet attachement n'existait pas. Beaucoup de bruits couraient sur Maria et sa vie en Sibérie. On disait même que son fils et sa fille n'étaient pas les enfants de Volkonski. » A Saint-Pétersbourg, où même le froid n'empêche pas les langues de se délier et où, sous Nicolas Ier qui encourage la délation, le ragot est roi, on va jusqu'aux précisions les plus piquantes en prétendant que le fils Volkonski est l'enfant naturel du décembriste Poggio. Ce fruit de l'amour aurait été conçu dans la maison même où ce Russe d'origine italienne a offert l'hospitalité, dès son arrivée, à Maria tandis que son mari était retenu dans les mines. Quant à la fille, les joyeuses commères de la Neva avaient encore leur explication : n'irradiait-elle pas de ce charme souverain qui faisait d'elle sans aucun doute l'enfant adultère du plus beau des décembristes, Pouchine, prénommé Nelli ? La rumeur enfle tellement à Saint-Pétersbourg que, dans la famille de Maria, la trahison n'est pas loin. C'est sa propre sœur, Sophie qui ose, avec l'aigreur de la vieille fille qu'elle est restée, souffler à l'oreille de leur mère ces bruits malfaisants. Les dégâts seront grands puisque celle-ci, peu avant sa mort, modifiera son testament et déshéritera Maria. Sous ces coups redoublés du mauvais sort et des mauvaises intentions, Maria chancelle. Bien sûr, elle tente de résister, mais son caractère en est radicalement modifié. Où sont passés les rires de cristal de la Maria d'autrefois, malicieuse et riante ? Hormis dans les strophes de Pouchkine, elle n'existe plus. Aujourd'hui, aux offenses de la vie comme à ses promesses non tenues, elle n'offre plus qu'un froid dédain. « Glaciale », dira d'elle le docteur Béloglov.

Après vingt-huit ans de rétention volontaire, on aurait pu penser que la miraculeuse amnistie impériale allait enfin apporter à Maria le réconfort, et peut-être aussi le bonheur. C'est ne pas mesurer le poids des chaînes qui ne s'enlèvent jamais, même si elles ne sont plus visibles, c'est oublier que, quand les blessures du cœur et l'usure du corps vont de pair, la fin n'est pas loin. Quatre mois après son retour dans la province de Tcherngov, où le climat très doux aurait pu contribuer

134

au rétablissement de sa santé, Maria Volkonski meurt d'une crise cardiaque, en août 1860.

Pour chaque Russe, elle demeurera à tout jamais le symbole de la beauté et de l'abnégation. Nous avons découvert sa dernière demeure sous le chant des oiseaux d'avril, quand la luminosité d'un ciel au bleu très profond se réverbérait sur le tronc des bouleaux immaculés. Longue, très longue était l'allée qui menait au cimetière cerné par des barrières blanches. Les croix de chêne, malgré leur force, semblaient avoir été torturées par le vent mais la terre russe aux reflets violets et avec ses premiers perce-neige, faisait refleurir le sourire de Maria. Sur sa tombe, nous pûmes lire ces simples mot gravés : « Salut, consolatrice infatigable de ceux qui gémissent dans les fers. »

PAULINE OU LA PETITE FRANÇAISE DE SIBÉRIE

La fête de Pâques revêt dans la religion orthodoxe un très grand éclat et, comme tous les Russes, les enfants de la famille impériale se réjouissent du repas préparé pour l'occasion et qui se termine par le fameux gâteau *coulitch*, signe que : « Christ est ressuscité. » Chacun se réjouit de goûter les œufs cuits aux coquilles peintes de couleurs éclatantes. La fête se déroule à Peterhof, ce Versailles russe situé sur la rive sud du golfe de Finlande dont les splendides fontaines et le canal relié à la mer offrent comme une résidence à Neptune. Après la fête, le tsarevitch quitte vers minuit le palais qu'un brouillard d'embruns enveloppe pour rejoindre sa datcha dans le parc. Le futur Alexandre II s'installe confortablement dans le salon framboise, décoré par des tableaux peints à la manière de Boucher et de chaudes boiseries rococo. Un bon feu lui a été préparé et il se saisit d'un volume finement relié que son aide de camp lui a rapporté de Paris. Sans être un ouvrage sulfureux — ce qui serait mal venu en cette nuit de Pâques pour un futur empereur dont la demeure est directement reliée à sa chapelle par une passerelle enjambant un petit vallon verdoyant — il s'agit toutefois d'un livre interdit par la censure impériale. Il est signé Alexandre Dumas dont *Les Trois Mousquetaires* a connu un très grand succès en Russie et a fait découvrir la rivalité secrète entre le cardinal de Richelieu et Louis XIII. Mais pourquoi ce roman-là, intitulé *Le Maître d'armes*, a-t-il fait lever le sourcil des censeurs ? Mettrait-il en cause l'autorité du tsar, serait-il empreint de théories révolutionnaires, risquerait-il de provoquer des vocations de Saint-Just slave ? Non, il ne s'agit que d'amour, mais d'un amour peu ordinaire, celui d'une Française de bonne souche ruinée par la tourmente révolutionnaire qui va accepter une vie de déclassée pour tenter de regagner son rang.

Tout d'abord modiste à Paris, l'héroïne du livre se voit bientôt proposer un poste important dans une maison de mode à Moscou. C'est là que l'attend un coup de foudre pour un bel officier russe qui va changer le cours de sa vie. Tourbillons de neige autour de la troïka des amoureux, baisers passionnés dans l'hiver de Moscou, jusque-là il n'y a rien dans ce roman somme toute à l'eau de rose, qui justifie l'interdiction prononcée sur *Le Maître d'armes*. L'intrigue est même passionnante et le tsarévitch plonge avec délices dans ce tourbillon où apparaît à tout instant le talent de Dumas. Il ne comprendrait pas pourquoi cet ouvrage captivant est sur la liste noire s'il ne savait — au premier chef comme héritier de la couronne — que, derrière les pages bondissantes de l'écrivain français, il y a plus qu'une fiction mais une réalité avec des personnages authentiques, et surtout un problème : le héros central du livre est un décembriste. N'est-ce pas le don des grands romanciers de prendre l'histoire au corps, quitte à lui faire un enfant naturel sous forme de roman ? Avec *Le Maître d'armes* publié au début des années 1840, Alexandre Dumas montrera ce don et la prodigieuse puissance de son imagination puisqu'il racontera le roman de personnages réels sans les avoir jamais connus. Ces personnages sont dans le rôle de la modiste française, Pauline Guéblé, et, dans le rôle de l'officier décembriste, le comte Ivan Alexandrovich Annenkov. Les lumières sont celles de Moscou au printemps, les décors les vastes parcs qui bordent la Moskova et les ruelles étroites du quartier de Arbat où filent les fiacres sous le fouet du cocher.

Comment ce roman bien moscovite s'est-il déroulé dans la réalité ? La jeune Française avait su tirer de la pratique de la mode tous les secrets nécessaires à la mise en valeur de sa beauté. C'est d'abord dans une robe de velours rouge qu'elle va apparaître au jeune Annenkov. Fasciné, celui-ci ne pourra plus oublier l'ambre de ses épaules dénudées ni, quand il l'étreindra la première fois, la tendre pression de sa gorge parfaite. Velours de la robe, satin de la peau, taffetas des lèvres, Pauline est irrésistible. Dans le décor fascinant des palais aux façades roses ou couleur pêche, Pauline se laisse entraîner par le galop fou de son cavalier. Très vite, elle va cesser de l'appeler Ivan, il devient tendrement son Vania. Et, devant ses yeux de petite Française, défilent les murs crénelés d'un riche couvent, une puissante cathédrale, quelques petites chapelles aux coupoles dorées et les tours du Kremlin. Au rythme des chevaux qui entraînent leur troïka, tout chancelle, tout devient flou pour Pauline. Au lendemain de ces courses folles, elle se retrouve devant les grandes dames de la société moscovite qui exigent d'elle les derniers secrets de Paris. Les tendances de la mode ne sont pas seules à venir de France, la manière d'aimer également. A l'époque, le néoclassicisme fait fureur et on qualifie cette mode d'un mot français, le style « Empire », ou encore, d'une manière plus douce, « Chemise ».

Le Mercure de Moscou, journal à la pointe de la mode, donne les précisions suivantes : « Dans le costume actuel, le principal, c'est de faire apparaître les formes. Si, chez une femme, on ne voit pas la forme des jambes, des pieds jusqu'à la taille, alors on dit qu'elle ne sait pas s'habiller. » Et Pauline contribue à propager l'engouement pour les robes aux tissus très fins, mousseline, batiste et crêpe, où la taille est haute et le décolleté à balconnet généreux. Parce que même la plus fine des jupes risque d'enlever, nous confie le chroniqueur, « la transparence indispensable à la séduction », Pauline, dans son audace inventive, ose améliorer cette mode nouvelle. On la verra ne pas hésiter à raccourcir ses robes et à les rendre plus étroites pour montrer la perfection de ses hanches et la finesse de ses cuisses. Elle convertit à cette manière son amant Vania qui se plaît à porter ces pantalons clairs, en daim, qui mettent en valeur les avantages de sa silhouette remarquablement dessinée. Libertine et libérée, Pauline joue avec toutes les séductions de son amant. Quant à Vania, loin de se cantonner au rôle d'amant, il la conseille pour sa garde-robe dans le seul but de la rendre plus séduisante encore. Il lui conseille, par exemple, d'orner à la russe son cou gracieux par une fourrure ou encore de composer des aigrettes avec des plumes de cygne. Il lui arrive

138

même de passer des soirées entières à discuter de sujets apparemment futiles : que faut-il préférer, les châles très colorés à la russe, avec leurs fleurs couleur fuchsia ou framboise, ou les voiles de gaze transparente qui rendent la beauté des femmes plus mystérieuse encore ? N'allons pas croire que cet homme si préoccupé du charme de sa bien-aimée était trop léger. Au contraire, un véritable amant accepte sa part de féminité et Vania était de ces hommes vigoureux et virils, d'autant plus libres de partager les goûts de leurs élues qu'ils n'ont rien à prouver. Plus tard, Pauline remarque, non sans subtilité, que le caractère des amoureux russes intègre naturellement ce degré d'ambivalence, lequel n'est rien d'autre que le signe de la complicité d'un sexe toujours plus amoureux de l'autre. Cette complicité charnelle, plutôt libertine et gaie, provoquera chez le couple une union plus forte que celle des corps, celle des âmes. Malheureusement, c'est au moment où culmine leur bonheur que la jeune Française verra tomber sous ses yeux le couperet de la réalité : son Vania est arrêté, il est, malgré ses élégantes digressions, un conspirateur des plus dangereux.

C'est là que les deux gravures de mode vont se révéler des personnages de tragédie, troquant avec grandeur la gravité contre le vaudeville. Quand Ivan Alexandrovitch Annenkov est condamné aux travaux forcés en Sibérie pour sa participation active à la conspiration, Pauline assume sans hésiter son nouveau rôle pour devenir la Phèdre idéale des décembristes. Quant à Ivan, il passe sans coup férir et avec quel admirable courage du statut de dandy à celui de martyr. La nature ne ment pas et ces deux êtres se révèlent d'une autre trempe que celle que laissait deviner leur apparence factice. A la différence des autres « Dames de Sibérie », ce n'est pas la fidélité au message du mariage qui est la cause du dévouement de Pauline. Nous avons affaire avec elle à une figure autrement touchante : des amants sans mariage qui anticipent, avec le génie de l'amour, l'éternité nuptiale.

Dans son cachot du bout du monde, le condamné revit les voluptés qu'il a connues avec sa Française. Et loin de lui, Pauline, la main sur son ventre, a ce sourire indéfinissable du contentement absolu. Le 2 avril 1826, elle met au monde une petite fille qui — est-ce un signe des bonnes fées ? — naîtra avec une merveilleuse couronne de cheveux dorés. Pauline, mère comblée, n'a pas fini d'étonner son monde : à une époque où les enfants naturels sont considérés comme la preuve de délits impardonnables, elle écrit avec un naturel souverain au nouvel empereur :

« Votre Majesté,

« Permettez à une mère de se jeter aux pieds de Votre Majesté et de lui demander, comme une grâce, la permission de partager l'exil de son époux illégitime. La religion, Votre volonté, Sire, et la loi nous apprennent comment réparer nos fautes. De tout mon cœur, je me sacrifie à l'homme sans lequel je ne peux plus vivre plus longtemps... Consentez, Sire, à ouvrir Votre grande âme à la compassion en consentant généreusement à me permettre de partager son exil. Je renonce à ma nationalité et suis prête à me soumettre à Vos lois.

« Au pied de Votre trône, je Vous supplie à genoux de m'accorder cette grâce. J'espère en elle.

« Je reste, Sire, de Votre Majesté, la soumise et fidèle sujette.

Pauline Guéblé. »

Chaque jour, Pauline vit dans l'impatience et

l'attente d'une réponse du tsar. Cela ne l'empêche pas de s'activer dans sa maison de mode où les clientes moscovites montrent toujours plus d'exigence. C'est durant ce temps d'attente que la jeune femme est à même de mesurer une évolution des tendances de la toilette qui correspond secrètement à une modification du système politique. Si le temps d'Alexandre Ier était celui d'un néoclassicisme qui donnait toute sa liberté au corps et laissait apercevoir ses lignes, celui de Nicolas Ier serre les corsets, invente la jupe cloche, dissimule les gorges et alourdit la silhouette des femmes : du cou jusqu'aux pieds, c'est maintenant la forme pyramidale qu'il est bienséant d'imiter. A un régime affichant son cosmopolitisme et montrant une relative ouverture vers l'Europe, a succédé la main ferme d'un tsar qui prône le nationalisme et veut protéger son empire des idéaux révolutionnaires. Derrière ses considérations sur les tours de taille et les broderies, Pauline Guéblé entrevoit une perspective historique d'autant plus sombre que sa « belle-famille » lui est hostile. Elle le sait et elle en souffre. La famille Annenkov est influente et l'oncle de son amant n'est autre que l'aide de camp et l'ami personnel du grand-duc Michel. Comme toute la famille d'Ivan, il fait preuve d'une rare violence dans son hostilité à ce mariage dont la Française rêve, et tente de convaincre le souverain de refuser cette requête. Peut-être tout simplement parce que cette union ruinerait les espoirs d'héritage qu'il conçoit à son seul profit. Mais, comme d'habitude, le tsar décide à sa guise et son bon plaisir est un ordre. La réponse tant attendue du Palais est bien celle dont Pauline rêvait : elle peut partir.

Quand elle parvient enfin en Sibérie, elle est comblée par l'accueil que lui ont réservé Catioucha Troubetzkoï et Maria Volkonski. Ce n'est pas une

141

complicité de classe qui les unit, c'est une solidarité de destin. Et l'hospitalité à cœur ouvert de ses sœurs de détresse bouleverse Pauline. Avec les moyens du bord, ces grandes maîtresses de maison ont voulu pour elle reconstituer les vestiges d'un festin : un *koulibiak* au chou et aux champignons, accompagné de *pirojki* et suivi d'un chausson ukrainien aux myrtilles qu'a préparé Maria, le tout présenté sur une table multicolore. Le clou du repas est une recette locale que les princesses ignoraient il y a peu encore, le *pierog* sibérien, grande tourte farcie d'esturgeon et de saumon aux œufs battus. Malgré son impatience de retrouver son Vania, Pauline doit subir d'abord une sorte de quarantaine et répondre à un certain nombre de démarches administratives. Comme les autres femmes de décembristes, elle doit confirmer qu'elle renonce d'emblée au titre de son futur mari. Ainsi, lui reste-t-il un seul privilège, celui de l'amour que nul ne peut lui enlever. Finalement, elle retrouve l'homme de sa vie et raconte elle-même ces émouvantes retrouvailles. Contrairement à celles qui l'ont précédée, ce n'est pas un homme enchaîné, menottes aux mains, qu'elle découvre, mais un détenu conduit aux bains par ses gardes : « Il s'approcha du perron où je me tenais et dit : "Pauline, descends plus vite, donne-moi la main." Au moment où nos deux mains allaient se toucher, un geôlier s'est interposé. Saisie de haine contre ce soldat, je ne voyais plus rien, je perdais toute conscience et je serais tombée à terre si mon domestique ne m'avait soutenue. » Elle ne verra son Vania en tête à tête que trois jours plus tard et confesse elle-même qu'il est impossible de décrire cette première vraie rencontre : « ... La folle joie que je ressentais après cette folle séparation, oubliant tout chagrin et l'effroyable situation dans laquelle nous nous trouvions alors. Je me jetai à ses pieds... »

Joyeuse était cette Pauline et paradoxalement heureux fut son mariage dans le fin fond de la Sibérie. Tout contribua à la réussite de la cérémonie : le tintement des cloches de la petite église de campagne, la majesté sereine du rite orthodoxe accompagné de chants et d'encens et la présence prestigieuse de ces épouses de bagnards qui, pour ce grand jour, avaient sorti leur robe de princesse et leur coiffure altière comme au temps de leur splendeur quand elles subjuguaient tout Saint-Pétersbourg. Même les hommes s'étaient souvenus qu'ils n'étaient que des bagnards d'occasion et tous arboraient avec superbe leur cravate immaculée. Pauline avait revêtu une robe de percale et brodé de ses propres mains ses mouchoirs. La jeune femme devait être animée d'une force de conviction peu commune car, sur son insistance, l'administration pénitentiaire avait fini par faire une exception lourde de sens : la présence au pied de l'autel en qualité de garçons d'honneur des deux plus dangereux conspirateurs, Piotr Svistounov et Alexandre Mouraviev. Cette touchante union était comme une illustration parfaite du vieux proverbe russe : « Avec mon mari, je trouve mon paradis dans une cabane. » En partageant, l'espace d'une nuit de noces, la maison de bois aux quelques meubles rustiques, Pauline pensa très fort à la beauté de ce proverbe tandis qu'impatient son Vania réunissait les deux coffres de la petite baraque pour en faire leur lit.

La nature généreuse de Pauline contribua beaucoup à encourager ses compagnes dans l'esprit de la survie. Non seulement, elle avait un tempérament heureux et facile mais elle était, de plus, une femme ingénieuse et pratique. Elle faisait des confitures avec les fraises des bois, des conserves avec les champignons, et cultivait elle-même son lopin de terre. Bientôt son potager fut un encouragement pour ses compagnes. Elle partageait ses recettes et ne cessait de coudre, adaptant à la dernière mode les hardes de ces femmes démunies. On la disait la meilleure cuisinière de la colonie non seulement pour ses plats français qui faisaient merveille, mais aussi pour ses spécialités russes où elle avait fini par exceller également. Un témoin rapporte : « Ivan aurait pu perdre courage avant les autres mais sa femme le sauva. Alors que nous étions tous dans la gêne, elle riait et, bon gré mal gré, elle soutenait le courage de tous. Annenkov l'avait épousée et il avait bien fait. Car sans elle et avec son caractère à lui, il n'aurait pas survécu. » Parmi les décembristes, le couple sera de ceux qui resteront le moins longtemps dans la région d'Irkoutsk, ce qui signifie toutefois de longues années de bagne. Grâce à la plume de Dumas, qui rapporta leur histoire d'après des rumeurs et quelques témoignages, Pauline et Ivan connaîtront la gloire bien avant les autres décembristes.

Même les neiges de Sibérie ne pourront éteindre l'ardeur des époux. Dix-huit fois, la petite modiste française sera enceinte de son prince charmant et, quand ils seront libérés et définitivement amnistiés en 1856, ils connaîtront une autre vie, la douceur de la campagne, le faste des réceptions, l'estime de leurs pairs au point que le comte Annenkov sera élu Maréchal de la Noblesse dans sa région de Nijni-Novgorod. Bien sûr, cette haute fonction flattera sa vanité mais son bonheur restera toujours Pauline. Elle sera son réconfort, sa tendresse, ses caresses et surtout ce qu'il appelait son « sourire gentil ». Comme cela arrive souvent dans ces couples qui ont su dépasser toutes les épreuves, le coup du destin supplémentaire que constitue la séparation par la mort est insupportable. Après le décès de Pauline en septembre 1876, Ivan sombre dans une profonde dépression. Il ne lui survit qu'une année.

CAMILLE OU LA MADONE DES DÉCEMBRISTES

C'est une belle histoire de cristallisation amoureuse.

La fille d'une gouvernante française, Camille le Dentu, habite avec sa mère, à Simbirsk, au palais Ivachev, une riche famille qui, outre cette vaste propriété du centre de la Russie, possède plusieurs demeures à Saint-Pétersbourg. Chaque fois que le fils aîné, Vassili Ivachev, jeune et fringant officier, vient en permission, Camille le rencontre et son cœur bat secrètement pour lui. Parfaitement consciente, toutefois, de leur différence sociale, elle préfère n'en rien laisser transparaître. Bientôt d'ailleurs, elle s'éloigne du lieu de sa passion cachée et part à Moscou avec sa mère où elle devient gouvernante à son tour. Pendant ce temps, le jeune Ivachev entre dans la Société secrète du Sud en 1820 et commence à conspirer contre le régime impérial. Bien qu'il soit devenu l'un des chefs de la conjuration, son engagement faiblit peu à peu. Quand il apprend la mort d'Alexandre Ier, le 14 décembre 1825, et le soulèvement de ses compagnons d'armes, il se trouve chez ses parents à Simbirsk.

Convoqué à Saint-Pétersbourg en janvier pour être entendu par les juges, Ivachev en repart relativement confiant, pensant que le seul fait d'avoir appartenu à la Société du Sud ne lui portera pas vraiment préjudice. C'est une erreur. Comme tous ceux qui ont trempé de près ou de loin dans le complot, il est condamné à perpétuité et sa peine commuée en travaux forcés. C'est alors que Camille entre en scène. Lorsqu'elle apprend l'arrestation de celui auquel, en secret, elle a consacré son cœur, son espoir se ravive, la situation n'est plus la même. Il est prisonnier et elle est libre. A l'élan naturel de sa générosité, elle peut ajouter le rythme fou de son amour. Elle imagine le pire et espère le meilleur. Elle le voit enchaîné au fond de la Sibérie et rêve soudain de voler vers les chaînes pour le rejoindre plutôt que de dépérir loin de lui. Camille avoue enfin à sa mère son amour pour Ivachev et, devant le désespoir têtu de sa fille, celle-ci finit par écrire à la mère du détenu pour lui annoncer que Camille est prête à épouser son fils, s'il y consent, et à partager son existence de bagnard.

Émus par le geste de la jeune Française, les parents de Vassili lui écrivent aussitôt en joignant à leur courrier la lettre qu'ils ont reçue de la mère de Camille. Vassili traverse alors les jours les plus noirs de sa détention. Il est au fond d'une terrible dépression et en lui alternent une amertume morbide et de soudains désirs de rébellion. Il a tout tenté, tout essayé : peindre, écrire, rêver sans parvenir à trouver la paix. Il a conçu le projet de s'évader, de s'enfuir en Chine. Ses compagnons ont toutes les peines du monde à l'en dissuader. Mais Ivachev tient bon, et leur promet seulement d'attendre trois jours avant de mettre son projet à exécution. C'est au troisième jour que le courrier des Ivachev arrive. Vassili est bouleversé. Il se souvient bien sûr de l'aimable Camille, sans cependant imaginer lui avoir inspiré un tel sentiment. Devant sa proposition, il hésite et s'interroge à haute voix devant ses compagnons d'infortune qui naturellement l'encouragent vivement à accepter. Vassili répond alors à Camille de prendre encore le temps de la réflexion.

Mme Ivachev lui a écrit, de son côté, pour lui dire combien elle admire son vœu de partager la lourde épreuve de son fils et qu'elle la recevra à bras ouverts. La lettre charmante que Camille lui adresse en retour témoigne de la profondeur de ses sentiments : « Finalement, quelle est l'essence de mon mérite ? Je ne fais pas de sacrifice en rejetant un monde qui ne m'attire nullement. Il n'y a que ma famille qui m'est chère que je dois quitter. Depuis quatre ans, ma famille souffre parce que mon caractère secret la déconcerte... Aimez-moi comme je vous aime, aimez-moi comme une mère qui me permet de consacrer ma vie à son cher fils. Toute ma vertu est d'aimer Vassili et de limiter mon aspiration à une parcelle de l'amour que ses parents peuvent me donner. » Et elle signe « votre fille dévouée ».

Armée de l'autorisation du tsar, Camille devrait pouvoir partir. Pourtant, on dirait que le destin veut retarder ce voyage, que le grand ordonnateur des choses sait déjà que les mois, sinon les jours de cet amour romantique sont déjà comptés. Non parce qu'il est menacé par le malentendu ou l'usure du temps, mais parce que le seul vrai rival de l'amour, la mort, est déjà entré en scène. En cette année 1830, le choléra décime la Russie et l'on ramasse les cadavres dans les rues. Personne n'est autorisé à voyager et Camille doit encore patienter. Elle ne quitte Moscou qu'en mars 1831 pour se rendre à Simbirsk afin d'achever les préparatifs de son installation en Sibérie. Dans le palais gris et rose qui domine une campagne émeraude où naguère, de sa fenêtre, elle s'est vouée à Vassili en le regardant partir au galop, tout le monde travaille à préparer le meilleur pour les deux futurs époux. Les femmes coupent et cousent des vêtements, la sœur de Vassili, complice, prépare livres et partitions, le général Ivachev, toujours pragmatique, inspecte la voiture qu'il a choisie pour Camille et passe en revue les domestiques qu'il a désignés pour la suivre : un serf solide, un homme à tout faire et son épouse comme femme de chambre, qui se révèlera l'ange gardien de Camille. Tout à son bonheur, elle compte les jours, elle part dans deux mois. Parfois la nuit, elle est cependant assaillie de doute. Et si ses épousailles avec Vassili n'étaient pas une réussite ? Et si elle s'était emballée sur une image ?

Dans la voiture qui cahote sur les mauvais chemins de Russie pendant la saison difficile du dégel où la terre devient molle et la route dangereuse, après des verstes et des verstes de fatigue, Camille médite encore sur le parcours sinueux de sa propre vie. Elle a quitté Paris pour la Russie, elle quitte maintenant la Russie européenne pour les neiges vierges de la Sibérie. Quand elle entre dans ce pays aux espaces immenses et sauvages, elle découvre que les hommes sont grands, robustes et qu'ils aiment les femmes et les liqueurs. Plus tard, à Tobolsk, elle observe combien les femmes de Sibérie sont généralement belles : leur peau est blanche, leur physionomie douce et agréable, leurs yeux noirs, languissants et constamment baissés. Elle s'étonne de voir que les coiffures ne sont pas de mise et qu'elles sont remplacées par des mouchoirs de couleurs entrelacés avec art dans les cheveux presque toujours noirs et sans poudre. Les Sibériennes mettent toutes du rouge, les filles comme les femmes, mais jamais elles ne regardent les hommes en face.

Contrairement aux craintes de Camille, son mariage avec Ivachev sera une réussite inespérée.

Accord musical des âmes et harmonie charnelle des corps, les deux jeunes gens forment très vite un couple magnifiquement uni. Malheureusement, le destin s'avance avec sa faux. Les climats brutaux de la Sibérie sont trop rudes pour la fragile Française : en quelques mois, elle dépérit et meurt sous les yeux de son mari atterré.

Au conte d'hiver des dames de Sibérie, Camille Ivachev aura apporté sa signature singulière : elle demeurera dans la mémoire russe comme la madone des décembristes.

4

LA TSARINE CACHÉE

Qui a mis fin, en 1855, au long calvaire des dames de Sibérie et de leurs maris martyrs ? C'est encore à une femme que l'on doit cette mansuétude impériale et les circonstances qui en sont à l'origine sont les plus heureuses qu'on puisse imaginer puisqu'il s'agit du mariage d'Alexandre II.

Si la décision vient du tsar lui-même, sa miséricorde a été fortement inspirée par sa femme, Marie de Hesse. Échappant aux arrangements diplomatiques, la rencontre du souverain russe et de la princesse allemande est marquée par les hasards de l'amour et la réalité incontournable du coup de foudre. Le brillant tsarévitch que nous avons laissé, nonchalamment installé dans son cabinet framboise, un roman de Dumas posé sur les genoux, nous le retrouvons en 1839 au théâtre de Darmstadt dont le rideau bleu roi aux bordures argentées va bientôt s'ouvrir. Il a accepté l'invitation du grand-duc de Hesse. Et c'est lors de cette soirée lyrique, sous les irrésistibles accents de *Cosi Fan Tutte*, qu'il aperçoit celle qui va devenir sa femme. Elle a quinze ans, la taille fine, un teint de lys, l'air doux et résigné. Une vraie princesse romantique qui s'appelle Marie et qui, lorsqu'elle s'incline devant Alexandre, le subjugue aussitôt : « Nous n'avons pas à aller plus loin, dit-il au comte Orlov. J'ai fait mon choix. Mon voyage est achevé. C'est la princesse Marie de Hesse que j'épouserai si elle veut bien me faire l'honneur de m'accorder sa main. »

Les cours d'Europe qui ont tant attendu de ce voyage au cours duquel le tsarévitch était invité à faire son choix parmi les héritières des plus illustres familles princières, retiennent leur souffle. Car il est de notoriété publique que la princesse Marie de Hesse est en vérité la fille naturelle du baron Grancy, grand maréchal et amant de la grande-duchesse Wilhelmine... On attend donc du tsar Nicolas Ier une réaction brutale qui correspond à son caractère hautain et sévère. Encore une fois, il étonnera son monde en se montrant indifférent à ce que certains qualifient de mésalliance pour la Russie. A la stupéfaction générale, non seulement il autorise son fils Alexandre à faire la cour à Marie, mais il déclare avec panache : « Que quelqu'un ose dire en Europe que l'héritier du trône de Russie est fiancé à une fille naturelle ! »

Un mariage trop romantique

Les fiançailles ont lieu au printemps de 1840 et le 8 septembre de la même année, Marie entre solennellement à Saint-Pétersbourg dans un carrosse doré au côté de l'impératrice. Nicolas Ier et l'héritier du trône escortent le cortège. Après sa conversion à la religion

152

orthodoxe, Marie devient la grande-duchesse Marie Alexandrovna. Elle épousera Alexandre six mois plus tard, le 16 avril 1841. A dix-sept ans, elle est belle, touchante, confiante et coquette.

La jeune femme ne devient tsarine que quatorze années plus tard, après la mort de Nicolas Ier, en 1855. Marie a revêtu ce jour-là une magnifique robe de brocart blanc, barrée du grand cordon rouge de l'Ordre de Sainte-Catherine. Elle est coiffée à la russe : ses cheveux tressés en deux nattes, tombent des deux côtés de son visage. Un collier de trois rangs de perles et des diamants somptueux étincellent autour de son cou et sur sa gorge. Émue, elle est très pâle, et au moment le plus recueilli du couronnement, elle fait un geste maladroit et laisse tomber sa couronne. Au comble de la confusion, elle la ramasse, la repose sur sa tête, puis, désespérée, murmure tout bas à l'intention du comte Tolstoï, grand maréchal de la cour : « C'est le signe que je ne la porterai pas longtemps. »

Marie redresse lentement la tête et fixe longuement la tenture de brocart d'or sur laquelle se déploie l'aigle noire des Romanov. Face à elle, les trente-deux aides de camp généraux aux uniformes ombragés de panaches aux couleurs de l'empire font semblant de n'avoir rien remarqué, pas plus que les porte-drapeaux de quatre bataillons dont les étendards ont été criblés par la mitraille ennemie. Dans l'assistance, en revanche, c'est la consternation générale. Plus tard, la tsarine répétera la même phrase à sa demoiselle d'honneur, Anne Tiouchev, ajoutant : « Telle est ma conviction : la couronne est un fardeau trop lourd, trop pénible pour qu'on puisse la supporter longtemps. » Marie apparaîtra ainsi de plus en plus diaphane, plus sainte que souveraine, au point que sa suivante préférée finira par dire d'elle :

« Sa sphère, c'est le monde moral, et non le monde corrompu de la réalité terrestre. »

On s'en rendra compte bien vite. Marie, si aérienne qu'elle paraisse, a le cœur à la fois bien accroché et généreux. Les bienfaits du ciel, elle se charge parfois de les faire descendre sur terre. Ainsi sait-elle profiter de l'atmosphère euphorique du couronnement pour obtenir de son mari l'amnistie définitive des décembristes. Bien sûr, le beau et robuste Alexandre II était déjà conscient de la nécessité d'ouvrir plus largement la Russie sur le monde extérieur. Il sera, à cet égard, le souverain russe qui aura sans doute conçu le plus grand nombre de réformes. Mais, dans les échelons successifs de toute décision essentielle, quel accélérateur peut égaler l'aiguillon féminin ? Autant qu'au tsar, ce geste miséricordieux, attendu depuis si longtemps par les libéraux russes, appartient à Marie. Il suffit d'ailleurs de compulser les nombreuses lettres des dames de Sibérie, de lire leurs confidences quand, rentrées à Moscou ou à Saint-Pétersbourg, elles brillent de leurs derniers feux, pour trouver leurs allusions au geste de Marie, et surtout — elles peuvent en traiter en orfèvres — à la force de l'inspiration féminine.

Malgré le respect et l'affection dont on l'entoure, Marie va vivre au sein de décors somptueux l'enfer d'une femme qui se retire de plus en plus de la vie. Les nourrices puis les gouvernantes ont établi comme une distance entre elle et ses propres enfants, et, au fil des années, elle se sent étrangère à sa propre famille. Fréquemment souffrante en raison de ses grossesses successives et du climat de Saint-Pétersbourg, les mesquineries offensantes de la cour pour laquelle elle est restée une fille naturelle nuisent davantage encore à son équilibre. Choisissant de vivre dans un isolement volontaire, Marie se retire de plus en plus souvent dans ses appartements et tout est prétexte à ces retraites entre ses meubles ayant appartenu à Marie-Antoinette et les tableaux de Murillo, Ruysdael ou Raphaël qui ornent ses murs. Elle collectionne aussi les tabatières d'argent et reste les yeux fixés pendant des heures devant les icônes russes anciennes qu'elle accumule sans se lasser.

C'est ainsi que la tsarine trouve ses derniers bonheurs, esthétiques et spirituels, dans le secret de ce cabinet personnel qui ressemble autant à un musée qu'à une chapelle. Il n'est que le temps de Pâques qui la tire de sa torpeur. L'exaltation religieuse agit alors sur elle comme un excitant et elle renoue avec les traditions du peuple russe, avec la joie du *Christos voscres*, « Christ est ressuscité », avec la tradition des œufs peints, avec les prières enivrantes devant les tabernacles d'or du rite orthodoxe. Les médecins ayant déclaré sans subtilité qu'elle devait absolument cesser toute relation physique avec son mari, Marie passe désormais le plus clair de son temps avec son confesseur, le Père Bajanov. Soulagement ou souffrance? Vraisemblablement les deux. Alexandre s'incline devant cette étrange ordonnance mais comment demander à un homme dans la force de l'âge de contrarier à quarante-sept ans sa riche nature. Bel homme, mari vigoureux, il accepte l'inévitable non sans une irritation intérieure qu'avec une impériale courtoisie il dissimule à sa femme. Homme droit, il n'est pas de ceux qui feignent de souffrir inutilement et surtout il reste fidèle à ce pacte romantique du choix libre qu'il a su faire de sa femme, dans les années de la jeunesse. Mais, pourquoi le cacher? Désormais le regard du tsar s'égare de plus en plus souvent sur les dames de la cour.

En Russie, la semaine de Pâques à Quasimodo apporte une autre sorte de divertissement : comme celle qui a précédé le Carême, elle est consacrée tout entière à la bonne chère, aux festins, aux plaisirs. Les familles, parées comme aux jours les plus solennels, se dirigent vers le centre de la capitale, à gauche de la Neva, là où se réunissent les illusionnistes, les baladins, les danseurs de corde, les marchands de toutes sortes, là où chacun peut s'amuser des roues de moulins et des jeux de l'escarpolette. Les grands de l'empire se mêlent à la foule dans une simplicité charmante, l'impératrice, les grandes-duchesses y viennent en carrosse de gala, l'empereur aussi y apparaît à cheval. Le regard du tsar est encore relativement distrait, ce n'est pas encore celui du chasseur que va réveiller en lui la venue de l'hiver, temps délicieux des divertissements sur la Neva.

Quand le fleuve est gelé à quatre pieds de profondeur, les habitants établissent le théâtre de leurs jeux vis-à-vis de l'Institut Smolny. A ce rendez-vous du patinage sur la glace, la plus épaisse et la plus sûre, le peuple se rend à pied et en traîneau, les riches et les gens de la cour dans les plus beaux équipages. Au milieu des rires et d'une complicité bon enfant, on admire les chorégraphies d'hiver souvent sources de rencontres inattendues, de regards échangés, de joues en feu, sous un froid qui fouette tous les sangs. Mais ce qui fait le principal amusement de la journée et attire les grands comme le peuple, ce sont ces montagnes de glace du haut desquelles les couples s'élancent sur une pente rapide, assis sur d'élégantes glissoires. L'impulsion donnée par la pente est si forte qu'une fois arrivés en bas, la glissoire et ses passagers peuvent se promener pendant un bon quart d'heure sur leur lancée dans une arène glacée autour de laquelle ont été installés des bancs pour les spectateurs. Toute la jeunesse s'amuse là dans un perpétuel ravissement sportif. Jeunes garçons et jeune filles réunis à deux pour ce badinage artistique sont vêtus à la russe, avec manchons, pelisses et bottes fourrées. L'empereur, l'impératrice, parfois les princes et les princesses de la maison impériale vont, une ou deux fois, en grand cortège, honorer le spectacle de leur présence.

C'est dans cette atmosphère de conte d'hiver qu'Alexandre va fixer son regard sur une zibeline de passage. Celle qui repose sur les gracieuses épaules d'une jeune fille au regard noir. Mais l'insistance — même fugace — du regard du maître de la Russie, au lieu de flatter la donzelle, la terrorise. Dame d'honneur de l'impératrice, elle a trop d'estime pour sa maîtresse et assez d'imagination pour ne pas prévoir les tourments qu'une telle liaison causerait à sa vie et les dégâts considérables dont elle serait la victime. Sa famille, vite alertée par la rumeur de cette trop soudaine faveur, trouve rapidement une solution que la jeune fille accepte sans états d'âme. Elle se retrouve mariée en quelques semaines avec le général Albedinski qui n'est ni un mauvais parti ni un homme dépourvu de séduction. Devant cette union, le tsar affiche, comme à son habitude, une impériale indifférence mais de retour dans son cabinet privé, il laisse éclater étrangement l'amertume d'un adolescent à qui l'on aurait volé son rêve. Déception dont il se cache, mais un cœur dépassé par les événements est rarement discret sur son chagrin. Lors d'une promenade à cheval, plutôt mélancolique, avec un familier, ne murmure-t-il pas cette phrase laconique et qui en dit long : « Tsar. Quel curieux destin. Tout posséder et ne rien avoir... » A quoi pense-t-il ? Au lourd fardeau du pouvoir dans un empire où les mécontentements s'accumulent ou, plus simplement, aux malheurs d'un homme comme les autres qui, devant le mirage du sentiment, est, cette fois, prêt à baisser les bras?

Alexandre II ne tarde pas à se ressaisir. Il se plonge bientôt dans la masse des dossiers de l'État, engloutissant les rapports emberlificotés qui lui arrivent des quatre points de l'empire, concevant dans le détail les réformes idéales qui seront si difficiles à faire admettre, tout en respectant scrupuleusement le calendrier écrasant de ses obligations protocolaires. Mais, comme il est de coutume dans la vie, le bonheur qui ne s'annonce pas entre par la fenêtre quand on l'a chassé par la porte. C'est justement l'une de ces contraintes officielles qui va se charger de mettre le tsar en présence de la lumière de sa vie.

PRESQUE UNE FEMME POUR LE TSAR

Dominant un méandre de la Neva, l'Institut Smolny abrite le pensionnat de jeunes filles de la noblesse russe. Conçus par un Italien du nom de Giacomo Quarenghi, les bâtiments contrastent par la grande sobriété de leurs formes avec la collégiale de la Résurrection voisine, œuvre de Rastrelli, dont la façade polychrome bleu, blanc et or constitue un exemple grandiose du baroque russe. Un vaste espace libre met en valeur cet édifice aux formes hardies et altières. La façade s'étend sur plus de deux cents mètres, les bâtiments latéraux constituant une cour d'honneur, et le tout ne manque pas d'une noble sobriété. Finalement les deux édifices font bon ménage et composent un ensemble dont toute l'originalité réside dans la brutalité du contraste autant que dans sa majesté.

158

La tsarine cachée

Parmi les élèves de l'Institut Smolny, Catherine Dolgorouki et sa sœur cadette ne peuvent pas passer inaperçues. Elles attirent tous les regards par leur beauté. La blondeur délicate de la cadette est remarquable mais elle n'égale pas le teint d'ivoire et les magnifiques cheveux de l'aînée Catherine que sa joie de vivre et sa grâce distinguent dans cette famille de huit enfants. Née le 14 novembre 1847, celle qu'on appelle familièrement Catiche descend d'une des plus nobles familles de Russie dont l'un des ancêtres, le fameux prince Youri Dolgorouki, est le fondateur de Moscou. Son père, le prince Michel Dolgorouki, ayant été ruiné par des spéculations financières malheureuses, ses filles sont élevées aux frais de l'empereur.

Comme on peut l'imaginer, la visite annuelle du couple impérial est un événement dans chacune des classes de l'Institut Smolny. Il ne s'agit pas de commettre d'impairs avec le protocole, ni de répondre par des bévues aux questions que le souverain pourrait éventuellement poser aux élèves. C'est peut-être en pensant à ces dérapages toujours possibles que la surveillante convoque Catherine et lui tient ce langage : « Ma petite fille, ce jour est un jour très important et je compte sur votre bonne conduite. Tâchez d'éviter les fous rires et l'agitation qui vous caractérisent. Et surtout disciplinez votre chevelure trop flamboyante. N'oubliez pas que vous êtes une petite fille. » Le rouge monte au front de l'élève qui baisse la tête comme si elle allait pleurer puis qui relève les yeux et proteste d'un air boudeur : « Mais, mademoiselle, je suis presque une femme. »

A l'heure du thé, alors que le couple impérial est installé dans un canapé couleur de ciel du salon de réception, la surveillante rapporte cette petite anecdote qui laisse l'impératrice indifférente mais fait soulever le sourcil droit de l'empereur. « Comment s'appelle-t-elle ? » demande Alexandre. « Dolgorouki », répond la vieille demoiselle. « Ah ! c'est donc l'une de mes pupilles. Puis-je la voir maintenant ? » Dès que la jeune Catherine Mikhailovna Dolgorouki entre dans le salon d'apparat, le regard du tsar devient fixe. Elle s'incline devant lui avec une grâce joyeuse. Dans le silence de cette journée ordinaire, une des plus grandes histoires d'amour du siècle commence.

Alexandre ne laisse rien paraître mais il n'oubliera plus ces yeux en amande et ce sourire enjôleur. Le mélange d'éducation et de liberté que la jeune fille exprime par ses mouvements n'a pas manqué de retenir l'attention du tsar qui croit y retrouver le reflet tout féminin d'un caractère très national. S'est-il souvenu à ce moment-là de l'affirmation subtile du marquis de Custine : « Les Russes sont trop légers pour être vindicatifs. Ce sont des dissipateurs élégants. Je me plais à vous le répéter, ils sont souverainement aimables. » Dans sa tête, l'empereur joue avec les derniers mots : « Souverainement aimable... ». « Souverainement ». Et il ne peut réprimer un sourire. Au moment où il va se lever pour accompagner l'impératrice qui a mis fin à l'entretien, il pose encore ses yeux sur la jeune fille. Elle-même s'est relevée après sa révérence, elle lui paraît plus grande qu'il y a quelques minutes. Il se dit : « C'est vrai, elle est presque une femme. » Intrigué par la façon insistante dont elle le fixe, comme si elle regrettait, elle aussi, que cet instant si court soit déjà aboli, il incline doucement la tête, marque un temps. Tout est suspendu, irréel. Dans leurs inconscients respectifs, le rendez-vous est pris. Fatal et désiré.

Cinq mois passeront avant que ces deux êtres séparés par trente années se retrouvent dans une harmonie idéale. Le hasard encore. Catherine a maintenant dix-sept ans, elle a quitté l'Institut Smolny et s'est installée chez son frère Michel, époux d'une marquise napolitaine, Louise Vulcan Cercemaggiore. Un jour, au jardin d'été, elle croise l'empereur. Ils se reconnaissent et la conversation s'engage. Une de ces conversations des débuts d'un amour où les mots ne servent qu'à gagner du temps en faveur des regards qui s'éternisent. Au loin, les bruits confus de la ville s'éteignent insensiblement, le soleil est descendu sous l'horizon, des nuages répandent leur clarté douce, un demi-jour doré qu'on ne saurait peindre et que l'empereur, plus tard, croira n'avoir jamais vu jusqu'à présent. La lumière et les ténèbres semblent se mêler pour former le voile transparent qui s'élève sur la ville marine. Catherine sort de cette brume dorée avec un cœur empli de joie mais déchiré. Heureuse autant qu'effrayée, elle se demande comment fuir le destin quand on est une femme et qu'on se sait aimée. Elle se sent désirée, choisie, désignée, enlevée. L'âme humaine tombe si facilement dans les plus folles rêveries. Une fleur, une étoile, le son du cor ou la lune et voilà la bruyante fête du cœur qui se tait, voilà la mélancolie jusqu'au lendemain. Ce soir-là, Catiche ne peut pas dormir et le crépuscule accompagne sa réflexion. Serait-ce folie de donner son âme à un astre, à une étoile, à ce roi de la nuit par exemple? Le regard qu'a l'empereur sur elle va-t-il perdurer dans la passion comme une ligne lumineuse sur la mer? C'est la nuit: l'obscurité a son prestige comme l'absence, comme elle, elle nous force à deviner. Aussi vers le soir, l'esprit s'abandonne à la rêverie, le cœur s'ouvre à la sensibilité, aux doutes. Quand tout ce qu'on voit disparaît, il ne reste que ce qu'on sent, le présent

161

meurt et l'instant passé revient. Le lien rêvé va-t-il durer ? Le désir d'Alexandre est-il éternel ? L'obscurité comme l'absence captive la pensée par l'incertitude. Pourquoi voudrait-il m'aimer ? Si l'on peut résister au tsar, peut-on résister à la Providence ?

Curieusement, Catherine ne semble pas se formaliser que celui dont elle rêve soit marié, encore moins qu'il ait trente ans de plus qu'elle. Ce qui la gêne au plus haut point, c'est qu'Alexandre soit aussi le tsar. Le rêve d'un homme à elle n'est-il donc pas possible ? Malgré son âge tendre, elle redoute de se croire coupable. Mais les arguments de la défense montent à sa bouche car l'amour est plus fort qu'elle : « Au fond, qu'ai-je fait de mal ? » murmure-t-elle avant de s'endormir avec, sur les lèvres, un sourire qui oscille entre bonheur et fierté. Ce débat d'amour durera encore quelques mois, près d'un an en vérité. Catherine entreprendra dans ce temps une courageuse résistance aux assauts du souverain. Mais un soir de juillet, dans l'atmosphère exquise du fond du parc de Peterhof, au belvédère de Babylone, enfin elle déposera les armes.

L'escalier secret du palais d'Hiver

Le palais de Peterhof, agrandi par Rastrelli à partir de 1745, s'étend entre le jardin supérieur, avec ses longues allées en treillage, et le parc inférieur où l'on distingue la grande Fontaine, la Cascade Samson et le début du canal qui rejoint la mer. Sous un clair jour, on a pu voir les nouveaux amants descendre les gradins du jardin à la grecque qui va jusqu'à la rivière à l'ombre du palais de Montplaisir qui a la forme d'un temple à vingt-huit colonnes et qui regarde le golfe de Finlande.

Ce jour-là, l'empereur fou d'amour prononce des mots qui subjuguent Catherine mais dont le ton solennel l'étonne : « Aujourd'hui, hélas ! Je ne suis pas libre, mais à la première possibilité, je t'épouserai car je te considère, dès maintenant et pour toujours, comme ma femme devant Dieu... A demain, je te bénis ! » Désormais et jusqu'à la mort d'Alexandre, le destin des deux amants est scellé. Le tsar écrit tous les jours à la jeune fille des pages entières d'amour fou et d'espoir : « N'oublie pas que toute ma vie est en toi, Ange de mon âme, et que le seul but de cette vie est de te voir heureuse autant qu'on peut être heureux en ce monde. Je crois t'avoir prouvé, dès le 13 juillet que, quand j'aimais quelqu'un véritablement, je ne savais pas aimer d'une manière égoïste... Tu comprendras que je ne vivrai plus que dans l'espoir de te revoir, jeudi prochain dans notre nid. »

Ce nid si doux a été tressé dans un nid d'aigle, le palais d'Hiver tout simplement. Catherine s'y introduit discrètement par une porte dissimulée dont elle possède la clef, elle se glisse ensuite dans une chambre isolée qui est reliée, par un escalier secret, à l'appartement d'Alexandre. Charme du secret. Joie d'enfant de se jouer des adultes. Baisers volés, étreintes subtilisées à ce monde jaloux. Bientôt, toute la cour est informée des amours clandestines du souverain mais qui pourrait arrêter le train fou des commentaires et des méchantes rumeurs ? Lorsqu'ils arrivent enfin à ses oreilles, la marquise Cercemaggiore, belle-sœur de Catherine, décide sans ambages de soustraire la jeune fille à son impérial amant et l'emmène chez elle à Naples.

Tandis que de la fenêtre de sa villa italienne Catherine contemple dans le soir le château de l'Œuf, comme posé sur la mer, Alexandre est au désespoir. Il souffre

163

de trop de privation après trop de passion, de trop d'absence après trop d'amour. Six mois plus tard, il se rebelle. Son voyage à Paris, en juin 1867, destiné à la visite de l'Exposition universelle, va lui permettre de revoir Catherine en terre étrangère, loin des indiscrétions de la Russie. Il ordonne aux Dolgorouki de quitter Naples et de venir le rejoindre à Paris. Là, il va se comporter comme un amoureux, c'est-à-dire, ironie du sort, comme un conspirateur. C'est lui, cet homme masqué qui par l'amour seul révèle son vrai visage. Il déjoue la surveillance autour de Catherine, la retrouve dans son petit hôtel de la rue Basse-du-Rempart, et la fait venir tous les soirs dans son appartement à l'Élysée. Là encore la discrétion commande. Elle pénètre dans le palais républicain qui fut jadis la propriété de Mme de Pompadour par la grille située à l'angle de l'avenue Gabriel et de l'avenue de Marigny. Enfin dans les bras de sa bien-aimée, caché chez ces chers Français, Alexandre oublie son chagrin : « Depuis que j'ai commencé à t'aimer, aucune femme n'a plus existé pour moi... Pendant toute l'année où tu m'as si cruellement repoussé, comme pendant tout le temps que tu viens de passer à Naples, je n'ai désiré aucune autre femme, je n'en ai approché aucune. »

L'histoire d'amour d'Alexandre et de Catherine serait peut-être restée un conte de fées si la politique ne s'était mêlée de sa vie au point de la mettre en danger. Paris, alors, n'est pas seulement la ville lumière de l'Exposition universelle où toutes les formes de l'invention rayonnent sur le monde ébloui, c'est aussi la cité des bas quartiers qui cache l'amertume de ces étrangers qui ont une revanche à prendre, émigrés et conspirateurs, affamés d'une mort glorieuse. Quels sont les plus cruellement touchés, humiliés ou meurtris ? Les Polonais, sans aucun doute. Chopin qui les soutient vient de donner son premier concert chez les Rothschild, et Mickiewicz, dans ses poèmes, réveille l'âme piétinée du pays. Pour ce peuple rebelle qui a été impitoyablement réprimé par la main de fer du père d'Alexandre, puis par le tsar lui-même lors de l'insurrection de 1863, la présence à Paris d'Alexandre est un défi autant qu'une chance. L'idée d'un attentat germe au sein des exilés. Alors qu'il sacrifie à la tradition élégante de la promenade au bois de Boulogne dans le ravissement d'une bourgeoisie au comble de la satisfaction, un coup de feu est tiré sur lui. La balle ne fait que le frôler et Romanov reste imperturbable sans montrer aucune inquiétude pour lui-même. En revanche à l'idée que celle qu'il aime pourrait avoir pris peur à la nouvelle de l'attentat, il se précipite à l'Élysée. Encore une fois, l'amoureux efface le tsar et l'homme aimé apparaît sous le prince des neiges. Dès qu'il gravit les marches du palais, et alors que les officiels se précipitent vers lui avec sollicitude, il n'a que le geste de les écarter pour monter directement dans l'appartement où Catherine alertée tremble d'inquiétude. Il la serre dans ses bras. Son vrai bonheur n'est pas d'être en vie. Sa volupté est de pouvoir la retrouver.

LES BÂTARDS DE L'EMPIRE

En vérité, le retour à Saint-Pétersbourg éclairera tous les esprits. Le tsar, même s'il reste uni par les sacrements à l'impératrice Marie, vit toutes les nuits et tous les jours son vrai mariage avec Catherine Dolgorouki. Elle lui apporte les étreintes passionnées, les conversations auprès de la cheminée, les conseils avisés, les tendresses touchantes, les gestes attentionnés dont il a besoin. Elle lui donne sa jeunesse intacte et joyeuse, sa complicité gaie, sa fraîcheur et sa fidélité à toute épreuve. Elle est sa compagne irremplaçable. Elle est sa femme, mais elle n'est pas son épouse. Cependant, les apparences sont confuses. Elle vit à Saint-Pétersbourg dans un hôtel particulier sur le quai des Anglais et Alexandre, toujours plus attentionné, entre chez elle comme chez lui au milieu des domestiques et des équipages. Vie privée, vie publique, fait-il encore la différence ?

Paradoxalement, alors que le sentiment amoureux semble l'occuper entièrement, il vit dans ces mois-là la période la plus fertile de sa pensée politique et de son action, mettant en marche ces changements qui feront de lui un des grands réformateurs de la Russie. Qui oserait dénier à Catherine le rôle d'égérie de la réforme dans cette avancée sociale sans pareille matérialisée par l'abolition du servage en Russie ? Toujours amoureux, le tsar ne peut plus se contenter du quai des Anglais, il veut désormais Catherine auprès de lui à la cour et, pour qu'elle puisse y paraître officiellement, n'hésite pas à la faire nommer demoiselle d'honneur.

Catherine, même dans cette fonction, est d'une extrême réserve. La cour ne l'intéresse pas et elle veut garder son bonheur pour elle. Elle mène une existence retirée, évitant peu à peu de paraître. Elle ne vit que par et pour Alexandre. Elle partage toutes ses préoccupations qui sont essentielles pour l'avenir de l'empire et lui aime parler avec elle de ce qui lui tient à cœur. Il est attentif à ses avis politiques, il apprécie son bon sens. Le monde entier comprend bientôt que l'empereur ne peut se passer d'elle et la preuve en est donnée par ces voyages à l'étranger où, suivant sa volonté, elle l'accompagne de plus en plus souvent.

Une naissance au palais d'Hiver est toujours un événement. L'accouchement a lieu dans l'ancien appartement de Nicolas Ier. Quel bonheur paradoxal face aux sombres souvenirs de décembre ! Au milieu de la nuit, le tsar envoie un domestique chercher une sage-femme. L'accouchement est difficile. Alors, très pâle, Alexandre crie son amour sous la forme d'un ordre désespéré : « S'il le faut, sacrifiez l'enfant. Mais, elle, sauvez-la à tout prix ! » C'est dans un état de grand épuisement que, dans la matinée du 30 avril 1872, Catherine met au monde un garçon prénommé Georges que l'on confie dans l'heure au général Ryleev, chef de la garde personnelle d'Alexandre. Le bâtard impérial pousse ses premiers cris dans une maison discrète à l'abri des rumeurs.

Catherine retrouve rapidement sa silhouette de jeune fille et le tsar, plus amoureux que jamais, la dessine nue. La famille impériale, elle, se montre choquée par cette naissance car, même si le tsar est tout-puissant, l'adultère vécu au grand jour et quasiment officiel est une nouveauté au palais d'Hiver. Comment réagit l'impératrice ? Elle se retranche dans un silence encore plus grand, dans des prières encore plus folles, dans une froideur glaciale et décide de ne plus lutter contre la maladie qui la mine. Elle en mourra quelques années plus tard. La cour, en revanche, a du mal à laisser passer ce qu'elle considère comme un scandale. Et l'opinion craque sous les lambris dorés quand, à la fin de 1873, Catherine accouche, cette fois, d'une petite fille, Olga. Devant la conspiration murmurante des cireurs de parquet, Alexandre reste impassible et hautain. Il a frôlé la mort, connu l'amour, il lui reste, jusqu'à la fin, à montrer son panache. D'ailleurs, il veut désormais donner un statut légal aux enfants qu'il a eus avec sa Catherine adorée. Il va leur offrir le patronyme de Yourievski, en souvenir du premier prince Dolgorouki qui se prénommait Youri.

Le 11 juillet 1874, à l'intention du Sénat, il rédige cet oukase : « Aux mineurs Georges Alexandrovitch et Olga Alexandrovna Yourievski, Nous accordons les droits qui appartiennent à la noblesse et Nous les élevons à la dignité de prince avec le titre d'altesse. » En donnant son propre patronyme à ses enfants, le tsar ainsi les reconnaît très officiellement. Son amour pour Catherine est tel que, lorsqu'il doit la quitter, en 1877, en raison de la guerre contre la Turquie, il pleure. Jamais son sentiment ne semble faiblir. Le lendemain de son départ, il lui adresse du train impérial ces mots enflammés : « Bonjour, cher ange de mon âme. J'ai assez bien dormi, mais ce fut un triste rêve pour moi, après tout ce temps de bonheur que nous avons passé ensemble. Mon pauvre cœur se sent brisé de t'avoir quittée et je sens que j'emporte ta vie et que la mienne est restée avec toi. » Dans l'après-midi, il ajoute à sa lettre ce post-scriptum : « J'ai passé toute la matinée à travailler et viens de me reposer en soupirant de ne pas t'apercevoir à mon réveil, ni les chers enfants non plus... A toi pour toujours ! »

A son retour, Alexandre se débarrasse de toute forme de respect au protocole. Incapable de vivre sans elle, il installe Catherine au palais d'Hiver. Toute prétention au secret est, cette fois, oubliée puisqu'elle s'installe dans un logement de trois pièces situé au-dessus des appartements du tsar et relié à lui par un ascenseur. Devant cet ultime affront, l'impératrice ne réagit même plus, elle attend la mort comme une délivrance. Une seule fois, elle s'exprimera sur ce douloureux sujet et dira à la comtesse Tolstoï : « Je pardonne les offenses qu'on fait à la souveraine. Je ne peux prendre sur moi de pardonner les tortures qu'on inflige à l'épouse. » Même dans la pire humiliation, il est encore une hiérarchie et des degrés. A la cour, la marée montante du mécontentement s'apprête à éclater comme une mauvaise vague. Catherine coûte une fortune, dit-on, elle aime les beaux bijoux, les cadeaux somptueux. La naissance d'un troisième enfant va mettre un point d'orgue au concert des mécontents. On ne murmure plus, on ose dire que le tsar a perdu la tête, pis encore, le sens même de la morale. Cette fois-ci, curieusement, le tsar accuse le coup. Il n'est plus ce tsarévitch indolent lisant dans son cabinet, il n'est plus l'homme fait et solide, presque un géant, qui fait face aux défis de la Russie, il n'est plus le tsar qui se moque de l'opinion des salons. Il a vieilli, ses cheveux sont grisonnants et, malgré sa haute stature, le voilà maintenant voûté. Aux récriminations de la cour s'ajoutent, en effet, la menace des terroristes, leurs attentats qui se répètent.

LA MORT D'UN JUSTE

Critiqué par la cour, traqué par les nihilistes, le tsar jusqu'au bout assumera son destin, qu'il soit amoureux ou politique. Plusieurs fois, il a été la cible de ceux que Tourgueniev a appelés les nihilistes et Dostoïevski les possédés, Karakozeov en 1866, Soloviov en 1879. Dans l'automne boueux de 1879, le tsar rentre de Crimée, le chemin de fer est miné mais Alexandre voyage dans un autre convoi. Le 5 février, on ose frapper au sein même de sa demeure : sa salle à manger explose sous une charge de dynamite, placée là par un menuisier travaillant au palais. L'alerte est chaude, le coupable proche, on dirait que la fin s'approche inexorablement. Pourquoi tant de haine contre ce tsar qui fut le premier à avoir osé les réformes ? Pour certains, elle s'explique par une jeunesse révolutionnaire qui veut faire payer à l'empereur le retard dans l'arrivée des réformes, pour d'autres au contraire par une course de vitesse entre les réformes voulues par le tsar et les groupes nihilistes. Ceux-ci craignent que, si le souverain réussit son pari social, le régime des Romanov ne soit installé en Russie pour l'éternité. Les agitateurs estiment dès lors qu'il vaut mieux supprimer le tsar réformateur que de voir la révolution tuée dans l'œuf par l'œuvre des réformes accomplies.

Cette épée de Damoclès sur la tête d'Alexandre ne l'empêche pas de braver le destin pour un nouveau bonheur qu'il veut encore dédier à Catherine. Au milieu des menaces, la mort de l'impératrice Marie Alexandrovna, en juin 1880, lui offre la possibilité d'épouser enfin devant Dieu celle à laquelle il est uni depuis si longtemps. Après un mois de deuil, son impatience est telle qu'il fixe son prochain mariage au 18 juillet. Il a déjà choisi ses témoins, le comte Adlerberg et le général Ryleev. Quant au pope, c'est au dernier moment qu'on le préviendra. L'entourage du tsar est atterré devant ce mariage secret dont on n'informera même pas le prince héritier. Quelqu'un ose enfin parler à Alexandre : « Mais, Sire, le tsarévitch en sera cruellement offensé. » Réponse tranchante de l'autocrate : « Je te rappelle que je suis le maître chez moi et seul juge de ce que j'ai à faire. » Le mariage aura lieu comme prévu, innocent et charmant, et il se clôture par une promenade pastorale en calèche durant laquelle l'empereur, entouré des enfants qu'il a eus avec Catherine regarde sa femme avec la même fixité que quand il l'a vue la première fois sous les moulures bleues et blanches de l'Institut Smolny. « Voilà trop longtemps que j'attendais ce jour, dit-il. Quatorze années. Je n'en pouvais plus, j'avais constamment la sensation d'un poids qui m'écrasait le cœur. Je suis effrayé de mon bonheur. Ah! Que Dieu ne l'enlève pas trop tôt... » Après avoir ordonné au Sénat d'accorder à Catherine le nom de princesse Yourievskaïa avec le titre d'altesse sérénissime pour elle et leurs enfants, il décide d'aller plus loin. A présent, il veut réaliser son rêve — voir Catherine couronnée impératrice — et il s'en ouvre à son nouveau ministre plénipotentiaire Loris-Mélikov. Celui-ci rêve de donner un régime constitutionnel à la Russie et lui propose indirectement une sorte d'échange béni par le peuple qui accepterait certainement ce mariage morganatique s'il était délivré du lourd carcan de la monarchie autocrate.

Devant la mer de Crimée, au palais de Livadia où Alexandre est en villégiature, l'habile ministre avance ses pions et profite de l'été 1880 pour l'amener enfin à ses vues. Il sait aussi convaincre Catherine qui va devenir une alliée essentielle à la réussite de son projet. Ce sont alors des promenades interminables entre les figuiers, les palmiers, les abricotiers et les pêchers en fleurs qui répandent les parfums les plus doux, mais aussi des escapades en amoureux. Catherine en revient, soufflant à ses enfants : « Les vagues de la mer roulent à mes pieds des cailloux de diamants. » Sur les rivages argentés de la mer Noire, le tsar va-t-il changer la conception qu'il a du pouvoir, assis sur un tapis turc entouré de Tatares? Oui, mais il ne s'agit que d'un dernier répit. On n'échappe pas au sort comme on n'échappe pas en Crimée à ces torrents furieux qui tombent tout droit des rochers sans pitié du Tczetertan. Ainsi, dans ce dernier été de Crimée, Alexandre ose regarder le soleil en face. Pressent-il sa fin ? Peut-être. Pour les révolutionnaires, il ne peut y avoir de répit. Ils ont juré sa perte et le tsar doit mourir sous leurs bombes. Ils doivent absolument tuer celui qui a aboli le servage, qui a institué le jury dans les tribunaux et prohibé les peines corporelles.

Le 1er mars 1881, le tsar signe la charte constitutionnelle qui prévoit le principe de la représentation nationale et doit être approuvée par le Conseil des ministres trois jours plus tard. Puis avec une insouciance merveilleuse qui lui rappelle sa jeunesse et son brillant passé de cavalier, il se rend au manège Michel pour assister à la relève de la garde. Il est redevenu un jeune homme, il est gai, il ressent les effets d'une jouvence inattendue. Est-ce la proximité de la mort ? La vie lui offre une dernière récréation qu'il dédie aussitôt, conscient de son prix, à son amour pour Catherine. Cette ultime image de bonheur explose sous la décharge. Du tumulte surgit un corps déchiré, visage et tête couverts de blessures, pied droit arraché, pied gauche fracassé, un œil fermé, l'autre vide de toute expression. Son petit-fils Nicky accourt en costume marin. Celui qui perdra la vie sous le nom de Nicolas II, dans les caves d'une médiocre maison d'Ekaterinenbourg, tombe à ses genoux, mortellement pâle. Puis, c'est au tour de Catherine, la princesse Yourievski, d'entrer et de s'effondrer sur le corps de l'empereur dans un désespoir sans nom. Elle restera longtemps prostrée devant le cadavre d'Alexandre II, baisant ses mains intactes en murmurant tout simplement : « Sacha. »

Quarante et un ans plus tard, le 15 février 1922,

s'éteindra à Nice une vieille princesse russe au port altier. Sa disparition ne sera saluée que par quelques fidèles dans une indifférence générale. C'était elle Catherine Dolgorouki, princesse Yourievski celle qui avait connu le bonheur bleu de l'Institut Smolny et dans l'éden de la Crimée et qui avait montré une fidélité absolue au souvenir d'Alexandre sur la Riviéra française préférant toujours au statut d'impératrice de toutes les Russies celui, plus beau à ses yeux en amande, d'impératrice de l'amour.

5

BALZAC LE BARINE

Paris, mars 1832. C'est un quart d'heure avant de se rendre chez la marquise de Castries qui, sans le connaître, l'a prié de lui rendre visite dans son hôtel de la rue du Bac pour lui exprimer son admiration, qu'Honoré de Balzac reçoit une lettre de « l'Étrangère ». Il n'y prête pas grande attention tant il est impatient d'enfiler la redingote bleue qu'il s'est fait confectionner, spécialement pour l'occasion, chez son tailleur Buisson et de partir : l'invitation de la marquise aiguise, en effet, chez lui un désir amoureux qui est la plupart du temps armorié et veut conjuguer l'amour et l'ambition sociale sous la fraîcheur flatteuse d'un grand arbre généalogique. Comme le remarquait, goguenard, Stendhal, son ami et rival : « Pour nous, une duchesse n'a jamais trente ans. »

Balzac, ce jour-là, est ébloui par Marie de Castries, née Maillé de la Tour Landry. En entrant dans son salon, il croit entrer dans l'Histoire de France. Fascination de l'aristocratie, désir de s'élever, rêve d'un grand amour ou désir tout court, il regarde Marie comme un lys inaccessible ; elle est belle dans la splendeur de ses cinquante ans, elle est plus que racée, elle incarne à la perfection ce lieu magique où il rêve d'aimer, de se distinguer, de se déployer : le faubourg Saint-Germain. Inaccessible, elle le reste, mais ses rebuffades incessantes finissent par agacer Balzac. Lorsqu'elle lui propose un voyage en Italie avec son ami, le duc de Fitz-James, elle n'imagine pas qu'avec ses attitudes d'allumeuse — même titrée — elle va épuiser les espoirs de l'écrivain. A la faveur d'une étape, fatigué de lui baiser les mains sans pouvoir obtenir plus, Balzac lui claque la porte au nez et revient vers la capitale, non sans fulminer contre ces marquises qui se prêtent sans vouloir se donner. C'est dans ce climat propice à un nouveau songe sur le futur de l'amour qu'il reçoit, le 7 novembre, une deuxième lettre venue de loin.

UNE MYSTÉRIEUSE ÉTRANGÈRE

Que rêver mieux pour un écrivain qu'une liaison qui commence par un mystère ? La lettre a été postée à Odessa le 28 février, elle est signée « l'étrangère » et les éloges qu'elle adresse à Honoré sont non seulement éloquemment exprimés mais intelligemment approfondis. La correspondante semble tout savoir de celui qui est en train d'écrire, avec *Le Médecin de campagne*, un « évangile social ». Tout d'abord, elle exprime de longs et subtils compliments sur *Les Scènes de la vie privée*, puis elle se rebiffe, levant le drapeau de la dignité des femmes, salie selon elle par les scènes d'orgies évoquées dans *La Peau de chagrin*... Balzac se croit au ciel : on le comprend, on l'admire, on le félicite et de plus on le

176

morigène pour un excès de sensualité que son écriture ne peut cacher. Mais qui est cette femme si proche dans les sentiments et dissimulée derrière une identité lointaine ?

Balzac se plaît à l'imaginer avant de la connaître. Ne l'a-t-il pas esquissée dans la galerie sublime des portraits de ces femmes du Nord qui déjà animent son œuvre ? L'égérie des neiges est déjà présente, en effet, en lui dès l'âge de vingt ans, aux premières hautes flammes de l'amour. Dans le plan d'un poème intitulé *Feodora*, il l'a décrite : l'héroïne est une comtesse russe, jeune, riche, belle, veuve et vivant à Paris. Les hommes ne sont-ils pas ainsi faits qu'ils cherchent inlassablement dans la vie réelle cette femme rêvée que leur cœur, leur cerveau et leur instinct ont longuement composée à l'intention de leurs songes ? N'est-il pas vrai qu'« un type de femme » fait tourner la tête et chavirer le cœur quand on le reconnaît ? Lorsqu'en 1830, il forme le projet d'un roman qui deviendra *La Peau de chagrin*, les noms russes reviennent et les personnages féminins slaves sont à la fête. Pauline, la pure figure qu'il oppose à la fatale Feodora, a elle aussi un certain rapport avec la Russie : « Un soir, Pauline me raconta son histoire avec une touchante ingénuité. Son père était chef d'escadron dans les grenadiers de la garde à cheval. Au passage de la Bérézina, il avait été fait prisonnier par les cosaques. Plus tard, quand Napoléon proposa de l'échanger, les autorités russes le firent vainement chercher en Sibérie. Aux dires des autres prisonniers, il s'était échappé avec le projet d'aller en Inde. » Alors, souvenez-vous, Rastignac entraîne Raphaël « dans une maison où va tout Paris ». La veille, il lui a précisé : « Demain soir, tu verras la belle comtesse Feodora, la femme à la mode... Une Parisienne à moitié russe, à moitié parisienne. La plus belle femme de Paris, la plus gracieuse ! » Et Raphaël, tel son père imaginaire, de penser : « ... Ce nom, cette femme, n'étaient-ils pas le symbole de tous mes désirs ? »

Ainsi Balzac, de 1832 à 1848, va-t-il rêver à l'image, pétrifiée dans ses pages, de tous ses désirs autour d'un nom, d'une femme, d'un sourire lointain. Là encore, c'est la leçon de Stendhal. La cristallisation amoureuse dont ce dernier a eu l'idée en voyant ces rameaux plongés dans un puits obscur de la ville de Salzbourg et qu'on remontait avec le temps tout brillants de cristaux lumineux. Voilà le travail que le temps et l'amour tressent ensemble en secret. Le désir grandit à distance, l'admiration se solidifie sans demander de preuve, les promesses se fortifient, les serments s'enchaînent, la correspondance s'enflamme. Aujourd'hui, on ne compte pas moins de quatre cent quatorze lettres retrouvées adressées par le géant de la *Comédie humaine* à Eva Hanska. Dans l'ombre de son manoir de Saché, le grand balzacien et mécène des lettres, Paul Métadier, nous disait qu'en vérité cette correspondance composait le plus grand roman d'amour de Balzac, un roman vécu aussi bien qu'écrit au jour le jour pendant près de vingt ans.

Monsieur de Balzac est dans tous ses états. Monsieur de Balzac est anxieux, nerveux, excité comme un personnage d'Eugène Sue dans *Les Mystères de Paris*. Puisque l'étrangère ne lui communique pas son adresse, il va agir comme un espion, par le biais d'une petite annonce. C'est dans la *Gazette de France*, très lue dans l'Empire russe, qu'il écrit ces quelques mots laconiques et foudroyants : « Monsieur de Balzac a reçu la lettre qui lui a été adressée le 28 février. Il regrette d'avoir été mis dans l'impossibilité de répondre ; et si ses vœux ne sont pas de nature à être publiés ici, il espère que son silence sera compris. » Quelles nobles pensées mais aussi quelle stratégie redoutable !

A-t-elle lu l'annonce ? Nul ne saurait l'affirmer avec certitude. Les mois passent et l'angoisse augmente. Et puis un jour, une lettre arrive qui ne semble plus laisser de doute. Le style est à la hauteur de l'adresse, l'admiration qui émane de ce papier entre les mains de Balzac lui fait venir les larmes aux yeux : enfin il est compris, enfin il est aimé à sa vraie mesure : « Votre âme a des siècles, monsieur, sa conception philosophique semble appartenir à une étude longue et consommée par le temps. Cependant, vous êtes jeune encore, m'a-t-on assurée ; je voudrais vous connaître et crois n'en avoir pas besoin : un instinct d'âme me fait pressentir votre être, je me le figure à ma manière, et je dirai le voilà, si je vous voyais. Votre extérieur ne doit point faire pressentir votre brûlante imagination, il faut vous aimer, il faut que se réveille en vous le feu sacré du génie, qui alors vous fait paraître ce que vous êtes, et vous êtes ce que je sens : un homme supérieur dans la connaissance du cœur de l'homme. En lisant vos ouvrages, mon cœur a tressailli ; vous élevez la femme à sa juste dignité ; l'amour chez elle est une vertu céleste, une émanation divine. J'admire en vous cette admirable sensibilité d'âme qui vous la fait deviner... L'union des anges doit être votre partage : vos âmes doivent avoir des félicités inconnues. "L'étrangère" vous aime tous les deux et veut être votre amie ; elle aussi sut aimer, mais c'est tout. Oh, vous comprendrez... » Pour ajouter un peu de piquant à cette lettre au charme grandiloquent, « l'étrangère » ajoute la contre-promesse destinée à piquer encore plus la curiosité de celui dont elle veut faire un amoureux à distance : « Pour vous, je suis "l'étrangère" et je le serai toute ma vie ; vous ne me connaîtrez jamais. »

Comme souvent dans les grands caractères de femme, l'altérité du propos n'empêche nullement le souci d'efficacité de la démarche. Elle a compris le système des petites annonces inauguré par Honoré et se propose de lui donner suite mais dans un autre journal, plus commode encore : « Un mot de vous dans *la Quotidienne* me donnera l'assurance que vous avez reçu ma lettre et que je puis vous écrire sans crainte. » A ces derniers mots, qui ne comprendrait que le grand roman est commencé ? Bientôt la Polonaise admirative, « l'étrangère » sous juridiction russe dont la famille sert le tsar, donnera son nom, comtesse Eveline Hanska, et dans ses lettres lyriques laissera s'imprimer les élans du cœur. Femme exquise, très grande dame, noble et riche, elle est une puissance là-bas dans ses terres de Wierzchownia, près de Kiev. Elle apparaît comme une âme d'élite de l'époque, un esprit raffiné par la naissance comme par la culture. Elle comprend l'artiste dans ses failles et ses fibres les plus complexes, elle a une idée de son rôle, elle le lui exprime avec ferveur, avec enthousiasme, avec espoir.

Il n'en faut pas plus pour faire éclater un cœur assoiffé de compréhension : « Eva Hanska, écrit Balzac, ma vie est à vous puisque vous êtes la seule à l'avoir pressentie dans tout ce qu'elle serait, à pénétrer ses souffrances, ses devoirs, ses projets ambitieux. » Ainsi la grande dame de ses rêves adolescents a frappé tout droit à la porte de son destin, elle qui est alliée aux plus grandes familles de la noblesse russe, les Narychkine comme les Orlov ou les Dachkov. Sa famille ne fait pas partie de ces Polonais hostiles aux Russes et elle se sent chez elle à Saint-Pétersbourg. Le roman d'amour d'Eva et d'Honoré sera le choc de deux rêves, la rencontre qu'ils ont voulu vivre de deux songes aux architectures travaillées par l'imagination, tels des châteaux baroques dans des décors flamboyants. Tout est imaginé à l'avance, pressenti, dessiné, espéré, esquissé avant une inévitable confrontation avec la réalité. Architecture du rêve, socle de la réalité.

Plusieurs exemples remontent à nous pour confirmer la justesse de cette impression. Quelques mois avant son départ pour Saint-Pétersbourg, Balzac écrit de Passy à Mme Hanska : « Se voir enchaîné, cloué dans Passy, quand le cœur est à cinq cents lieues. Il y a des jours où je m'abandonne à des rêves. » Et bien plus tard, quand il rentrera de Saint-Pétersbourg, il restera longtemps, rue Raynouard, sous l'empire de la nostalgie : « Ici, tout est allusion à Saint-Pétersbourg. Ces deux mois sont comme un songe pour un pauvre écrivain qui a repris sa chaîne de misère, de travaux. » Ce n'est pas tout. L'obsession grandit et envahit tout : Balzac devant sa fenêtre cherche une lumière d'hiver pour prendre le guide de l'étranger à Saint-Pétersbourg et déplier la carte sous le ciel gris bleu de Paris : « Je ne peux pas me figurer que je suis à Passy, je vais à ma fenêtre comme si je devais voir la nappe de la Neva et la forteresse ! » Caprice de l'imagination, caprice de l'amour, caprice des fleuves, caprice éternel de l'ubiquité.

L'ÉBLOUISSEMENT DU BORD DU LAC

Entre les amants par lettre, le rendez-vous est enfin pris. La comtesse Hanska devait se rendre à Neuchâtel avec son mari et la seule enfant ayant survécu aux cinq

181

qu'elle avait eus, accompagnée de son institutrice. Balzac bondit de joie. Mais, pour la première fois, il réfléchit : après le supplice de l'absence, le supplice de la surprise. On peut aimer sans connaître, aime-t-on encore après avoir vu ? Honoré est de ces êtres qui s'emballent pour aussitôt se méfier. Il part et les gaietés du voyage le distraient de ces noires pensées : toujours volubile, c'est lui qui anime l'atmosphère de la voiture. Il fait s'esclaffer ses compagnons de voyage en lisant tout haut d'une voix comique le guide de la région. Après quarante heures de route, il ironise sur ce lac « orageux, surtout le soir, avec le vent d'Ouest que les mariniers appellent Uberra ! » Quand il parvient à Neuchâtel, il ne s'est pas couché depuis quatre nuits. Il commence d'abord par se jeter dans un lit. Et remet au lendemain la volupté de la rencontre avec la comtesse.

Lorsqu'il se rend enfin à son hôtel, on lui dit qu'elle vient de sortir. Il décide de la trouver lui-même et se dirige vers la promenade du quai. Là, il l'aperçoit, il en est sûr, c'est elle, il ne peut se tromper. Il ne la connaît pas et soudain il vient de la reconnaître. Elle est assise sur un banc avec, dans ses mains, son roman *La Femme de trente ans*. Il ne doute pas un instant, se jette à ses genoux et d'une voix passionnée, il s'exclame : « Ève, Ève, c'est vous ! » Elle pousse un cri et tend ses mains vers lui, émue, stupéfaite, bouleversée : « Honoré ! » Elle étouffe : « Honoré... de Balzac ! » Il la regarde, il la contemple, il la trouve divine, à la fois si charmante et si imposante. Des yeux sombres pleins de rêves, une bouche petite, couleur cerise, de jolies mains immaculées et menues, et une façon de se tenir pleine de dignité. Elle lui en impose par son front olympien, son air pensif, dédié aux vastes idées. « Ah, dit Balzac à Ève, je comprends maintenant vos idées magnifiques. »

A ce moment, une petite fille s'approche dans une pèlerine rose et blanche, elle se cache dans les jambes de Balzac. C'est Anna, l'enfant de la comtesse Hanska. Balzac embrasse l'enfant et lui parle. Mme Hanska en profite pour sortir son face-à-main afin de mieux observer l'écrivain de près. Elle le regarde tout à coup comme il est : petit, gras, rond, trapu, des cheveux de jais, et surtout, surtout, ce qui change tout et le rend fascinant, ces yeux de feu, ces yeux de voyant. La première déception passée, elle se laisse subjuguer malgré elle par ce regard. Leur brève entrevue est interrompue par l'arrivée du comte Hanski vêtu d'une redingote vert olive. Balzac est impressionné par sa stature autant que par l'air détaché de l'aristocrate polonais. Le comte préfère regarder avec ses jumelles les voiles sur le lac. Comportement désabusé d'un mari condescendant ou manière de marquer une certaine distance avec l'insolite visiteur ? Balzac s'en moque. Il ne regarde qu'Ève et s'émerveille lorsqu'elle parle des métamorphoses de sa beauté. Si Ève Hanska est un peu perturbée par le physique plutôt insolite de son grand homme, Balzac ne pose aucune question et la trouve tout à fait à son goût. Charmante ! Elle l'est en effet comme en témoignent les deux portraits qu'on connaît d'elle, tous deux exécutés à Vienne, l'un par Waldmuller et l'autre par Daffinger. Le plus beau est conservé au musée de Châteauroux.

Balzac est sous le charme et ne s'en cachera pas : « Personne mieux que moi n'a analysé votre tête et votre visage », ajoutant « il y a bien de la fierté sur ce front, il est implacable ! ». On retrouve cette impression dans un passage de *Modeste Mignon* qui dit tout net : « La poésie qui régnait sur le front presque mythique était quasi démentie par la voluptueuse expression de la bouche. » C'est Ève dans sa vérité. Balzac se tourne vers le lac, vers la majesté de ses eaux qui se gonflent en petites vagues. Tant de majesté après tant de travail, tant de bonheur, tant de concentration, tant de tranquillité soudain après tant de tourments. Devant les flots couleur gris princesse et la rive d'en face qui paraît si loin, Balzac croit soudain à la sérénité retrouvée. Cette belle femme penchée sur un enfant qui rit, ce soleil bas sur un lac somptueux, les voiles lointaines comme des promesses d'éternité, les nuages roses transpercés de rayons dorés et l'odeur de l'eau qui remonte aux narines pour donner encore plus cette envie de vivre, le bonheur enfin tout proche, le bonheur à prendre. Le bonheur ponctuel. Mais déjà bondit dans le cœur de l'homme de passion l'espoir fou du prédateur. Comment apprivoiser cette femme exubérante et quand enfin sera-t-elle à lui ? Ève, de son côté, regarde Balzac, pas très grand, pas très soigné, plutôt replet. Il a trente-cinq ans à peine. On pense qu'elle a deux ans de plus que lui. Dans ses yeux de dévorant, elle voit le génie, le désir et les provinces de l'infini. Va-t-elle l'aimer, elle qui déjà l'admire ? Le comte Hanski est loin maintenant sur la jetée. L'enfant s'est assise sur un banc qui orne les quais face au lac. La Polonaise s'avance vers le Français. Pas de baisers, pas de caresses, seulement des mains qui se joignent pour dire en silence des serments que leurs lettres déjà ont clamés avec fracas.

La jalousie d'Ève Hanska

A peine quatre mois plus tard, Balzac et Ève Hanska se retrouvent sur les rives d'un lac encore mais celui de Genève, cette fois. Miroitement des eaux, rêves de Jean-Jacques Rousseau, spectacle altier des montagnes immaculées dans le lointain, Balzac est si fou d'Ève que même là, si proche d'elle, il lui adresse des lettres passionnées avec un vocabulaire russisant, une admiration soumise autant qu'une affection de vainqueur : « Très chère souveraine, sublime reine de Pawofka et lieux *circo* voisins, autocrate des cœurs, rose d'Occident, étoile du Nord », etc. Et il signe : « Son humble moujik Honorevski. » Que s'est-il passé ? L'essentiel a eu lieu. Ce que la marquise de Castries lui a refusé à Genève sur la route de l'Italie, la comtesse Hanska vient de le lui accorder avec fougue, en ces mêmes lieux.

Il n'oubliera jamais ces instants à la pension Mirabaud, dans le quartier des Eaux vives. Elle porte sa robe grise. Avec sa fière allure, sans détourner les yeux, elle lui expose d'abord ses doutes. Il s'approche d'elle, dans son habit magnifique aux boutons d'or ciselés par Gosselin, le premier bijoutier de Paris. Il veut la prendre dans ses bras. Elle le repousse encore. Une question, une seule : « Je voudrais savoir, dit-elle en se forçant à sourire, combien de femmes vous aimez en même temps que moi ? » Balzac proteste, s'enflamme : « C'est ignoble, n'écoutez pas ces ragots ! » Ève Hanska, très calme : « Qui est donc alors la marquise de Castries ? » Balzac : « Une femme que je hais. » Mais la comtesse n'en a pas fini de la litanie des jalousies. Qu'il lui parle maintenant de Mme de Berny. Quel est son petit nom dans l'intimité ? Est-ce qu'il l'aime encore ? Que de petites questions pour un si grand amour, pense Honoré qui déchaîne alors sa verve de conquérant : « Mon ange, tout ce que j'écris, c'est pour toi. » L'argument est bouleversant pour la Polonaise que le génie littéraire a toujours subjuguée. Elle le voussoie et balbutie une admiration immense : « Vous représentez pour moi la France, la France passionnée avec son grand idéal. Tout ou rien ! La France, union magnifique du Nord et du Midi. Je vous aime de tout mon cœur, de toute mon âme, de... » « De tout ton corps », poursuit Balzac saisissant le désir au vol. Et, fiévreux, il insiste : « Viens, viens demain ! »

Elle vient le lendemain. A l'heure où ils vont connaître les sommets du bonheur, le placide M. Hanski, lui, est loin : il a choisi d'assister à un banquet d'alpinistes. Alors, dans le secret de la chambre, c'est l'inoubliable étreinte. La robe de drap gris gît sur le tapis, il caresse ses belles épaules en lui disant dans l'oreille tous les serments de l'amour, elle ploie dans ses bras. Ils se reconnaissent tous deux. L'étreinte de Genève restera pour eux le sceau de leur amour. C'est vrai qu'ils se ressemblent : la puissance des corps, la volupté des formes, tous deux comme issus du même moule, statues rondes et puissantes dessinées dans l'argile humaine. Balzac exige d'Ève qu'elle découpe en souvenir de cette journée un morceau de sa robe grise, dans l'ourlet, et le lui donne tel un talisman.

Ce jour de Genève, cet orage sensuel vécu dans une chambre donnant sur le lac, est aussi la déclaration d'union d'un écrivain à son égérie : « Chère, chère chérie, je t'aime comme on aimait au Moyen âge ! » souffle Honoré à l'oreille d'Ève Hanska. Il va au fond de la pièce, tire de sa redingote une liasse de papier. C'est son roman inconnu *Ne touchez pas à la hache*. Au bas de la dernière page, devant elle, pour elle, il le date « Pré l'Evêque, 24 janvier 1834 ». Ainsi le jour est devenu sacré, signé par l'univers des lettres. Inoubliable.

Pourquoi dédier à Mme Hanska, qui venait de se donner, un livre qui conte l'histoire d'une femme impie se refusant au meilleur des hommes? Par ironie du sort, par vengeance secrète? Contre qui? Contre la marquise de Castries, peut-être? Pour celle qui s'est donnée contre celle qui s'est refusée? Genève est bien la ville de l'immense bonheur de Balzac. Un bonheur qui semble ne pas devoir s'arrêter. Ils restent encore quinze jours sur le lac Léman, partageant des instants exquis, malgré les terreurs soudaines dues aux apparitions de l'époux qui oublie parfois ses alpinistes. Ève et Honoré visitent les rives du lac comme des collégiens. Que de rires à la Villa Diodati, lieu des amours du grand Byron! Que d'évocations du beau Shelley, le romantique gothique et de sa femme Mary, l'auteur de *Frankenstein*! L'évasion pour eux c'est la pointe de la Bise, où ils découvrent quantité d'oiseaux, canards, cygnes, grèbes, foulques, mouettes rieuses. Pour le comte Hanski, au contraire, c'est la maison de Saussure, le naturaliste genevois qui escalada le Mont-Blanc et atteignit son sommet en 1787.

Avant de la quitter, Balzac parle à celle que, déjà, il considère comme sa femme de ses écrits, de ses projets, de ses romans, de ses brouillons, de ses hésitations, de ses victoires sur des champs de bataille de papier. Elle lui répond avec sagesse et audace, avec une intelligence implacable et l'esprit terre à terre qu'elle a hérité de cette région aux confins de l'Ukraine et de la Pologne qui, parfois, lui fait peur, à lui l'enfant doux de la voluptueuse Touraine. Elle sait qu'il retravaille son *Louis Lambert* mais qu'il est plus que satisfait de son *Médecin de campagne* qu'il compare sans ambages à *L'Imitation de Jésus Christ*. Il prépare un roman rude et héroïque. Ce sera *La Bataille*. Canons renversés, chevaux affolés, fumées terribles, troupes sacrifiées, charges finales, héroïsme, tout cela sous le regard d'un homme froid, qui, dans son fauteuil, longue-vue à la main, considère la campagne, les accidents de terrain, et son destin au couchant : Napoléon. Rentrée dans son palais doré au milieu de la campagne, Mme Hanska se délecte des lettres de Balzac toujours plus fidèle et plus passionné. Mais cette réaliste à l'âme romantique ne s'en laisse pas conter : quelles sont les réalités derrière tous ces serments ? Y a-t-il d'autres femmes, d'autres baisers, des effleurements dans les salons de Paris, des promesses au théâtre, des échanges de mots sur le boulevard des Italiens ? Elle s'inquiète, mieux elle se renseigne. La colonie polonaise est alors abondante à Paris, les amis ne manquent pas et ils parlent facilement du gros Balzac que toute la capitale regarde agir. M. Hanski qui, lui, ne surveille rien, ne se doute de rien et vit en *gentleman farmer*, va cependant être secoué par une lettre adressée à son nom, dans sa propriété. Vaudeville campagnard pour une méprise mal venue. La lettre, en vérité, est destinée à sa femme et Balzac en est le signataire. Sous le chaud soleil de juillet, quand les vents brûlants viennent de la steppe et traversent les cerisaies cramoisies, le comte est près de provoquer un drame. Il découvre à retardement la furie de la jalousie. Comment peut-il lire ces mots sans s'étouffer : « Oh, mon ange, mon amour, ma vie, mon bonheur » ? Et comment lui, le vieux comte Hanski, peut-il prendre les considérations d'Honoré de Balzac, ce Français qui parle de sa propre fin : « Aimeras-tu mes cheveux blancs ? Ils s'étonnent tous que l'on puisse produire ce que je produis, et disent que je mourrai. Non, trois jours près de toi, c'est reprendre de la force et de la vie pour mille ans. Adieu, mille baisers, j'ai tenu ce petit bout de pervenche entre mes lèvres en t'écrivant. »

Avec beaucoup d'habileté, Ève Hanska saura cal-

mer son époux et éviter le drame. Mieux, elle le convainc
d'aller à Vienne où Balzac les retrouvera. En attendant,
Balzac désespère de leur prochaine rencontre. Combien
de fois n'a-t-il pas écrit à Mme Hanska : « Je suis tous les
jours chagrin. » Le projet de la rejoindre à Vienne le
sauve. Il a un besoin vital de projet et de voyage. Vienne
pour lui est un terrain de reconnaissance, on dirait
aujourd'hui un lieu de repérage. Il lui écrit : « A Vienne,
je ferai mes reconnaissances sur le Danube pour mieux
peindre la bataille de Wagram, et le combat d'Essling
qui sont mon ouvrage de l'hiver prochain en Ukraine, si
vous voulez. »

Les Hanski ont trouvé une chambre pour Balzac
non loin du Prater, à l'hôtel de « la Poire d'or ». Quant à
eux, ils logent tout près, à la Walterisches Haus. Balzac
se réjouit de cette proximité qui lui permet de retrouver
Ève dès qu'elle le peut. Vienne les enchante parce que
l'Histoire est là, présente dans sa musique, dans les
salons des Glaces de Schönbrunn où Mme Hanska
raconte à Balzac l'histoire de ce petit garçon en habit
bleu et perruque poudrée qui, jadis, trébucha en ces
lieux. Une jolie fillette au teint de lys l'aida à se relever et
le serra dans ses bras pour le consoler : « Quand je serai
grand, je t'épouserai », promit-il. Il était le petit Wolf-
gang Amadeus et elle s'appelait encore Antonia. Il sera le
génial Mozart, elle sera la tragique reine de France,
Marie-Antoinette.

Cinquante palais pour une seule ville et il fait beau,
c'est le mois de mai. Balzac consulte l'orientaliste Ham-
mer Purgstall qui lui calligraphie en caractères arabes
La Peau de chagrin. Mme Hanska lui montre le Prater,
là où se promenait Beethoven dans son habit vert de
mer et Balzac cite Casanova : « Tout à Vienne était
beau. »

Toujours en appétit, ils goûtent ensemble le plat préféré de l'empereur, le bœuf bouilli à la sauce de raifort et se consolent avec son gâteau favori, le fameux Sachertorte. Heureux, ils écoutent les petits orchestres dans les parcs, gourmands encore quand ils dégustent, sous les candélabres et les stucs peints, le chocolat chaud coiffé de crème onctueuse.

LA GLOIRE D'UN GÉNIE FRUSTRÉ

Balzac, malgré ces voluptés viennoises, est rongé d'inquiétude, l'argent manque et c'est toujours à ce moment-là qu'il se veut le plus fastueux. Avant de partir, il a encore fait un emprunt au baron James de Rothschild. De plus, il croit comprendre que son amante a changé. Les racontars des Polonais de Paris ont terni sa réputation auprès d'elle. Ne songe-t-elle pas à rentrer dans le rang, à s'afficher moins souvent avec cet écrivain parfois trop voyant ? L'alerte de la lettre décachetée par son mari n'a-t-elle pas remis la comtesse Hanska dans le chemin de ses devoirs ? Beaucoup de questions et peu de réponses claires de la part d'une femme qui prend d'ailleurs quelque distance avec son amant. Dans la société viennoise où le nom des Hanski a un grand éclat et où le comte est fort apprécié, les obligations officielles du couple ne laissent guère de loisirs aux rendez-vous ardents. Balzac se sent privé et ce ne sont pas quelques baisers volés entre deux portes, même dorées, qui peuvent calmer l'ardeur d'un amant déçu. Mme Hanska a, de plus, des mots maladroits à son encontre qui le blessent et le dépriment.

A contrario, la société de Vienne le console de ce dédain par un engouement frénétique. Il reçoit les invitations les plus flatteuses des personnages les plus haut placés. Mais il doit écrire et être inspiré. On lui mène la vie dure, alors il décide de se mener la vie dure. Il veut se donner douze heures de travail par jour. Il se couche à neuf heures du soir et se lève à trois heures du matin. Règle monastique destinée à un chef-d'œuvre qui racontera une passion platonique dans les châteaux de la Loire durant les Cent Jours : *Le Lys dans la vallée*.

Égérie des neiges, c'est à Eva Hanska que Balzac écrit ces mots si importants à propos du *Lys dans la vallée* où, pour la première fois, la nature pousse l'homme à lui ressembler. Roman pré-romantique dont Balzac clame sa fierté à Ève : « Je ne crois pas avoir fait de plus belle œuvre comme peinture intérieure. » Et Balzac de clamer par cette affirmation autant l'étendue de son génie que la profondeur de son inquiétude. « Si *Le Lys* n'est pas un bréviaire femelle, je ne suis rien. La vertu y est sublime et point ennuyeuse. Faire du dramatique avec la vertu, rester chaud, se servir de la langue et du style de Massillon, tenez, c'est un problème qui, résolu dans le premier article, coûte déjà trois cents heures de corrections, quatre cents francs à *la Revue*, et à moi, un peu de mal au foie. »

Ce roman aura une curieuse et une précoce destinée en Russie car, en 1836, Buloz en a vendu les droits pour une édition en français à Saint-Pétersbourg. Balzac entre à ce propos dans une grande colère : outre que l'ouvrage a été publié sans corrections et qu'il ne l'a pas revu, il n'a été ni prévenu, ni payé. Et pourtant, c'est cette indélicatesse qui va faire connaître encore davantage son talent dans l'empire. Grâce à *La Revue étrangère*, ses romans ont été publiés à Pétersbourg en même temps qu'à Paris, à une époque où l'élite de la société russe connaissait le français aussi bien que sa langue maternelle. Beaucoup plus tard, Balzac, conscient de son succès en Russie et de sa célébrité en constant développement, envisagera même, lors de la Révolution de 1848, de s'expatrier à Saint-Pétersbourg et d'y vivre du produit de la publication de ses romans dans *La Revue étrangère*. De même que ses livres ont pénétré le cœur de Mme Hanska bien avant qu'il la connaisse, ils entrent donc en Russie bien avant que lui-même ne passe les frontières de l'empire. Avec *Le Lys dans la vallée*, la vallée de l'Indre et les trois châteaux du roman, la beauté cavalière de Lady Dudley, le charme romantique de Félix de Vandenesse, et le sens de l'absolu de Mme de Mortsauf deviennent des classiques du cœur russe. Même cette campagne riante de la Touraine traversée par l'Indre où l'on s'arrête, émerveillé, à Pont-de-Ruan se met à ressembler aux délicieux paysages des *Récits d'un chasseur* de Tourgueniev ou aux promenades estivales du comte Tolstoï sur son cheval noir, Delire, dans les hautes herbes jaunes de Iasnaïa Poliana. Ainsi le continent intérieur du rêve de la Russie et de la France dont la capitale secrète est le cœur et les riches provinces, l'amour, l'inspiration et la recherche de l'absolu, a-t-il ses racines de part et d'autre de l'Europe.

On vient même voir Balzac de Russie, tel ce Stepan Petrovich Chevyriov, poète, critique, et historien, traducteur de Dante et Le Tasse, qui pousse sa porte en 1839. Son récit nous restitue l'auteur de la *Comédie humaine* en mouvement et en direct, avec une vivacité et une véracité impressionnantes, comme si nous venions de pousser la porte des Jardies, sa maison de campagne. Un portrait à la fois chaleureux, dénué de parti pris, expressif et bienveillant d'autant plus remarquable que, dans l'idée de Chevyriov, la Russie est destinée à apporter le salut à cet Occident gangrené, corrompu et décadent. Dans un pays vénal et dépravé, quelle statue pour ce Balzac qui bouge devant nous dont le portrait est aussi pittoresque que la scène qui lui sert de cadre : « Je pris un fiacre et me rendis à la campagne chez Balzac. J'arrive à Sèvres, je demande aux passants et aux habitants où est le Chemin-Vert, aux Jardies. Personne ne sait. Mon cocher s'avisa alors de le demander à l'aubergiste de la place, car ces gens connaissent mieux les détails locaux. Je lui répétai l'adresse, mais elle réfléchit et ne sut répondre à ma question. A tout hasard je décidai de nommer Balzac, sur quoi la bonne femme, l'air gai, résolut tous mes embarras et nous dit comment il fallait traverser Auvray, où tourner, où me renseigner, et conclut par ces mots : "Et puis, lorsque vous y serez, vous n'avez qu'à demander, tout le monde vous le dira... Monsieur de Balzac est très connu par là... C'est un propriétaire." Ce dernier mot me désenchanta un peu ; je me réjouissais déjà de tout mon cœur de la popularité de l'écrivain que je cherchais, mais le mot "propriétaire" dissipa toutes mes illusions. [...] La propriété de Balzac se présenta enfin à mes yeux.

Au milieu d'un vaste terrain vague, sur la pente d'une colline, je vis une haute maisonnette, toute neuve, construite en tourelle, d'une architecture gothique. Le paysage qui l'entourait était assez varié : la forêt se dessinait à l'horizon ; sur le terrain vague, des pins pittoresques s'élevaient vers le ciel ; le sol raboteux contribuait à animer le tableau. Ma voiture s'arrêta devant l'allée conduisant à la maison, car elle était toute rabattue et pleine de creux. Mais il ne restait plus que quelques pas jusqu'à la maison. Je me mis à marcher. Ce chemin vert eût pu être appelé plutôt chemin boueux.

Je m'approche de la porte et je lis au-dessus : *Aux Jardies*. Cette inscription m'atteste que je ne me suis pas trompé. J'entre par la porte dans une cour ouverte, au milieu de laquelle est située la maison et, à gauche, un pavillon. Deux personnes se promenaient dans la cour... A distance, un jeune homme, aux cheveux longs, en redingote, nu-tête et col ouvert... Plus près de moi, un autre, plus âgé que le premier, un chapeau de paille à larges bords sur la tête, vêtu d'une très longue redingote blanche en basin qui flottait librement autour de son corps assez gras. Sous son chapeau brillaient des yeux noirs, vifs, et s'épanouissaient des joues roses, potelées, d'un homme paraissant essoufflé par des occupations ménagères... Quelques ouvriers se démenaient dans la cour... Je m'adressai à la redingote de basin en lui demandant si M. de Balzac habitait là. Il me fut répondu : "C'est moi-même, monsieur."

Ici mon attention se porta de la redingote blanche en guise de robe de chambre à la physionomie vive et expressive de l'écrivain que j'avais devant moi en son négligé rustique, tel un propriétaire occupé de la construction de sa maison. Je ne le trouvai ni dans son salon, ni dans son cabinet de travail, une plume à la main, mais au milieu des tracasseries et des riens de la vie pratique qu'il dépeint lui-même si habilement.

Je lui rappelai mon billet et dis mon nom. Après les courtoisies et les phrases d'usage à la première connaissance, Balzac me dit : "Je vous demande une chose : c'est de ne pas vous gêner avec moi et de m'excuser de vous recevoir au milieu de tracas et dans le désordre de mon ménage. Vous me verrez tel que je suis. Mais venez donc chez moi, dans ma bibliothèque." Après avoir donné des instructions aux ouvriers qui se trouvaient dans la cour et dit à l'un d'eux de le suivre, il me conduisit au pavillon de sa maison. Par un escalier nous montâmes dans une petite pièce; les murs en étaient garnis de bibliothèques en acajou et le sol était entièrement recouvert de livres, pour la plupart richement reliés. Toute la bibliothèque de Balzac y était sens dessus sens dessous. Il y avait deux chaises dans la pièce, mais elles aussi étaient encombrées. L'hôte courtois dégagea lui-même un siège pour le visiteur et me pria de garder mon chapeau. Il réitéra fort aimablement ses excuses de me recevoir de cette façon. "La franchise avant tout, c'est la meilleure des qualités. Voyez-vous cet homme-là?" dit-il me montrant l'ouvrier. "C'est Provençal, mon menuisier. Il ne peut travailler pour moi que jusqu'à trois heures; après, il s'en ira et on ne le retrouvera plus. Je suis pressé : il me faut aménager ces bibliothèques aujourd'hui même. La comtesse N. m'a promis de venir dîner chez moi la semaine prochaine, et ma maison n'est pas encore prête. Mais vous verrez comme tout ira bien. Nous travaillerons et nous causerons en même temps."

Balzac ôta cependant son chapeau de paille, sa redingote-robe de chambre en basin, ses pantoufles, et se mit à marcher parmi les livres, à les rechercher, à les transporter et à les mettre en place, poursuivant sa conversation avec moi et donnant de loin en loin les instructions à Provençal. J'eus alors l'occasion, en l'observant, de graver ses traits dans ma mémoire : un homme gras, rond, de petite taille, aux jambes courtes, à la poitrine et aux épaules larges, au cou court, au visage ovale, incarnat, potelé, frais, légèrement hâlé par l'air de la campagne, aux cheveux noirs, coupés court; des yeux de la même couleur, agiles, vifs, avec de la flamme qu'attise une conversation animée; le nez droit et arrondi... En somme, le visage d'un homme sanguin

et spirituel qui saisit avidement les impressions exté-
rieures et vit plutôt dans la nature qu'en lui-même.
Dans tous ses mouvements, une agilité et une vivacité
extraordinaires ; un débit sonore et rapide ; un rire
simple, cordial et franc. Par tout son extérieur — surtout par le dernier trait d'un rire éclatant, par sa
conversation spirituelle, fugace ainsi que par son sans-
gêne naïf, il me rappela beaucoup notre Pouchkine.

J'avais été prévenu du cynisme apparent de Balzac.
Or, il commença lui-même à parler de franchise... C'est
pourquoi je le regardais sans surprise marcher sur le
dos de ses livres, dans sa chemise assez défraîchie, à
moitié habillé, en chaussettes et sans pantoufles, maintenant l'équilibre avec ses bras... Tantôt choisissant par
le regard les volumes dépareillés d'un écrivain pour les
rassembler en un tas, tantôt se reposant du travail, il
poursuivait avec moi une conversation animée ; les premières questions en laissèrent apercevoir un observateur aigu des mœurs. »

HONOREVSKI, HUMBLE MOUJIK

Le premier signe de sa prédisposition mystérieuse
pour la Russie apparaît lorsque Balzac écoute la
musique de Berlioz. Le compositeur, fatigué d'être
méconnu à Paris, épuisé par un travail sans reconnaissance, pauvre et perdu, attend un signe de son ami. Balzac ouvre ses grands yeux à la fin d'une œuvre de Berlioz et lui dit avec feu : « Va en Russie, pars à
Pétersbourg. Là-bas on te fera une gloire immense. » Il
avait compris que la musique de Berlioz allait bouleverser l'âme russe. Il donna à Berlioz une pelisse qu'il possédait. Celui-ci partit et obtint un triomphe. C'est une

perception profonde de ces espaces infinis qui transportait Balzac et le transporte encore dans le cœur de ses lecteurs. Peut-être parce qu'il est d'abord un écrivain de la campagne et de ses horizons. Ainsi, lorsqu'il entreprend la rédaction du *Lys dans la vallée*, ce n'est pas le personnage pourtant si important de Mme de Mortsauf qui le conduit, ni une peinture de la pureté dans le sentiment amoureux, non, ce qui le détermine en premier lieu, c'est l'importance de son regard sur un tableau naturel, une obsession géographique. Il le confie : « Je veux aborder dans ce livre la grande question du paysage en littérature. »

Balzac est un barine de la littérature russe parce qu'il se rêve propriétaire, qu'il voit grand, qu'il bâtit solide, comme Tostoï. Même tendance à la démesure, même goût pour le roman historique, même vision réaliste et mouvementée de la société, même connaissance des caractères avec plus de précision peut-être chez le Français et plus de connaissance de la femme chez le Russe. Mais, par certains autres aspects, Balzac peut ressembler à Pouchkine quand, par exemple, il écrit *Les Chouans*, au Gogol des *Ames mortes* quand il se lance dans *Le Médecin de campagne* ou *Le Curé de village*, à Lermontov lorsqu'il écrit : « La promenade, c'est la gastronomie de l'œil. » Il est russe par la connaissance de l'immensité, de l'intensité, et le goût des vastes formats. Mais plus encore il l'est par la méthode.

Ses idées sont claires et illuminent largement la question de la fiction et de la réalité, de la vérité jusqu'au récit ; c'est un naturaliste inspiré par la théorie de Saint-Hilaire : « La diversité des hommes vient de l'influence des cadres différents où se passe leur existence. » Pourtant les frontières ne lui font pas peur, il a une façon de traiter pareillement l'arsenal humain confondant passions, instincts, mobiles et études de mœurs dans une même manière littéraire qui l'encourage à constater : « Le créateur ne s'est servi que d'un seul et unique patron pour tous les êtres organisés. » Un seul patron pour le Raskolnikov de Dostoïevski et le Rastignac de Balzac, dont on sait que le nom de l'un a été inspiré par la sonorité de l'autre. Un seul amour pour Eugénie Grandet ou Anna Karénine : il est absolu. Même mépris semé de tendresse pour la princesse Hélène ou Delphine de Nucingen, ce sont des femmes légères et sans cœur. Belles, cruelles, avides, froides pour les autres, brûlantes d'elles-mêmes. Mais aussi même admiration et même attirance pour l'innocence et la douceur : Natacha ou Victorine Taillefer. Lorsque Balzac lance : « *La Comédie* est un travail de la taille de la cathédrale de Bourges », il parle fièrement en forçat, en bagnard de l'écriture. Il dit tout haut ce que Dostoïevski pense tout bas lorsqu'il a enfin achevé le monument des *Démons*. Identité d'inspiration, de méthode, ressemblance dans les personnages et les options, il y a de la Touraine en Crimée et de Paris à Pétersbourg une ligne directe de la littérature.

Elle n'est pas seulement due au xixe siècle ou à une certaine conformité des sociétés de l'époque, elle va plus loin. Laissons à Charles Baudelaire l'éloquence de nous dire pourquoi : « J'ai été maintes fois étonné que la grande gloire de Balzac fût de passer pour un observateur, il m'avait toujours semblé que son principal mérite était d'être un visionnaire et un visionnaire passionné. »

Balzac est, en Russie, un auteur presque national. Ainsi Alexandre Tourgueniev, qui a connu Balzac en personne à Paris, écrit à un ami russe : « Balzac a beaucoup d'esprit et d'imagination, quoique beaucoup d'extravagance ; il jette son œil dans les profondeurs du cœur humain et de notre âme depuis longtemps atteinte de lèpre, profondeur inconnue et fermée aux autres. Il est physiologiste et anatomiste de l'âme. » Dans ses rêveries littéraires, Biélinski ajoute : « Regardez Balzac, cet homme a écrit beaucoup de nouvelles. Essayez pourtant d'y trouver une seule figure ressemblant à un autre personnage de ce même auteur, vous n'y arriverez pas. Oh, quel art indicible de peindre les caractères avec toutes leurs nuances individuelles ! L'image terrible et froide de Ferragus ne vous a-t-elle pas poursuivi nuit et jour, en réalité et en rêve, ne vous a-t-elle pas accompagné comme une ombre inlassable ? Ce Ferragus, vous le reconnaîtriez entre des milliers, et pourtant chez Balzac il n'est peint qu'en passant doucement, et les héros principaux l'effacent. Pourquoi alors ce personnage nous inspire-t-il tant de compassion, pourquoi laisse-t-il une empreinte si nette et profonde dans notre imagination ? Parce que Balzac l'a créé et non pas inventé, parce qu'il le voyait de son œil intérieur avant d'avoir écrit une seule ligne, parce que ce personnage tourmentait son créateur tant qu'il n'était pas devenu un héros connu du public. »

Balzac rayonne en Russie et son génie abolit toutes les barrières idéologiques. Karl Marx était un admirateur de *La Comédie humaine* et Lénine clamait son enthousiasme pour *Le Médecin de campagne*. Mais celui qui fut l'auteur le plus lu en Union soviétique retrouve une égale gloire après la fin du communisme. Balzac, dans l'opinion publique russe, est si connu qu'il semble un talent issu de l'immense Moscovie. Dostoïevski, futur traducteur d'*Eugénie Grandet*, communique à son frère son enthousiasme pour un « génie universel » qui sans doute révèle, à ce douloureux confesseur d'âmes étiolées, les souffrances d'êtres meurtris d'avance par la mêlée humaine. Balzac tient sa place dans la *Vrémia* dirigée par les deux frères. Si Tourgueniev déclare « n'avoir subi la moindre trace d'influence balzacienne », en revanche, de Gontcharov à Gorki, *La Comédie humaine* aide le roman russe à atteindre l'éminence que nous savons. Tolstoï, lui-même, moins dépendant de Balzac que de Stendhal et de sa *Chartreuse de Parme*, sans laquelle il n'aurait point tenté les scènes militaires de *Guerre et Paix*, rappelle que, de son temps, on apprenait à écrire chez Balzac. La dette littéraire de la Russie, partout, en tout temps, est clairement exprimée. Et qui pourrait mieux la confirmer que Gorki dans son hommage décisif aux « Trois monuments érigés par l'Humanité à elle-même : Shakespeare, Balzac, Tolstoï ».

L'IMPATIENCE D'UN GÉANT

Dès juillet 1833, Balzac évoque l'éventualité d'un voyage en Russie. Il en reparlera à Mme Hanska à Genève en janvier 1834. Cela devient une obsession. Il ne parle que de partir vers l'empire des neiges et trois raisons accélèrent sa décision : le besoin impérieux qu'il a d'elle, les dettes qui s'accumulent à Paris, enfin un certain écœurement de la capitale qui tarde à reconnaître son génie. Fatigué de tout, Balzac craque le 11 avril 1837 : « Il y a eu une journée de désespoir, où je suis allé chercher un passeport pour la Russie. Il n'y avait plus qu'à aller vous demander un abri pour un ou deux ans, en abandonnant aux sots et à mes ennemis ma réputation, ma conscience, ma vie qui aurait pu être déchirée, flétrie, jusqu'au jour où je serais revenu pour triompher. Mais si on avait su où j'étais, que n'aurait-on pas dit ? Cette perspective m'a arrêté. » Balzac, il faut le préciser, n'a pas vu Mme Hanska depuis leur rencontre à Vienne, en 1835.

Huit ans plus tard, elle accepte enfin qu'il vienne lui rendre visite à Saint-Pétersbourg. Elle s'y rend pour régler dans la capitale une succession difficile. Entre-temps est survenu, en effet, le décès de son mari Wenceslas Hanski. Cette grande nouvelle qui frappe Balzac, en janvier 1842, quoique le comte soit mort le 10 novembre, lui fait perdre la tête. Comme toujours, il met en marche la machine à rêve. Riche ! Il allait être riche, follement riche, riche comme on ne pouvait l'être qu'au pays des boyards ! Le cartomancien Balthazar qui lui avait annoncé avant six semaines une lettre dont toute sa vie serait changée ne s'était donc pas trompé ! Balthazar avait ajouté : « Vous n'avez jamais aimé qu'elle et vous ne pouvez aimer qu'elle, vous n'aimerez plus personne, c'est physique ! »

Justement peut-on, lorsqu'on a la sensualité débordante d'un Balzac et l'imaginaire flamboyant de l'auteur de *La Fille aux yeux d'or*, vivre la privation de l'être aimé pendant huit ans ? Ève Hanska a pris les devants avec intelligence. Elle ne demande pas à Honoré la fidélité physique mais la fidélité du cœur et de la conscience. Sur ce point, elle sera d'une totale exigence et reprochera à son amant certaines aventures qui ont pu entamer le contrat par elle proposé. Ensemble, ils tentent de mettre au point cette philosophie de l'amour à distance que nous avons déjà évoquée dans *Les Égéries russes* et qui semble devenir une des questions que l'approche du XXIe siècle repose aux amants de toujours. Peut-on maîtriser ses impulsions quand on est séparé de l'être aimé ? Comment continuer à communiquer ? Comment rester fidèle ? Est-il possible de vivre la sensualité à distance ? Bien des questions, beaucoup de cas de figures, quelques facettes inconnues du cœur et toujours le même désir absolu... Les choses peuvent encore se compliquer quand l'un des deux se tourne vers un mysticisme exacerbé. Danger qu'a senti Balzac et qu'explique fort bien André Billy dans sa biographie : « Je vois avec peine, écrit-il le 10 octobre à Mme Hanska, que vous lisez les mystiques. Croyez-moi, cette lecture est fatale aux âmes constituées comme la vôtre. C'est un poison, c'est un enivrant narcotique. Ces livres ont eu une mauvaise influence. Il y a les folies de la vertu comme les folies de la dissipation. Je ne vous en détournerais pas si vous n'étiez ni femme, ni mère, ni amie, ni parente, parce que vous pourriez aller dans un couvent si cela vous plaisait, quoique votre mort y serait prompte, mais dans votre situation ces lectures sont mauvaises... »

Depuis, leurs relations épistolaires se sont beaucoup relâchées. Elle l'a laissé longtemps sans nouvelles. Adonnée à sa dévotion, l'aime-t-elle toujours ? De son côté, il a organisé sa vie comme si elle n'existait plus, mais qu'est-ce que cela prouve ? Est-ce qu'un homme de son tempérament pouvait cesser d'aimer l'être auquel il s'est donné avec un tel élan, un tel espoir, et dont il a fait la raison d'être et la condition essentielle de tant d'ambitions ? Toutes ses belles théories sur l'unité de l'âme et de l'amour lui remontent à l'esprit, le harcèlent, le convainquent. Non, il n'a pas cessé de l'aimer et cette fidélité transcendante de l'âme et du cœur lui donne tous les droits. Malheureusement, Ève Hanska est à mille lieues, elle est femme, pieuse et slave, elle a quarante ans et un goût de l'absolu sentimental qui la rend aveugle et sourde aux raisonnements trop subtils ou trop abstraits.

Dans la lettre bordée de noir où elle lui a annoncé la mort de son mari, elle n'a pas écrit un seul mot personnel pour lui. Balzac y voit un mauvais signe. C'est toute une entreprise à recommencer, tout un siège à refaire, et sans perdre de temps. Maintenant qu'elle est veuve, Balzac lui écrit plus librement : « [...] J'ai été cependant joyeux de savoir que je pouvais vous écrire à cœur ouvert et vous dire toutes ces choses que je vous taisais, dissiper les grondeuses mélancolies que vous avez appuyées sur des malentendus si difficiles à débrouiller à distance. Je vous connais trop, ou crois bien vous connaître, pour douter un moment de vous et j'ai souvent souffert que vous doutassiez de moi, bien cruellement souffert, car, depuis Neuchâtel, vous êtes ma vie. Laissez-moi vous le bien dire, après vous l'avoir tant prouvé. Les misères de ma lutte et celles de mes horribles travaux eussent lassé des hommes grands et forts, et souvent ma sœur a voulu tout terminer, Dieu sait comme, et j'ai toujours trouvé le remède pire que le mal ! C'est donc vous seule qui m'avez jusqu'à présent soutenu, et je ne comptais pourtant que sur ce que nous avons vu, aux Chênes, de ce vieux couple de Sismonde de Sismondi, sur Philémon et Baucis, qui nous ont si touchés, vous en souvenez-vous ? Rien chez moi n'a changé... Nous avons été courageux l'un et l'autre, pourquoi ne seriez-vous pas heureuse aujourd'hui ? Croyez-vous que ce soit pour moi que j'ai mis tant de persistance à grandir mon nom ? Oh ! je suis peut-être injuste, mais cette injustice procède de ma violence de cœur ! J'aurais voulu deux mots pour moi dans cette lettre, et je les ai cherchés en vain, deux mots pour celui qui, depuis que le paysage où vous vivez est sous ses yeux, n'est pas resté en travaillant dix minutes sans le regarder. »

   Mme Hanska n'est pas dans le même état d'enthou-siasme et cette euphorie contredit sa vision pragma-tique de la vie au moment même où elle doit faire face à ses exigences. Après le décès de son mari, elle est tutrice d'Anna Hanska, leur fille unique, mineure, née en décembre 1828, mais des parents du défunt essaient de contester ses droits. De son côté, pour gagner le prix de ce long voyage, Balzac s'est retiré à Lagny, près de l'imprimerie qui compose les deux premières parties de *Splendeurs et misères des courtisanes* et *David Séchard*, troisième volet des *Illusions perdues*. Le 14 juillet, il fait viser son passeport à l'ambassade russe où il est reçu par le secrétaire de l'ambassade, Victor Balabine, qui le décrit dans son journal d'une façon impitoyable et devine aussitôt les raisons de son voyage. Un portrait aussi pittoresque que pitoyable nous est donné de l'écri-vain : « Un petit homme gros, gras, figure de panetier, tournure de savetier, envergure de tonnelier, allure de bonnetier, mine de cabaretier et voilà. Il n'a pas le sou, donc il va en Russie ; il va en Russie donc il n'a pas le sou. » De son côté, le chargé d'affaires, le comte Nicolaï Dmitrievitch Kisselev, qui gère l'ambassade depuis le rappel de l'ambassadeur Pahlen, un peu plus fin mais tout aussi méprisant, envoie le 24 juillet à ses autorités de tutelle une dépêche chiffrée. Il y annonce que Balzac a fait viser son passeport afin de se rendre en Russie par Dunkerque et suggère de lui faire écrire une réfuta-tion de l'ouvrage récemment paru du marquis de Custine, *La Russie en 1839*. Custine, en qui Balzac a souvent trouvé un allié fidèle, est parti en Russie pour confirmer ses idées légitimistes sur l'excellence du pou-voir autocratique mais il tire finalement de ses observations et de ses entretiens avec divers interlocuteurs un dossier accablant qui nourrira, pour un siècle, l'argumentaire des détracteurs de la Russie.

Informé des critiques sévères que Custine rapportait de son voyage, Balzac prend ses distances avec lui au point de renoncer à lui adresser la dédicace de son roman, *Le Colonel Chabert*. Custine a fondé toute sa démonstration sur la nouvelle opposition qu'il perçoit entre la civilisation et la barbarie. Balzac ne veut rien voir et préfère avancer son amour pour Mme Hanska comme cause de son aveuglement. De même que, faisant la cour à la marquise de Castries, il s'était laissé manœuvrer par elle en prenant à sa demande fait et cause pour la monarchie, de même pour plaire à l'« étrangère » devenue si chère à son âme, il ne lésine pas sur l'engagement politique. Le 15 novembre 1838, Balzac se déclare à Mme Hanska sur ce point, sans ambages : « On ignore que je suis moujik de la terre de Pawofka, sujet d'une comtesse russe et admirateur du pouvoir autocratique de mes souverains. » En août 1840, il écrit : « Me voilà faisant de la politique et me posant comme ami des Russes, que Dieu vous bénisse ! L'alliance russe est dans mes idées, je hais les Anglais ! » Cette prise de position pour l'autocratie russe, il la rend concrète dans *La Revue parisienne*, où il rédige une chronique politique intitulée *Lettres russes*. Ne va-t-il pas jusqu'à dire : « Pour un rien, je me ferais Russe, si... Mais le si est trop long à débrouiller. »

LES NUITS DE SAINT-PÉTERSBOURG

Balzac attend une double autorisation, celle des autorités russes, qui arrive bientôt, et celle d'Ève Hanska. Enfin, quand vient l'été 1843, elle lui confirme son invitation à venir la rejoindre à Saint-Pétersbourg. Le 1er juillet, Honoré expose ses états d'âme : « Je ne sais pas si je reviendrai. La France m'ennuie, je me suis pris d'une belle passion pour la Russie, je suis amoureux du pouvoir absolu, je vais voir si c'est aussi beau que je le crois. De Maistre est resté pendant longtemps à Saint-Pétersbourg, j'y resterai peut-être aussi. » Balzac quitte Paris le 19 juillet, prend la mer le 21, et débarque à Saint-Pétersbourg le 29. Nikolaï Kisselev, le représentant russe à Paris, adresse une dépêche pour annoncer l'arrivée de l'écrivain : « Si le romancier Honoré de Balzac n'est pas encore à Saint-Pétersbourg, il y arrivera probablement incessamment, car il a fait viser son passeport le 2 de ce mois, afin de se rendre en Russie par Dunkerque. Comme cet écrivain se débat toujours dans les difficultés financières et qu'il est en ce moment plus gêné que jamais, il est bien possible qu'une spéculation littéraire soit un des objets de son voyage bien que les journaux affirment le contraire. Dans ce cas, on pourrait profiter des besoins d'argent de monsieur de Balzac qui possède encore une certaine popularité ici, ainsi qu'en Europe en général, afin d'utiliser la plume de cet écrivain pour donner un démenti de monsieur de Custine qui nous est hostile et calomnieux. »

Balzac fait un voyage admirable que raconte René Benjamin. Huit cents lieues en huit jours. En plus d'une petite malle, il emporte un panier dans lequel il a, pour la route, du biscuit de mer, du café concentré, une bouteille pleine d'anisette. Il boit de cette liqueur au nez des douaniers allemands en leur expliquant, dans un français plein d'éclat, que l'Allemagne est un pays mortellement ennuyeux. Le même champ plat pendant douze heures : ce n'est pas supportable aux honnêtes gens !

Pendant le voyage qui va durer jusqu'au 29 juillet, il rêve sur un plan de Saint-Pétersbourg, qu'il a réussi à se procurer, rédigé par Charles de Saint Julien. Il y situe le quai de la Neva où il débarquera et déjà il a appris ce que signifie « La grande et la petite Millione ». Ève Hanska avait d'abord envisagé de le loger à l'hôtel Demourth, l'un des meilleurs de la ville, sur le canal de la Moika, près du poste de police, à peu de distance de la maison Koutaisoff, sur l'artère principale du quartier de l'Amirauté. Finalement, elle retient pour lui un meublé, la maison Petroff, tenue par une veuve francophone, Mme Tardif. La chambre n'est pas très confortable et notre Balzac se plaint, le lendemain matin, des punaises qui l'ont tourmenté toute la nuit. Influencée par le ton des diplomates russes, Mme Hanska lui a recommandé de garder un certain incognito et sa vie mondaine va se résumer au minimum. Mais la célébrité de Balzac va faire le reste et, si Mme Hanska fait l'erreur de le cacher, il est tout de même recherché par les plus grandes dames de la capitale, la comtesse Nesselrode, par exemple, épouse du ministre des Affaires étrangères et futur chancelier de l'Empire russe. En quelques mots, dans une lettre à son fils du 5 août 1843 elle nous donne une idée de la position de Balzac comme écrivain, de son rayonnement, de sa réputation : « C'est un vaste champ que celui des sensations. Celui qui a le mieux décrit celles des femmes, Balzac, est dans nos murs, tout étonné, je suppose, de ce qu'on ne le recherche pas. Personne, à ma connaissance du moins, n'a fait la moindre démarche auprès de lui... Il blâme l'ouvrage de Custine, ce doit être, mais il ne faut pas le croire sincère... » La comtesse se trompe. Balzac est recherché par les femmes, mieux il est invité par la plus prestigieuse d'entre elles, celle qu'on appelle « la Princesse de Nuit ». Cette princesse Golitzine fait jaser tout Saint-Pétersbourg pour ses somptueuses soirées qui ne commencent qu'à minuit, sur lesquelles plane le plus grand mystère et auxquelles assistent les plus grandes célébrités de la ville. Pouchkine et Gogol sont souvent de la fête. Convié à l'une d'elles, Balzac va encore commettre une de ces bourdes dont il est coutumier : après que « la Princesse de Nuit » lui eut envoyé une voiture pour venir le chercher, dès qu'il la rencontre il commet la gaffe, qui entrera dans l'histoire littéraire, de lui dire que, la nuit, ce sont les médecins qu'on envoie chercher et non les grands écrivains. Comment aurait-il pu savoir que les réceptions de la princesse Golitzine étaient la réponse à une sombre prédiction ? Depuis qu'un voyant lui a annoncé qu'elle connaîtrait la fin de ses jours à minuit, elle a décidé de vivre tous rideaux clos dans son palais somptueux et de métamorphoser, sous ses candélabres illuminés, chaque nuit en journée de fête. Une fête interminable qui embrase les passions de la ville et ne cesse jamais.

Balzac, enquêteur fiévreux de *La Comédie humaine* auquel aucun détail n'échappe, est fasciné par les cochers de Saint-Pétersbourg aux longues barbes et aux caftans bleus que serrent des ceintures de couleur. Que de discussions sordides il doit soutenir pour le prix de la course ou de l'heure ! Mais à Saint-Pétersbourg, les voleurs sont au moins aussi nombreux que les policiers. Balzac étudie avec attention cette cité considérée comme la ville la mieux bâtie d'Europe, l'aspect imposant des rues et ces soirées d'une douceur enivrante où il rencontre des femmes qui connaissent ses pages par cœur. Il s'attarde longuement devant des crépuscules

Tilsit, le radeau du malentendu.
« Quand Napoléon rêvait
de devenir beau-frère
du tsar Alexandre Ier. »

Mademoiselle Georges.
« Fut-elle l'amante
des deux empereurs ? »

Le comte Rostopchine.
« Le héros de l'incendie
de Moscou devient
le plus parisien des Russes. »

Ci-dessus : Madame de Staël.
« Elle croise lors de son voyage en Russie
une petite fille qui deviendra
la comtesse de Ségur. »

Ci-contre : La comtesse de Ségur,
née Sophie Rostopchine.
« C'est après ses cinquante printemps
qu'elle écrira le premier roman
de sa Bibliothèque rose. »

Ci-dessus :
La baronne de Krüdener.
« L'inspiratrice mystique de
la Sainte-Alliance fut
l'une des incarnations de
l'Armance de Stendhal. »

Henri Beyle, dit Stendhal.
« Le témoin de la campagne
de Russie fut tiraillé entre
trois modèles d'égérie. »

La comtesse Mouravieff.
« Après la conjuration ratée
de décembre 1825, elle adresse
à son mari ce portrait dédicacé
en français. Deux admirables
égéries françaises rejoindront
leurs compagnons russes
au bagne de Sibérie. »

Alexandre Pouchkine. « Le poète russe par excellence,
tel don Juan, consignait certains noms de ses conquêtes françaises. »

Honoré de Balzac.
« Le romancier français connut
enfin le bonheur et le mariage en
Ukraine avec son inspiratrice
slave, Eva Hanska. »

Eva Hanska. « Elle bouleversa
la vie de l'auteur de
La Comédie humaine. »

Le château de Wierzchownia.
« Un Louvre doré au milieu
de la campagne ! » s'exclama
Balzac devant le château de
la comtesse Hanska.

Ci-dessus :
Nicolas Gogol à Paris.
« Il achève le plus russe
de ses romans,
Les Âmes mortes,
place Vendôme à Paris.
Sa muse, d'origine
française, s'appelle
Smirnova Rossette. »

Alexandre Dumas
au Caucase.
« Dans les montagnes,
il adopte l'allure
avantageuse
du costume
kalmouk. »

Ci-dessus : La cantatrice
Pauline Viardot,
sœur de Maria Malibran.
« Elle a rencontré le géant doux
à Saint-Pétersbourg. »

Ivan Tourgueniev.
« Un amour éternel dédié
à Pauline Viardot. »

Guy de Maupassant.
« Le taureau triste éblouit
la jeunesse foudroyée
de Marie Bashkirtseff. »

Marie Bashkirtseff.
« Une beauté immaculée. »

féeriques et quand il se promène au bras de Mme Hanska, en de longues flâneries sur la perspective Nevski, il cherche ses livres aux étalages des librairies et se réjouit de les y trouver. Toujours passionné par ce qu'il nomme lui-même la *bricabracomanie* ou même la *balzacomanie*, il adore les brocanteurs et les antiquaires et ne se lasse pas des boutiques des marchands de cuirs ou de bibelots, visitant les bâtiments du Gastinnoi Dvor où s'entassent tous les produits du Nord ou du Midi. Curieux du bon thé et du bon café, il fait la comparaison avec ses fournisseurs de Paris.

Ces plaisirs sont cependant ternis par le manque d'argent, par l'argent qui fuit, l'argent en procès. Mme Hanska le sait et s'en inquiète outrageusement. De Paris, Balzac reçoit des billets de Gavault, toujours porteurs de mauvaises nouvelles : « L'affaire Locquin s'est bornée à quelques escarmouches. L'avoué de Versailles réclame le solde des frais d'adjudication. Passy gronde et Sèvres s'émeut... » Pourquoi Ève ne le comprend-elle pas, ne l'aide-t-elle pas ? Pourtant au contact d'Honoré, elle a changé. Elle est attendrie par sa naïveté, sa bonté, son enthousiasme. Il la surprend sans jamais la lasser, tantôt si savant, tantôt semblable à un enfant. Elle se sait désormais la maîtresse, l'égérie, la muse et peut-être la future femme d'un génie, la femme de Balzac devant l'éternité. Voilà pourquoi, dans le procès qui l'oppose à un vieil oncle, elle va accélérer les démarches et connaître enfin le goût de vaincre. Elle fait appel devant le Sénat, cour suprême de justice qui siège à Saint-Pétersbourg. Tout s'était compliqué pour elle depuis que le tsar avait introduit en Ukraine la législation russe, mais elle est décidée à se concilier les bonnes grâces des hauts fonctionnaires pour aboutir. Elle ne gagnera qu'à moitié et finalement, pour rendre son mariage possible, acceptera de léguer tous ses biens à sa seule fille.

Pour Balzac, les choses prennent un tour plus officiel quand, par l'intermédiaire du général Léon Narychkine, dont la famille est d'ailleurs alliée à celle de Mme Hanska, le comte Alexandre Benkendorff, ministre de la police, le fait inviter à la grande revue annuelle des troupes devant le tsar à la fin du mois d'août, dans le camp de Krasnoie Selo, à vingt-cinq kilomètres de Saint-Pétersbourg. A cette occasion, Balzac attrape un coup de soleil dont il se souviendra longtemps. Il voit l'empereur « à la distance de cinq mètres » mais, malheureusement, ne lui est pas présenté. Lors de la revue, Ève a fière allure avec un « air cran » sous son petit chapeau gris. Balzac, lui, ne tarit pas d'éloges sur l'élégance naturelle du souverain : « Tout ce que l'on dit, écrit de la beauté de l'empereur, est réel, il n'existe pas en Europe, ni par conséquent dans les autres parties du Monde, d'homme qui puisse lui être comparé. Sa physionomie est glaciale par parti pris car il peut, comme Napoléon, sourire d'une manière irrésistible. »

Balzac est incorrigible : il ne cesse de lire les autres. A Saint-Pétersbourg, il se plonge dans *Goethe et Bettina* de Mme d'Arnim. Peut-être parce que cette correspondance sentimentale d'une jeune fille et d'un vieillard avait beaucoup frappé Mme Hanska qui a recopié pour lui le texte d'une critique de ce livre exprimant brutalement quelques vérités sur l'amour : « Qui dit amour dit souffrances, souffrances d'attente, souffrances de combats, souffrances de séparation, souffrances de désaccords. L'amour est par lui-même un drame sublime et pathétique. Heureux, il se tait. » Balzac doit-il comprendre ainsi pourquoi il souffre tant par Ève son adorée? Quel que soit le bonheur des amants enfin réunis en Russie après huit années de séparation, tous deux avant de se retrouver ont craint une désillusion.

Il a quarante-quatre ans, elle en a quarante-trois. A l'époque, c'est encore l'âge des illusions perdues. C'est, en ce temps-là, l'âge, pour une femme corpulente et trop gourmande, des premières dégradations physiques, même invisibles. Mme Hanska exagère ce constat alors que sa maturité d'esprit lui a donné ce supplément de charme que son génie d'amant lui reconnaît volontiers. A maintes reprises dans ses lettres à Honoré, elle a exprimé la peur de lui paraître trop vieille, crainte d'autant plus légitime qu'elle n'a cessé de lui mentir sur son âge et d'éluder les questions trop précises. Elle tombe mal ou elle tombe bien avec Balzac car il est justement le grand défenseur des vertus sensuelles de la maturité féminine. Et puis pour ceux qui les regardent, le lien physique et la force de leur union charnelle ne font pas de doute : cette grosse femme brune et ce gros homme brun se plaisent beaucoup. Depuis leurs retrouvailles, leur amour s'équilibre entre la sensualité et le sentiment. Il la subjugue par son esprit et trouve auprès d'elle sa dernière chance de bonheur. Il l'aime comme on aime à quarante-cinq ans, c'est-à-dire comme jamais. Il l'aime comme on respire l'air, comme on boit la lumière. Et, merveille de la transmutation, il fait passer dans son amour toute la force qu'il a déployée dans l'enfantement de son œuvre. Communion des esprits, familiarité des sens, attirance de deux puissantes planètes et surtout certitude que le moment choisi est le plus fort : celui où le destin ordonne enfin de tout donner. Maintenant ou jamais.

Dans le journal manuscrit tenu par Mme Hanska, nous avons retrouvé les mêmes palpitations de l'amour authentique, le même élan de certitude que dans cette lettre de Balzac, qui restitue l'impression première des retrouvailles : « Je suis arrivé le 17 juillet, et j'ai eu le bonheur, à midi, environ, de revoir et de saluer ma chère comtesse dans sa maison Kutaisoff, Grande Millione. Je ne l'avais pas vue depuis Vienne, et je l'ai trouvée aussi belle, aussi jeune qu'alors. Il y avait sept ans d'intervalle, cependant, elle était restée dans ses déserts de blé comme moi dans le vaste désert d'hommes de Paris. Elle m'a reçu comme un vieil ami, et j'ai regardé comme des heures malheureuses, froides, tristes, toutes celles que je n'ai pas passées près d'elle. De 1833 à 1843, il s'est écoulé dix ans pendant lesquels tous les sentiments que je lui porte ont, contrairement à la loi commune, grandi de tous les chagrins de l'absence, et de toutes les déceptions que j'ai eues. On ne refait ni le temps, ni les affections. » Le 24 décembre — jour de sa naissance, précise-t-elle — Ève Hanska reprend son journal à la suite de la page écrite par Balzac : « Que pourrait-on ajouter à ces paroles touchantes qui n'en affaiblissent l'exquise naïveté... Cependant il est toujours là, il est toujours présent comme l'étoile qu'on voit sans pouvoir l'atteindre, que j'ai prise pour ma destinée. »

Bientôt l'argent manque trop pour Balzac, il doit rentrer à Paris. Contrairement aux soupçons des uns comme aux espérances des autres, Honoré n'écrira pas le récit de son voyage. Ainsi d'une certaine façon, il donne un démenti aux rumeurs les plus déplorables : « On dit que j'ai refusé des sommes énormes pour écrire une certaine réfutation. Quelle sottise... Je n'écris ni pour, ni contre la Russie. » L'automne de 1843 est arrivé et Balzac fait le trajet jusqu'à Dresde en compagnie de deux jeunes sculpteurs russes qui se rendent à Rome pour être pensionnaires de l'Académie. Dans leurs lettres à leur famille, ils nous donnent un récit de voyage où l'on retrouve notre Balzac tel qu'en lui-même, curieux et jovial, fantasque et sérieux, bon compagnon, grand voyageur : « Iambourg fut la première impression agréable pour nos yeux. [...] A Narva, à l'auberge Petersbourg, où nous nous arrêtâmes prendre le petit déjeuner, Balzac fut curieux de savoir quel plat on nous avait servi : je lui dis que c'étaient des lamproies ; après les avoir regardées attentivement, il fit une grimace, que l'on peut sans craindre une erreur traduire par ces mots : "Pouah ! Quelle horreur !" Les lamproies furent le point de départ de notre conversation mais ce n'était pas encore ce que je recherchais ; nous échangions seulement de temps en temps les questions et réponses en usage entre voyageurs : "Où allez-vous, d'où venez-vous, pourquoi, etc." Un négociant de Riga, qui parlait français et était assis à côté de lui dans la voiture, bavardait tout le temps avec Balzac. A Vaïvar, Balzac me fit la remarque que *les sculpteurs russes fument autant que les sculpteurs français* ; j'allais saisir ce prétexte pour parler avec lui de la sculpture française ; mais le clairon du conducteur m'obligea à monter précipitamment dans la voiture [...].

A Evvé, nous déjeunâmes avec Balzac, qui nous régala d'un excellent Sauterne ; le tempérament ne résista pas, je plaçai sur la table une bouteille de Saint-Péray.

— Nous buvons à la gloire des artistes et des écrivains, dis-je.

— Je vous souhaite des succès à Rome, messieurs, nous dit-il.

Nous le remerciâmes.

— Et pourquoi n'iriez-vous pas à Paris, nous avons beaucoup de belles statues.

— A Rome, il y a plus d'antiques qu'en France, répondis-je.

— Nous avons aussi d'admirables statuaires, poursuivit-il. David est le plus grand sculpteur, il surpasse même Torwaldsen et celui de...

Il avait oublié le nom du sculpteur que, peut-être par penchant, il estimait moins que son compatriote [...].

Après avoir fait l'éloge de David, il commença à faire celui de l'aile de dinde rôtie qu'il avait mangée ; sur ces entrefaites, le conducteur vint faire savoir qu'on donnait l'équipage. Nous sortîmes sur le perron ; huit chevaux, attelés à la voiture, dessinèrent une belle courbe, en tournant au galop vers l'entrée de l'auberge. Balzac remarqua que nous admirions le tableau.

— C'est très bien dessiné, ce mouvement des chevaux, dit-il.

Nous en conclûmes que Balzac sentait le charme de l'image. Nous nous assîmes et continuâmes notre route. A Nennala, de nuit, un vent épouvantable nous surprit, que les indigènes imputèrent à la proximité du lac Pépius. [...] Le matin de bonne heure, nous arrivâmes à Dorpat. J'avais le vague à l'âme et, tout heureux de trouver un piano, je m'assis et improvisai ; puis m'en étant lassé, je m'installai auprès de Balzac. Ce dernier s'indignait de son bifteck :

— Il faut avoir bien faim pour manger ça : c'est un tour de force, dit-il.

Puis il entama un discours éloquent contre le tabac ; il démontra, avec preuves d'ordre médical et psychologique à l'appui, que le tabac était absolument semblable à l'opium, que c'était un poison qui détruisait l'homme, physiquement et moralement, nuisait à la digestion, affaiblissait la mémoire et l'imagination, et conclut sur ces mots : "Et qu'est-ce qui peut être mieux que d'inventer?"

A Walki, on nous avait promis de déjeuner dans une pâtisserie; nous rêvions d'un déjeuner. Mais hélas, ce ne fut qu'un rêve. Nous marchâmes en vain, et ne vîmes qu'une enseigne représentant des gâteaux. C'était amusant de voir Balzac, emmitouflé dans sa fourrure, chaussé d'énormes bottes fourrées, une toque fourrée sur la tête, les mains dans un manchon de femme, pataugeant dans la boue et maugréant : "En voilà d'une ville !" [...] Nous gagnâmes Goulben et notre rêve se réalisa : nous y déjeunâmes fort bien. [...] En entrant dans les rues étroites de Riga, encombrées de hautes maisons à l'architecture originale, nous trouvâmes l'activité bruyante d'une ville commerçante. [...] Le négociant nous quitta, et, à la demande de Balzac, je m'assis à côté de lui. [...] Mon premier soin fut d'engager la conversation avec lui; je nommai les noms de quelques célébrités françaises et le questionnai sur la beauté des monuments publics, dont s'enorgueillit la France. J'avais touché la corde sensible du Français et Balzac se répandit en éloges sur sa patrie. Il était agréable de voir son attachement à la terre natale s'exprimer dans ses propos impétueux, dans le feu de ses yeux brillants, dans chacun de ses mouvements. Mais il n'était pas agréable d'entendre ses comparaisons et ses opinions sur les autres pays. Seigneur ! Est-il possible qu'il n'y ait de bien que ce qui est en France; est-il vrai qu'on ne puisse être heureux que sur les rives de la Seine, du Rhône, etc? Cela me mettait en fureur; mais je me taisais, désireux d'écouter jusqu'au bout tout ce que disait

Balzac des lois, de la police, de l'armée, des arts, des sciences, etc., en France.

"Nous avons les plus grands sculpteurs en France", dit-il. Et il nomma le groupe Léandre et Héro, créé par Etex, qu'il considérait comme supérieur tout ce qui a été créé dans l'antiquité. Aux yeux de l'écrivain français, Towaldsen et d'autres sculpteurs français célèbres n'étaient rien, comparés à Etex ! [...] Après Etex, il nomma David, qui, entre autres œuvres, avait sculpté les bustes de Chateaubriand, Victor Hugo, Goethe, Béranger et un buste colossal de Balzac, dont il lui fit présent. Pour faire le buste de Goethe, l'artiste se rendit à Weimar.

— David a formé beaucoup d'élèves et la plupart sont allemands ; David a fait aussi mon médaillon que j'ai apporté ici pour une dame ; il est très bien fait.

Il mentionna encore le jeune sculpteur Préault, qui avait fait une statuette de lui ; par reconnaissance, Balzac l'emmena à Rome. Je voulais connaître son opinion sur le monument de Pierre le Grand, sur les groupes du baron Clodt et sur quelques autres sculptures de Pétersbourg, il en parla en des termes fort élogieux mais ne put se retenir d'ajouter sur-le-champ :

— Mais nous avons aux Champs-Élysées deux superbes chevaux de marbre, ce sont, je crois, les plus beaux du monde [...].

Nous arrivâmes à Mitau. Balzac avait une faim de loup mais comme par un fait exprès, les charmantes serveuses tardèrent à servir le déjeuner. (...) Il s'indigna de la lavasse qu'on nous avait servie en guise de soupe : "Chez nous, on donne ça aux cochons", cria-t-il [...] mais il se calma avec l'arrivée d'une omelette, qui fut sa seule consolation pendant la poursuite du voyage. [...] A l'arrivée à Taurogen, Balzac était en verve ; rien d'étonnant à cela : il est habitué à une table bonne et raffinée et, là, il trouva un excellent petit déjeuner et du bon thé.

Avant le petit déjeuner, il nous demanda du papier à lettres ; [...] les lettres achevées, il sortit de son panier une bouteille de Sauterne. "Voilà la dernière bouteille, il faut la boire glorieusement !" cria-t-il, et la bouteille disparut comme par enchantement [...].

A l'approche de notre frontière avec la Prusse, nous ne vîmes pas la sentinelle, qui, comme sa guérite, était cachée par la verdure. Sur l'immense espace s'étendant devant nous, il n'y avait que deux poules qui se promenaient.

— Voyez, un grand empire comme la Russie est gardé par des poules, put à peine articuler Balzac en s'esclaffant de sa remarque, et malgré moi je lui fis écho. »

L'Ukrainienne en Touraine

Sur le chemin du retour, Balzac s'arrête à Berlin, en pelisse et bottes fourrées. Il y rencontre le comte Bresson, ambassadeur de France qu'il invite à dîner. A un autre dîner, à l'ambassade, cette fois, il a pour voisine la duchesse de Talleyrand « bergère de cinquante-deux ans » venue avec le duc de Valençay, son fils, « qui a l'air d'avoir dix de plus que moi ». Il rencontre Humboldt venu lui apporter les compliments du roi et de la princesse de Prusse et, sur son conseil, visite Potsdam. A Dresde, il prend ses habitudes avec un antiquaire et brocanteur, il ne peut résister à revoir la fameuse *Madone* de Raphaël. Le palais rococo, l'opéra, tout cela lui plaît, mais les Titien et le trésor le déçoivent. Tout à coup, il se sent affreusement seul et submergé par la nostalgie de la Neva. Il ne passera que quatre jours à Liège et à Bruxelles et enfin de retour à Paris dans la rue Basse, s'enferme dans sa chambre pour constater les effets de la persécution, de la solitude et de la privation sensuelle. Ève lui manque, il ne peut se le dissimuler. Il a envie d'amour et prend la plume pour le lui dire. Un homme comme lui ne peut vivre sans femme : « Voyons ! Un homme est-il une femme ? Peut-il rester de 1834 à 1843 sans femme ? Tu es assez instruite, médicalement parlant, pour savoir qu'on irait à l'impuissance et à l'imbécillité. Tu disais "des filles". Mets en balance le besoin impérieux de distraction qu'ont les gens d'imagination au travail perpétuel, les misères, les lassitudes, etc. et le peu de fautes que tu as à me reprocher, la façon cruelle dont elles ont été punies, et tu ne parleras du passé que pour déplorer que nous avons été séparés... Je suis allé au cirque l'autre jour, je suis allé aux Variétés, je vois des femmes, et je puis te dire que j'ai l'indifférence du vieillard de soixante-cinq ans. Je ne me sens jeune qu'avec toi. Excepté les quinze premiers jours, depuis notre séparation amère dans cette chambre de Heidelberg, le bengali n'a pas été sensible, je suis sans aucun désir. Bien plus ! Il y a vingt ans que je n'ai pas été comme dans notre délicieux voyage, il me faut me reporter au temps de ma jeunesse pour retrouver cet amour-là : je parle du bengali, car pour le cœur, il n'y a pas de comparaison avec quoi que ce soit. »

Balzac n'a plus qu'un rêve maintenant : dévoiler à Mme Hanska la beauté de sa Touraine natale. La Loire dorée, paresseuse et royale, avec son ruban bleu qui va jusqu'à Nantes, la gastronomie délicate et les vins de Vouvray, l'ombre des grands châteaux sur le fleuve voluptueux, la vallée de l'Indre, et le château de Saché dans son écrin de verdure, le pont de Tours et la Tranchée, la Grenadière et Moncontour, tout l'enchante, le saisit, l'appelle et le retient : « Au fur et à mesure que j'approchais de ma douce patrie, ton image, ton amitié, mes regrets, mes pensées pâlissaient devant elle, et les souvenirs de mon enfance ! » écrit-il dans *Sténie* et il poursuit ainsi : « Mon âme est en harmonie avec tes sites charmants où règne non pas l'audace, le grandiose, mais la bonté naïve de la nature, je suis chez moi... C'est sur ton ciel pur que mes premiers regards ont vu fuir les premiers nuages, à cette place dans cette vallée... Salut bateliers... Salut laboureurs... Salut mon doux pays, salut ! »

C'est en Touraine, pays de mesure s'il en est, que s'offrirent au romancier, remarque Paul Métadier, ses premiers champs d'observation : « La Touraine tient de l'éloignement des frontières et de la douceur de son climat ses caractères fondamentaux, la pureté de son langage et la modération de ses habitants. » Mais cette douceur n'est pas le sommeil, cet équilibre n'est pas la langueur. Avec Balzac l'amour du pays devient gourmandise, projets, appétit d'esthète. Il suffit de le voir dîner, comme Théophile Gautier, pour comprendre son goût de vivre : « Balzac mangeait avec une joviale gourmandise qui inspirait l'appétit et il buvait d'une façon pantagruélique. Quatre bouteilles de vin blanc de Vouvray, un des plus capiteux qu'on connaisse, n'altéraient en rien sa forte cervelle et ne faisaient que donner un pétillement plus vif à sa gaîté. » La Touraine des projets est pour lui la Touraine au sommet de l'art de vivre : « Si vous saviez ce qu'est la Touraine... On y oublie tout... La vertu, le bonheur, la vie, c'est six cents francs de rente au bord de la Loire. » La Touraine des belles dames, la Touraine des écrivains, la Touraine des châteaux, c'est sa religion esthétique : « Ne me demandez pas comment j'aime la Touraine, je l'aime comme un artiste aime l'art ! » Enfin, la Touraine est toujours pour Balzac un projet de propriétaire, il y exprime mieux qu'ailleurs son désir d'acquisition. A Mme Hanska : « La Touraine est bien belle en ce moment, il fait une chaleur excessive qui fait fleurir les vignes. Ah ! mon Dieu, quand aurai-je une petite terre, un petit château, un petit parc, une belle bibliothèque, et pourrai-je habiter cela sans ennuis, en y logeant l'amour de ma vie ? Plus je vis, plus ces souhaits dorés prennent les teintes des rêves et cependant y renoncer, ce serait pour moi la mort. »

Comme nous le contait sous les hauts arbres de Saché, par un jour ensoleillé de Pâques, son conservateur Paul Métadier, auteur d'une *Touraine de Balzac*, Balzac et Mme Hanska séjournent deux fois, en 1845 et 1846, à Tours à l'hôtel de la Boule d'or, une vieille maison Renaissance dont la cheminée se trouve au château du Plessis-les-Tours. Balzac a voulu évidemment faire connaître sa chère province à la femme qu'il aime et il faut croire qu'il a su la toucher, puisque leur second séjour a pour but l'achat d'une propriété. De nouveau, Balzac a été repris par le désir de s'installer sur les coteaux de la Loire. Après avoir voulu à tout prix, dix ans plus tôt, acheter la Grenadière, il veut maintenant une ferme. Il s'enthousiasme lorsqu'il apprend que le château de Moncontour est à vendre. Hélas ! Le prix, quatre-vingt mille francs, fait reculer Mme Hanska, et, une fois de plus, l'espoir de trouver le havre de paix tant attendu est déçu.

Lors de son dernier séjour à Saché, Honoré écrit presque chaque jour à Ève : « Je viens de m'établir dans ma petite chambre, cette petite chambre où je vous ai tant écrit, où j'ai tant pensé à vous, et mon premier souci est de vous écrire encore... Je suis levé ce matin depuis cinq heures et je n'ai fait que penser à vous, me rappeler vos robes, vos toilettes, nos promenades et ce que nous disions... Hier, j'ai senti péniblement le poids de la vie, aussi me suis-je jeté à corps perdu dans ce vaste champ où vous êtes partout comme une consolatrice. » Saché, son église, le vieux cimetière, la vallée de l'Indre, ses méandres, ses moulins, que de bonheurs que les Russes connaîtront par le roman du *Lys* « Honte à celui qui n'admirerait pas ma joyeuse, ma belle, ma brave Touraine dont les sept vallées ruissellent d'eau et de vin », écrit Honoré de Balzac qui connaîtra là les premiers maux dont Mme Hanska saura le consoler. Elle l'a soigné très bien, elle a veillé sur lui, comme par un don gratuit et cette fin de vie la réhabilite de critiques parfois trop injustes. C'est à Saché encore que Balzac a craché sa vérité : « Je suis un galérien de plume et d'encre. » Et c'est d'une fenêtre de la Loire qu'il rêva à la Neva.

Un an plus tard, Balzac retrouve sa bien-aimée et les joies du voyage à quatre. La fille de Mme Hanska, Anna, est là avec son fiancé polonais, le comte Georges Mniszech. Tous deux ont pris le maître en affection. Ils le trouvent aimable, bon vivant, fascinant, passionnant. Ils n'hésiteront pas à en parler à leur mère et belle-mère, pesant beaucoup pour qu'elle se décide enfin à lui accorder sa main. Une seule chose manque encore pour réaliser ce projet : l'accord du tsar. Pendant trois années, ce seront ces heureux voyages d'une famille étendue où les générations se mêlent dans le rire, autant que le respect naturel et l'éducation. On les voit à Berne, à Marseille, à Milan, Venise et Naples, à Civitavecchia. Ils prennent le train, nouveauté de l'époque, mais même si la gaieté règne dans leur petite troupe, les déplacements sont parfois exténuants pour Eve. Elle va perdre un enfant. Après le mariage d'Anna et de Georges à Wiesbaden, le 13 octobre 1846, Balzac étant témoin de la mariée, Mme Hanska fait incognito un second séjour à Passy, de février au début de mai 1847. Dans sa maison de la rue Fortunée, adossée à la chapelle Saint-Nicolas, ce qui devrait plaire à la dévote, Balzac a tout préparé pour elle : mille fleurs sont là pour l'accueillir. Mais quand ils arrivent ensemble, le soir, la porte reste close. Balzac frappe à l'huis, appelle son valet. Pas de réponse. Il faut enfoncer la porte. Le fidèle laquais est resté pétrifié au fond de la maison. Et puis, il se met à pousser des hurlements. Il est devenu fou. Accueil pour le moins déprimant pour Mme Hanska qui découvre ainsi leur maison à Paris.

Un Louvre doré au milieu de la campagne

Septembre 1847, Eve accepte enfin que Balzac vienne lui rendre visite dans son château d'Ukraine. Un rêve tenace qu'il peut enfin réaliser. Il part par chemin de fer. Le train l'amène par Düsseldorf jusqu'à Hamm. La ligne n'étant pas encore achevée, il doit prendre le Schnell-Post puis l'Exra-Post pour gagner Hanovre. De là, il retrouve un train pour Magdebourg, Berlin, Breslau et Gleiwitz, petite ville de Silésie d'où une diligence le conduit à Cracovie dont il admire la cathédrale. Puis il traverse la Galicie en malle-poste, admiratif devant les bois de sapin, dîne chez le prince Henri Lubomirski, parent de Mme Hanska, au château de Przeworsk. Le lendemain, il est à cinq heures du matin dans la ville de Brody, propriété des comtes Potocki où tout est fermé, enfin dans l'après-midi du même jour, il atteint la frontière austro-russe.

Sur le chemin de Wierzchownia, Balzac nous livre le paysage : « Je vis alors de vraies steppes, car l'Ukraine commence à Berditcheff. Ce que j'avais aperçu jusque là n'était rien. C'était le désert, le royaume du blé, c'est la prairie de Cooper, et son silence. Là, commence l'humus de l'Ukraine, une terre noire et grasse d'une profondeur de cinquante pieds, et souvent plus qu'on ne fume jamais et où on sème toujours du blé... » Le bonheur est de l'autre côté de la barrière et, même si le directeur des douanes fait soigneusement examiner ses bagages, il charge, réputation oblige, un soldat de l'accompagner pour lui servir de guide. Le samedi 11 septembre, à 11 heures du soir, il part en *kibitka* : « Cette voiture de bois et d'osier, traînée avec une vélocité de locomotive, vous traduit dans tous les os les moindres aspérités du chemin avec une fidélité cruelle », se plaint-il.

Enfin, c'est la vision du rêve, « une espèce de Louvre, de temple grec doré par le soleil couchant ». Balzac est ébloui : « Ce charmant château rose a été construit au XVIIIᵉ siècle par l'architecte italien Blerio, avec ses deux pavillons, son bâtiment central à colonnes surmontées d'un fronton avec une frise sculptée, le tout portant curieusement l'influence du style anglais Adam's. A l'intérieur, après un grand vestibule à colonnes, on entre dans la grande salle de bal. D'une hauteur de deux étages, elle aussi très style Adam's avec ses hauts-reliefs de stuc blanc rappelant le Wedgewood. » Ainsi le petit neveu de Mme Hanska décrit-il le château qu'il lui acheta plus tard. Lors de sa dernière visite à Wierzchownia, en mai 1917, il se souvient : « Pour la première fois, je fus installé dans le petit appartement de deux pièces où l'on pénétrait par un petit escalier privé de la grande et majestueuse salle à manger Empire. Cet appartement avait jadis accueilli Balzac et on prétendait que le spectre du premier mari d'Éveline y apparaissait. »

Wierzchownia passait pour la plus luxueuse résidence de l'Ukraine. Trois cents domestiques, un confiseur, un tapissier, un tailleur, un cordonnier attaché à la maison, sans compter un médecin qui exerce également les fonctions d'intendant. Plus d'orchestre, il a été licencié après le mort du comte Hanski, mais tant de richesse, tant de splendeur que Balzac n'en revient pas. En plus de la fortune et de la puissance, l'étendue des terres, avec plus de vingt mille hectares peuplés de plus de mille cerfs. Le Français admire la maîtresse de maison : « Mme Hanska est indispensable à ses enfants, elle les guide, les éclaire dans l'immense administration de ses biens. Elle a tout donné à sa fille, et je savais ses intentions depuis Saint-Pétersbourg. Je suis d'ailleurs ravi que ce bonheur de ma vie soit dégagé de tout intérêt, et je n'en suis que plus ardent à garder ce qui m'est confié. Je serai dans l'embarras encore pour environ deux années car 1848 sera si difficile à passer que j'aurai besoin encore de retarder de quelques mois l'entier paiement du solde de ma mère, à moins que mes travaux littéraires ne soient pas très productifs. Il fallait venir ici pour me rendre compte des difficultés de tout genre qui se rencontrent dans l'accomplissement de mes vœux. »

Balzac est installé comme un roi dans un délicieux petit appartement composé d'un salon, d'un cabinet et d'une chambre à coucher. Le cabinet est en stuc rose, avec une cheminée, des tapis superbes et des meubles commodes. Les croisées sont tout en glace sans tain, de sorte qu'il voit le paysage de tous les côtés. Nous sommes allés musarder dans ce château ukrainien où les cosaques, jadis porteurs de torches, escortaient à la tombée de la nuit celui qui, de manière touchante, s'était surnommé Honorevski. Devant les murs peints en vert de ce qui est devenu une école d'agriculture, nous avons recherché l'atmosphère d'antan : les longues promenades dans le parc, les airs mélancoliques joués sur son violon par Mose et les courses en traîneau sur les étangs gelés. Nous ne pouvions nous défaire des souvenirs du vieux serviteur Thomas Goubernatchouk qui parlait de Balzac le Barine avec le mélange d'éblouissement et de tendresse d'un géant courbé qui a connu tous les fardeaux de la vie : « Monsieur était un homme comme jamais je n'en ai vu. Toutes les nuits, lui si souffrant, il restait à causer avec madame jusqu'à quatre heures du matin. Ah! Je comprends qu'on cause une heure, de temps à autre, mais toutes les nuits et toute la nuit, que pouvaient-ils bien se dire ? » Le vieux domestique ajoutait : « On voyait bien qu'il était très intelligent, bien plus même que certains instituteurs français que nos voisins faisaient venir de l'étranger pour éduquer les enfants, car il n'y a qu'un homme très savant pour être délicat à ce point avec les pauvres gens et les serviteurs. » Balzac a toujours froid. Comme il ne sait qu'un mot de polonais « *proché* » ce qui veut dire « s'il vous plaît », il appelle : « Thomas, *proché*, café. » Ou bien : « Thomas, *proché*, bouillon. » Et, à la stupeur du valet de chambre, il avale d'un trait le liquide brûlant.

La vision du valet restera dans l'histoire de ces grandes amours. Un couple assis sur le tapis, à la lueur des flambeaux, à l'heure la plus avancée de la nuit, et qui parle encore avec l'animation qui est d'habitude celle de gens qui viennent de se rencontrer. L'amour jamais lassé, l'amour toujours présent, l'amour encore à venir. De quoi parlent-ils ? De tout, de la Russie dans laquelle Balzac voit la grande puissance de l'avenir à cause de ses immenses ressources en matières premières, des actions du Nord, de la politique, de la révolution, de l'avenir de l'Europe. Mais aussi d'eux-mêmes, de son enfant à elle, de leur projet de mariage. Des œuvres d'Honoré dont ils composent ensemble les intrigues, les appelant les « romans fantômes ». Il s'agit d'abord d'une pièce de théâtre consacrée à Pierre le Grand et sa deuxième femme Catherine qui se serait nommée *Pierre et Catherine* et dont Balzac réglait déjà tous les détails de mise en scène, et d'un roman sur la vie militaire se déroulant à Moscou.

Cette exaltation littéraire qui a un air de perpétuelle jeunesse ne peut cacher les problèmes de santé d'un homme usé par une œuvre titanesque. Déjà, durant le premier séjour en Ukraine, de septembre 1847 à janvier 1848, les premiers signes de faiblesse sont apparus. Lors de son retour à Paris, dans un voyage épuisant, Balzac fait, dans une lettre à Ève Hanska, l'aveu tragique de sa fatigue intellectuelle qui marque l'épuisement de ses facultés créatrices : « Ne me reprochez pas d'avoir si peu travaillé, dites-vous que j'ai fait un miracle en faisant *L'Initié* et *Un caractère de femme*. » Cela ne l'empêche pas de faire un crochet par sa chère ville de Dresde pour voir encore son antiquaire. Il rentre de Francfort à Paris par le train, le 15 février. Il a été absent pendant cent quarante-trois jours, et retrouve Paris huit jours avant que n'éclate la Révolution de 1848. En juin, il écrit à Mme Hanska :

« Je vais à Saché pour ne pas offrir aux insurgés la cible trop facile de ma forte corpulence » et quitte Paris pour se rendre chez M. de Margonne, le père naturel de son dernier frère Henri. Aller à Saché, c'était naguère vingt-trois heures de diligence. Mais pour son dernier trajet vers la Touraine, Balzac prend le train puisque le Paris-Tours a été inauguré le 1er avril 1846. Balzac écrit alors à M. de Margonne : « Je viendrai par le convoi du matin ou du soir. » Cela représente cinq heures et demie de train et on lui envoie la calèche pour venir le chercher.

VINGT ANS D'ATTENTE, DEUX ANS DE BONHEUR

Il retrouve alors ses bonnes habitudes de forçat de l'écriture. Un encrier, des plumes de corbeau bien taillées, un carnet où il note ses trouvailles et ses idées. Et le carburant sombre qui est devenu sa légende noire. Il allume sa cafetière dans la nuit, souvent un mélange de trois espèces de café : Bourbon, Martinique, Moka. Il écrit de nuit et à huit heures du matin jette sa plume pour prendre un bain chaud. Une heure plus tard, il recommence et tue des fauteuils sous lui comme les cavaliers de l'empire leurs chevaux. A Mme Hanska : « Hier mon fauteuil, mon compagnon de veille s'est cassé. C'est le second fauteuil que j'ai tué sous moi depuis le commencement de la bataille que je livre. » Son bras inlassable finit aussi par user la table qu'il décrit comme celle qui a connu toutes ses misères comme tous ses projets et entendu toutes ses pensées. Les « Balzacomanes » ont pu calculer que cinquante mille tasses de café ont contribué à la construction du système nerveux de *La Comédie humaine*.

Même si la Révolution de 1848 ne déchaîne pas son

enthousiasme, Balzac n'est pas sectaire et il est le contraire d'un réactionnaire. Surtout il ne faut pas se méprendre sur le sens de sa magnifique devise : « J'appartiens à ce parti d'opposition qui s'appelle la vie. » Les événements de Paris ont fait cesser sa pièce *La Marâtre* jouée au mois de mai et qui partait si bien : après trois représentations brillantes, le théâtre est contraint de l'arrêter. Même s'il s'est rallié à la monarchie pour les beaux yeux d'une marquise, il n'est pas dupe et son amie fidèle, Zulma Carraud, l'a bien convaincu que « ces gens-là ne seraient jamais vraiment de son parti ». Il est loin le temps où, à trente-trois ans, il déclarait : « Je réussirai par la politique, le journalisme ou un riche mariage. »

De tous ses vœux, que reste-t-il ? Peut-être le riche mariage à portée de main. Balzac a toujours été fasciné par un illuminé, Louis de Saint-Martin, né à Amboise, dont les *Études philosophiques* l'ont formé. Elles comprennent une attachante méditation sur la mort qui parfois lui revient comme une tentation. Mais en vérité, Balzac est un saint-simonien, il est dès le début convaincu qu'il vit dans un monde nouveau où le travail prime sur les privilèges du passé. S'il se déclare contre le suffrage universel, c'est qu'il pense que la masse des électeurs n'est pas suffisamment informée. De même pour lui, monarchie et religion sont davantage des emblèmes que des réalités, les images mariées de l'ordre et du travail.

L'indifférence devant une révolution qui n'est pas la sienne, les créanciers qui le poursuivent comme des furieux, la fatigue grandissante de ce créateur qui ne peut comprendre pourquoi il est sans cesse traqué le rabattent vers son rêve russe d'une femme riche qui l'attend pour lui offrir enfin l'apaisement. Mais, des

228

deux côtés, les familles sont pesantes, agressives, reven-
dicatrices. Balzac qui a encore sa mère est épuisé par
ses exigences permanentes, et il comprend bien que sa
bien-aimée, elle aussi, est poursuivie de la même façon.
Il l'écrit d'ailleurs avec une lucidité remarquable :
« C'est une personne qui a passé quarante ans et qui a
été très éprouvée. Elle est très défiante et les événements de la vie ont augmenté sa défiance à un point où
elle est extrême. Que vous ai-je dit ? Que la comtesse
appartenait à une famille nombreuse, qu'elle n'avait eu
que tracasseries et chagrins avec les siens. Ses frères lui
ont contesté sa dot, ses sœurs lui ont fait mille peines.
Elle a été si battue de sa famille qu'elle redoute surtout
d'entrer dans une nouvelle famille car celle de son mari
l'a tellement poursuivie qu'encore aujourd'hui la fortune de sa fille est en question par deux procès que lui
font les parents de son père. » Mais au-delà de tous les
tourments dans l'ombre des familles, de toutes les difficultés d'argent, de tous les rêves effacés par les cruelles
réalités, de tous les songes usés par la vie, il est là le
bonheur, réfugié dans cet amour qui perdure, toujours
plus fort. Jusqu'à la fin, Balzac écrira à Mme Hanska
des lettres enfiévrées : « Oh, Minette, je baise tes paupières, je savoure ton beau col, à cet endroit qui est
comme le nid des baisers, et je tiens tes pattes de taupe
dans mes mains, et je sens ce parfum qui rend fou... »

Deux fois Balzac a écrit au comte Ouvaroff pour
obtenir passeport et autorisation d'entrer en Russie
pour un second voyage en Ukraine. Le comte Orloff,
ministre de la police, a adressé un rapport à l'empereur
et il est favorable. Rapport apostillé en russe par le tsar
lui-même : « Oui, mais avec une stricte surveillance. »
Ouvaroff, rigide gardien de l'ordre autocratique russe,
utilise la révolution en France pour vanter auprès de

Balzac un empire apparemment sans mouvement. Il lui adresse un discours doctoral inspiré par l'esprit même de la propagande tout en prétendant privilégier la convenance personnelle du Français : « Vous trouverez ici l'oubli de la tempête qui bat le monde politique. Venez, monsieur, partager la sécurité profonde dont nous jouissons. Vous verrez que rien de ce qui a bouleversé l'Europe n'a ralenti un seul instant le progrès régulier et paisible dont vous avez été, il y a un an, le témoin. »

Le second séjour de Balzac constitue à la fois ses plus belles années de bonheur et la préface à sa fin. Diminué physiquement, il a du mal à marcher et s'appuie sur le bras de sa bien-aimée pour parcourir les allées de Wierzchownia. Le temps des souvenirs est venu ainsi que celui de matérialiser les plus beaux instants dans l'or du temps. De Wierzchownia, Balzac adresse la commande à Froment-Meurice de deux figures, *L'Espérance et la Foi*, avec l'inscription « Neufchâtel 1833 », dans un décor de ronces, de cactus et d'autres plantes épineuses. Tout l'hiver de 1848-1849 est vécu par Balzac sans récidive de l'hypertrophie dont le premier accès alarmant s'était produit à Saché, mais, en avril 1849, une nouvelle crise se déclare, l'obligeant à différer d'un mois son voyage à Kiev où il désirait se présenter au général Bibikoff, gouverneur des trois provinces de Volhynie, Podolie, Ukraine. Balzac ne peut même plus se peigner sans étouffer. Par deux fois, il est même victime d'étouffement complet. Le médecin diagnostique une hypertrophie simple et promet la guérison. Pourtant, Balzac souffre mille morts : « Parfois, je suis comme un paquet et j'ai eu des crises où j'ai eu des étouffements à mourir, suivis de vomissements d'écumes blanches, mêlés de sang extravasé dans le poumon gauche, le poumon droit est libre. Le cœur est démesurément engorgé, les parois sont épaissies... Je ne puis pas gravir le terrain le moins incliné, ni monter quinze marches, sans aller comme un cloporte. »

Le voyage à Kiev aura été sa dernière illumination russe : « J'ai vu la Rome du Nord, la ville tartare aux trois cents églises, et les richesses de la Laure, et la Sainte-Sophie des steppes. C'est beau à voir, une fois. On m'a comblé de prévenance. Croiriez-vous qu'un riche a lu tous mes ouvrages, qu'il brûle un cierge pour moi, à Saint Nicolas, toutes les semaines, et qu'il a promis de l'argent aux domestiques d'une sœur de Mme Hanska pour savoir quand je reviendrai, afin de me voir ? » écrit-il, émerveillé par sa popularité, à Laure Surville. La sérénité, c'est en longeant le Dniepr qu'il la retrouve avant son retour. Ce fleuve tranquille et majestueux auquel il aurait tant aimé que sa vie ressemble, ce Dniepr décrit par Gogol : « Beau, lorsque, par temps calme, ses flots coulent librement à travers les forêts et les collines ! L'eau ne remue pas, elle ne fait aucun bruit, vous regardez et vous ne savez pas si cette surface majestueuse est en mouvement ou immobile. On dirait du verre. Il semble que cette roue bleue comme un miroir, immense dans sa largeur, infinie dans sa longueur, s'élance et tourbillonne. »

Enfin arrive l'heure tant attendue. C'est en février 1850 que Mme Hanska prend la décision de donner ses terres à sa fille afin de pouvoir épouser Balzac. Finalement, après une démarche d'Anna et Georges Mniszech à Jitomir, auprès de l'évêque, les derniers obstacles sont levés et le mariage est célébré en l'église Sainte-Barbe de Berditcheff par l'abbé Victor Ozarowski. Les lettres triomphales que Balzac adresse à sa mère, à sa sœur et à Zulma Carraud, restituent

l'enthousiasme magnifique de l'écrivain après la cérémonie nuptiale. Quel meilleur témoin à cet événement,
crucial pour lui, que le romancier lui-même : « Ma
bonne chère mère aimée, hier, à sept heures du matin,
grâce à Dieu, mon mariage a été béni et célébré dans la
paroisse Sainte-Barbe de Berditcheff, par un envoyé de
Mgr l'Évêque de Jitomir qui aurait voulu me marier lui-
même ; mais, empêché qu'il était, il s'est fait représenter
par un saint prêtre, le comte abbé Ozarowski, l'aîné des
gloires du clergé catholique polonais. Mme Ève de Balzac, ta belle-fille, a pris, pour lever tous les obstacles
d'affaires, une résolution héroïque, et d'une sublimité
maternelle : c'est de donner toute sa fortune à ses
enfants, en ne se réservant qu'une rente. »

Pour Laure de Surville, il ajoute : « Les témoins
étaient le comte Georges de Mniszech, le gendre de ma
femme, le comte Gustave Olizar, beau-frère de l'abbé-
comte Ozarowski [...] et le curé de la paroisse. » Zulma
Carraud a droit à une lettre affectueuse où il revient
avec émotion sur leur très longue amitié : « Il y a trois
jours, j'ai épousé la seule femme que j'aie aimée, que
j'aime plus que jamais et que j'aimerai jusqu'à ma mort.
[...] Donc, dès que vous voudrez venir à Paris, vous y
viendrez, sans même nous prévenir, vous viendrez rue
Fortunée comme chez vous, absolument comme j'allais
à Frapesle. C'est mon droit. Je vous rappelle ce que
vous avez dit de moi un jour à Angoulême lorsque,
brisé d'avoir fait *Louis Lambert*, malade et vous savez
comment, je craignais la folie, je parlais de l'abandon
où l'on laisse ces malheureux : "Si vous deveniez fou, je
vous garderais !" Jamais ce mot ni votre regard ni votre
expression n'ont été oubliés. »

Ce mariage avec la comtesse polonaise semble
exaucer tous ses vœux, y compris celui d'entrer dans

l'histoire par le carrosse de la plus haute aristocratie. Ainsi n'hésite-t-il pas dans sa lettre au docteur Nacquart à rappeler que cette haute union fait de lui désormais le mari de la petite-nièce de Marie Leczinska. Rentrés à Wierzchownia le soir même du mariage, ils font un dernier séjour à Kiev à la fin du mois pour régulariser les passeports. Le jeune vieux marié y contracte une ophtalmie. Et puis, sous le dernier chant des oiseaux d'avril, dans la grosse berline de sa femme chargée de bagages, ils quittent Wierzchownia après que Balzac a longuement étreint son fidèle serviteur Thomas aux yeux embués de larmes. Balzac, au bout de la grande allée, se tourne une dernière fois vers Wierzchownia pour regarder encore ce château orné d'un fronton dont la frise représente Apollon et Pégase au galop et il a une dernière pensée pour les chefs-d'œuvre qui réchauffent ces grands salons glacés, le plus beau Greuze qu'il ait vu, deux Watteau admirables et ce tableau d'un Stuart qui l'a si fort impressionné, *Jacques II et sa première femme.*

Le printemps russe salue son départ, ce printemps si vert et si violent. Printemps de Dumas, printemps de Tourgueniev, printemps de Gogol, printemps de Balzac. A peine la neige fondue au soleil des longues journées, cette riche terre entre en amour, en folie, la vie triomphante éclate en couleurs, en parfums, en murmures. Cette ivresse de la nature étourdit l'homme, chasseur ou bûcheron égarés dans ces halliers, et sonne le temps des amours toujours recommencés. On dirait que Balzac de la berline dévore une dernière fois le paysage à la Gogol : « Car ces montagnes ne sont pas des montagnes, elles n'ont pas de base : en haut comme en bas, c'est un sommet aigu ; au dessus comme au dessous, on voit le ciel immense. Ces forêts qui se dressent sur des collines ne sont pas des forêts ; ce sont des cheveux qui ont poussé sur la tête énorme des Neskis. Au dessous, sa barbe flotte dans l'eau, et sous sa barbe comme sous ses cheveux, on voit le ciel immense. Ces prairies ne sont pas des prairies, c'est une ceinture verte qui entoure le ciel rond, et au dessus comme au dessous, plane la lune. »

Ève dans la berline couve son mari avec les yeux d'une épouse, le regard d'une mère, la lumière étincelante d'une égérie des neiges. « Je ne suis pas du tout contente de sa santé, ses étouffements deviennent de plus en plus fréquents, il est dans un état de faiblesse excessive, sans aucun appétit et des sueurs abondantes qui l'affaiblissent de plus en plus... » note-t-elle dans une lettre inquiète adressée à Anna sa fille, datée de Brody le 30 avril. De ce départ grandiose et fatal, il reste les mots d'Ève Hanska : « Mon mari revient dans ce moment, il a fait toutes ses affaires et avec une activité admirable, nous partons aujourd'hui, je ne me fais pas à l'idée de ce qu'est cet adorable être, je le connais depuis dix-sept ans, et tous les jours, je m'aperçois qu'il y a une qualité nouvelle que je ne lui connaissais pas. Si seulement, il pouvait avoir de la santé ! » Voilà la vraie Mme Hanska, l'authentique épouse de Balzac, elle qui a été tant dénigrée son existence durant et soupçonnée dans sa postérité. Au moment où elle épouse le grand écrivain, il est moribond à cinquante ans : quel intérêt a-t-elle à ruiner sa position par cette mésalliance ? Elle sent qu'il va mourir et elle veut lui donner la dernière satisfaction qu'il peut attendre de cette terre.

Le 18 août 1850, Balzac meurt à Paris, rue Fortunée. Celle qu'il a tant aimée ne reviendra jamais en Ukraine.

6

LE PLUS BEAU ROMAN DE DUMAS

Qui peut se mettre à la place de ce colosse aux cheveux crépus et grisonnants qui se regarde tout d'un coup comme un Sisyphe épuisé? Qui peut comprendre l'abattement de ce géant de la littérature soudainement délaissé par l'inspiration? Qui peut partager la souffrance aiguë de celui qui a tout possédé et voit sa chance filer comme le sable entre ses doigts? Les dettes, les procès, les brouilles lui ont déjà annoncé le désamour de la fortune. Mais cela ne lui fait pas peur, il craint quelque chose de pire : le froid glacial qui succède, implacable, à l'amour enfui. Le lit vide après les draps tièdes, la fatigue du cœur, les derniers feux de la jeunesse effacée, le désir de plaire contrarié.

L'auteur d'*Antony* ne règne plus comme autrefois sur les théâtres de Paris, la veine de ses grands romans *Les Trois Mousquetaires*, *Balsamo*, *La Reine Margot* paraît tarie et il a même entendu ce jour-là, lors d'une promenade sous les arcades du Palais-Royal, deux femmes à l'air mutin échanger une impression ironique à son égard dont il n'a pu saisir que cette expression affreuse : « C'est le vieux Dumas. » Déprimé et dépité, Alexandre Dumas rentre chez lui au 77, rue d'Amsterdam. Tout va mal pour lui, les dettes s'accumulent comme de lourds nuages, il se dispute avec ses éditeurs, il s'est brouillé avec Maquet, l'un de ses plus précieux collaborateurs. Celui-ci lui a même fait un procès qui entraîne l'opinion contre l'écrivain. Question d'âge et de vanité blessée : Dumas souffre de voir le public le dédaigner.

Cette mauvaise passe est cruellement soulignée par le succès foudroyant de son propre fils. Alors qu'il décline comme un astre mort, celui qui fut son enfant devient un soleil flamboyant. Le succès quitte le domicile de Dumas père pour frapper à la porte de Dumas fils, lequel a pris pour habitude de raconter les affaires de la famille dans des pièces de théâtre au titre évocateur comme *Le Fils naturel* ou encore *Un père prodigieux*.. Même si, de temps en temps, on joue encore une œuvre nouvelle du vieux Dumas, il est convaincu qu'il ne suscite plus l'adhésion de ses anciens admirateurs. Le 23 mars 1858, par exemple, le grand théâtre de Marseille a présenté *Les Forestiers* et le public phocéen n'a pas ménagé ses applaudissements. Mais que sont-ils pour ce géant triste qui ne songe qu'à ses triomphes passés ?

C'est en passant sur le Pont-Neuf, près de la statue du roi Henri qu'Alexandre Dumas a l'illumination qui va le sauver : « C'est un voyage qu'il me faut, jette-t-il en contemplant le ruban gris du fleuve. Et un nouvel amour ! » Mais vers quel horizon lointain partir ? Les sables d'Afrique ? Les ports de l'Atlantique ? Vers Tanger ou vers Moscou ? Vers les neiges éternelles qu'il a déjà décrites, en 1840, dans son fameux roman *Le Maître d'Armes* sans les avoir connues ?

RENCONTRE AU PALAIS-ROYAL

Comme toujours quand le destin a décidé de reprendre votre sort en main, ce n'est pas le principal intéressé qui décide. Les hasards d'une rencontre au Palais-Royal vont renverser ses hésitations. Ce ne sera pas la fuite au désert, plutôt la glissade sur les glaces de l'empire. Il faut dire qu'Alexandre Dumas est prédisposé à ce choix. Il a toujours aimé les voyages et a su en tirer une abondante copie. Ses rêves de Russie sont anciens et datent même de ses débuts. Il y est connu et son succès est grand à la cour de Saint-Pétersbourg. Dès 1829, le grand acteur Karatiguine jouait le duc de Guise dans *Henri III et sa cour* et sa femme était parfaite dans le rôle de la duchesse Catherine. Ce succès théâtral en Russie avait entraîné une véritable révolution littéraire : les héros rebelles de Dumas, d'*Antony* à *Kean*, inquiètent autant le monde officiel qu'ils enthousiasment les libéraux comme Herzen ou Bielinski qui adorent le Français. Celui-ci a eu l'idée, en 1839, d'offrir le manuscrit orné et relié d'une de ses pièces, *L'Alchimiste*, à Nicolas Iᵉʳ. Ce qui a décidé Dumas c'est le retour d'Horace Vernet. Le peintre a fait en Russie un voyage triomphal et a même reçu du tsar l'ordre de Saint-Stanislas. Dumas, qui est fou de décorations, convoite alors ce hochet fabuleux. Un agent secret du gouvernement russe le fait savoir au comte Ouvarov, ministre du tsar, en expliquant dans sa note qu'il serait habile de satisfaire un écrivain qui, par sa prodigalité littéraire, serait bien capable, à son retour, de retourner une opinion française très antirusse... Ouvarov, convaincu, fait savoir au tsar que l'ordre de Saint-Stanislas serait bien plus visible sur la poitrine de Dumas que nulle part ailleurs. Alors que l'idée fait son chemin — elle n'aboutira que quelques années plus tard —, le théâtre du hasard frappe ses trois coups au Palais-Royal.

Les Russes ont toujours aimé le Palais-Royal. Déjà en mai 1717, Pierre le Grand, assisté de son ambassadeur le prince Kourakine, a eu un long entretien sur la situation en Europe dans un cabinet du Palais-Royal avec le Régent Philippe d'Orléans. L'un des premiers romantiques russes, Karamzine, laisse une lettre de voyageur datée du 27 mars 1790 qui décrit fort bien la magie des lieux : « Nous sortîmes des galeries et nous nous assîmes dans l'allée des marronniers. Là régnaient le calme et l'obscurité... D'une allée s'échappaient les sons voluptueux d'une tendre musique, un petit vent frais faisait frissonner les jeunes feuilles des arbres. Des "Nymphes de Joie" s'approchèrent de nous l'une après l'autre, nous jetèrent des fleurs, soupirèrent, se mirent à rire, nous appelèrent de leurs grottes, nous y promirent une quantité de plaisirs et disparurent comme des apparitions d'une nuit de clair de lune... » Vingt ans plus tard, c'est au tour du poète Batiouchkov de goûter au charme de ce site enchanteur et libertin : « Passant devant le théâtre français, je me frayai un chemin jusqu'au Palais-Royal, ce centre du bruit, du mouvement, des filles, des nouveautés, du luxe, de la misère, de la débauche. Celui qui n'a pas vu le Palais-Royal ne saurait s'en faire une idée. Dans le meilleur restaurant, chez le fameux Véry, nous mangeâmes des huîtres et les arrosâmes de champagne à la santé de notre souverain, notre bon Tsar. Après nous être un peu reposés, nous parcourûmes les magasins et les cafés, les caves, les cabarets, les rôtisseries de marron... » C'est au Palais-Royal encore qu'on peut rencontrer un de nos héros, le prince Serge Volkonski ce décembriste qui, après toutes ses années de bagne, viendra y humer la douceur de vivre, promenant auprès des fontaines sa nostalgie de Bonaparte inachevé, à deux pas du Café de Chartres — aujourd'hui le Grand Véfour — où l'homme du 18 Brumaire avait justement sa table.

Au-delà des séductions de la galanterie, ce rendez-vous de l'élégance est déjà un rendez-vous de l'Histoire. La révolution y a commencé avec Camille Desmoulin et sa cocarde verte, et Tourgueniev qui en est le promeneur fidèle en 1848, à la veille d'une autre révolution, ne peut oublier qu'il y a rencontré un personnage des plus mystérieux : « Homme de haute taille, sec et maigre, aux cheveux noirs grisonnants, portant sur son nez aquilin des lunettes en fer rouillé et à verres fumés. » Un être énigmatique qui lui prédit qu'avant la fin du mois la France sera une république et que les Bonaparte reprendront le pouvoir d'ici la fin de l'année. Tourgueniev fera le récit de cette étrange rencontre dans *Monsieur François* qui paraîtra en 1879.

Les mystères de l'Histoire sont à nouveau au rendez-vous quand Alexandre Dumas est mis en présence d'un couple de grands seigneurs russes. Début juin 1858, tard dans la nuit, dans un appartement du premier étage de l'Hôtel des Trois Empereurs, le comte et la comtesse Grégoire Kouchelev-Bezborodko invitent Alexandre Dumas à les accompagner à Saint-Pétersbourg. L'auteur des *Trois Mousquetaires* accepte et nous présente lui-même, dans son *Voyage en Russie*, avec son don des portraits pittoresques, la famille Kouchelev : « Avant de nous mettre en route, il convient que nous vous fassions faire connaissance avec nos compagnons de voyage. Si, vers la fin de l'hiver dernier, vous avez passé, par hasard, de minuit à quatre heures du matin, sur la place du Palais-Royal, vous avez dû voir une chose qui faisait la stupéfaction des cochers de fiacre et des balayeurs, seules créatures humaines qui aient le droit d'être éveillées à de pareilles heures. C'était tout un premier étage de l'hôtel des *Trois Empereurs* avec un balcon tout garni de rosiers, de camélias, de rhododendrons et d'azaléas, éclairé *a giorno*, et laissant entrer l'air et la fraîcheur de la nuit par ses quatre fenêtres, toutes grandes ouvertes, à moins que Sivori ne jouât ses ravissantes études sur le violon, ou Ascher ses merveilleuses mélodies sur le piano.

Dans ce salon, et à travers les fenêtres ouvertes et les fleurs épanouies, on voyait, de la rue, causer, se promener, gesticuler une douzaine d'hommes, parlant d'art, de littérature, de politique, de bric-à-brac, de tout, excepté de bourse et d'agio; causant, enfin, — chose plus rare que l'on ne croit — qui n'a jamais existé qu'en France, et qui, en France, j'en ai bien peur, commence à se perdre, grâce à l'introduction du cigare et à la fuite des soupers. De temps en temps, une jeune femme de vingt-trois à vingt-quatre ans, svelte comme une Anglaise, gracieuse comme une Parisienne, paresseuse comme une Asiatique, se levait du sofa où elle était couchée, prenait sans préférence le bras de celui qui se trouvait le plus près d'elle, et se traînait nonchalamment jusqu'au balcon, où elle apparaissait, ensevelie jusqu'à la ceinture dans les fleurs.

Là, elle respirait, regardait vaguement le ciel, laissait tomber quelques paroles qui semblaient, comme celles des elfes et des willis, dites pour un autre monde que le nôtre, et rentrait, après un instant, pour reprendre son attitude à moitié orientale, à moitié européenne. Il est vrai que, si une polka résonnait, si une mazourka se faisait entendre, la nonchalante enfant du Nord se redressait, s'animait, et, bondissant, vive et légère comme une fille de Séville ou de Cadix, ne s'arrêtait que quand la musique avait cessé, que quand la fanfare s'était éteinte.

Dans ces instants de surexcitation, qui, visiblement, ne font point partie de sa vie habituelle, sa physionomie change comme ses habitudes : son œil de velours, d'ordinaire plutôt languissant que vif, entouré d'un cercle de bistre que l'on croirait tracé par le plus habile pinceau arabe, lance les feux du diamant noir ; son teint, uni comme la feuille du camélia, s'infiltre d'une teinte de carmin qui fait pâlir les roses qu'elle respire ; son nez, d'une finesse extrême, se dilate ; sa lèvre se retrousse et laisse voir des dents petites, fines et blanches, qui semblent alors plutôt faites pour la menace que pour le baiser.

Presque toujours, elle trouve moyen, dans les courbes qu'elle décrit au moment où elle a quitté son ottomane, de passer à portée d'un jeune homme de vingt-cinq à vingt-six ans, d'une taille ordinaire, très mince, au visage pâle, aux yeux brillant d'un éclat étrange qui, s'ils se fixaient, deviendraient fascinateurs, comme ceux de Manfred et de lord Ruthwen ; à la main délicate et transparente, chargée de bagues ; au pied mince et fin, comme celui des races aristocratiques. En passant, elle lui tend le front ou la main, et lui, avec un sourire qui colore une seconde sa pâleur, pose doucement ses lèvres sur ce front ou sur cette main, avec la même délicatesse qu'il le ferait sur un anneau ou sur une fleur.

Cette jeune femme, c'est la comtesse; ce jeune homme, c'est le comte Kouchelef-Bezborodko.

Tous deux sont Russes; le mari, de vieille race, moitié cosaque, moitié russe. Bezborodko apparaît le premier dans les fastes historiques. Bezborodko appartenait à la ligne des Cosaques Zaporogues, retranchés derrière les cataractes du Dnieper. Dans une guerre contre les Turcs, il eut le menton emporté. De là surnom de Bezborodko, *sans menton*.

Vous le voyez, c'est de la noblesse à la manière de Gœtz de Berlichingen, la vraie, la bonne, la belle : qui sème sur les champs de bataille a droit de récolter dans l'histoire.

La famille apparaît avec ce surnom du temps d'André Michaelovitch. André Bezborodko est le dernier écrivain général et grand juge des Cosaques Zaporogues. Un jour, le feld-maréchal Romanzof passe par l'Ukraine et demande au dernier hetman Razoumovski un chef de chancellerie. L'hetman lui donne Alexandre Bezborodko. »

Celui-ci deviendra, grâce à la protection de Catherine II, un célèbre homme d'État russe, ministre de l'Intérieur, puis ministre des Affaires étrangères. Ami des arts, célèbre par son faste et aussi par ses débauches, il possédait un véritable harem, gardé par un eunuque à qui il avait fait conférer la croix de Saint-Vladimir. Alexandre Dumas s'est fait écho d'une légende persistante selon laquelle, au moment de la mort de Catherine II, Bezborodko aurait livré à Paul Ier le testament de l'impératrice prononçant la déchéance de son héritier direct au profit du fils de ce dernier, le tzarévitch Alexandre. Les historiens modernes ne confirment pas ces rumeurs. Cependant Paul Ier garda

Bezborodko au pouvoir, ce qui ne fut pas le cas de la plupart des favoris de Catherine.

Le jeune comte Grégoire Alexandrovitch Kouche-lev-Bezborodko, qui invite Alexandre Dumas en Russie, est son arrière-petit-neveu. Nul doute que, dans la décision que prend l'écrivain de partir vers l'empire du Nord, soit intervenu un extravagant Écossais, Daniel Douglas Home, très présent auprès du couple. A mi-chemin entre une figure de Walter Scott et un personnage de Dumas, Home ne pouvait que retenir l'attention et exciter la curiosité toujours en éveil du romancier. Laissons le soin à un écrivain russe rendu célèbre par le récit de ses voyages maritimes, Grigorovtich, de nous décrire la rencontre entre l'Écossais fantasque et l'auteur du *Comte de Monte-Cristo* : « En voyageant avec sa famille à l'étranger, le comte Kouchelev a rencontré le célèbre spirite Daniel Home, "le sorcier écossais" comme l'appelle Dumas. Il commence sa relation avec le couple des grands seigneurs russes comme une relation d'amitié. Elle tournera vite au coup de foudre quand l'Écossais portera ses yeux ardents sur la sœur de la comtesse, Alexandrine Krol. Les richissimes Russes sont ravis de ce choix mais imposent une unique condition : que le porteur de kilt amène sa cornemuse d'amour jusqu'à Moscou et que les noces aient lieu sur place dans le rite orthodoxe car une vraie Russe de bon rang, fidèle à la souveraineté de son Tsar, ne pourrait se marier hors des frontières de l'Empire. Les discussions et les préparatifs de mariage vont bon train : choix des fleurs, choix des chœurs, choix de la robe. Tard dans la nuit, on en parle encore à l'auberge des *Trois Empereurs* tandis que les épaisses paupières d'Alexandre Dumas battent le rappel du sommeil mérité. Dumas sort peu à peu de sa torpeur dépressive car, avec cette histoire de mariage entre un celte et une slave, il a retrouvé son élément naturel : le roman. La description de l'illumination prévue comme sommet de la fête nuptiale emporte l'adhésion et l'enthousiasme de Dumas qui cligne les yeux comme un enfant qu'on a réveillé la nuit pour une surprise divine. Il croit voir déjà la féerie : les arbres du parc s'agitent violemment, leurs cimes se tordent dans les airs comme des torches, la verdure est irradiée de lumière et les feuillages de feux d'artifice, artillerie de merveilles et bouquets d'éclats célestes. Le comte détecte dans le réveil de son interlocuteur les signes d'une approbation. Dans quelques instants, le grand Dumas ne résistera plus à son invitation en Russie. C'est mal connaître la curiosité de l'écrivain qui est comparable à son appétit d'ogre. Il veut bien partir mais il veut tout voir, il veut croquer les forêts, goûter les lacs, manger des provinces entières et enfin avaler l'Empire. Sa boulimie de paysage n'a d'égal que sa boulimie de rencontres et de découverte. Comprenant l'étendue gargantuesque de ses désirs, le comte russe qui, à l'origine, ne lui avait parlé que de Saint-Pétersbourg entreprend pour séduire le Français l'énumération interminable de ses propriétés. Il danse devant lui la pavane de ses possessions : un palais bouton d'or et vert amande à Saint-Pétersbourg bien sûr, mais aussi une datcha de chasse aux environs de Moscou dont les proportions sont comparables à Fontainebleau sans oublier sa propriété immense fourbie de bécasses sur les bords de la Volga et, bien entendu, son palais aux coupoles orientales dont les balcons ouvragés et dorés sont à pic sur les flots bleus de la mer Noire. Soulagé, Dumas ne dit rien. Il se lève, prend dans ses bras le comte russe, puis baise respectueusement les mains de la comtesse, salue d'un air complice l'Écossais aux yeux fous et rentre chez lui où, seul devant les braises mourantes de son foyer, il pousse devant la cheminée un long cri de Tartare : La Russie va le sauver ! »

Fini les pleurs amers sur soi-même, adieu à la mélancolie du séducteur qui s'est, un temps, considéré comme le gibier du temps qui passe. Avec ce rêve de Russie, toute la vitalité de Dumas est soudainement ressuscitée. Il se précipite vers la malle d'osier où sont entassés ses costumes de fantaisie et se compose en quelques minutes une martiale tenue d'ataman dont il n'a qu'à se féliciter devant son miroir. Dumas ne sait pas encore combien cette retraite en Russie va lui être profitable. Elle va durer plus de sept mois, de juin 1858 à février 1859. Et les trois derniers mois, il les vivra en apothéose dans un Caucase en feu. Ce voyage lui apportera des amitiés enthousiasmantes, des amours cachées, des baisers enflammés mais aussi la réconciliation avec l'inspiration, la matérialisation pour lui de sa célébrité qui a fracassé les frontières et la récompense essentielle du retour à l'écriture dont naîtront trois livres, une sorte de trilogie des neiges, avec deux volumes intitulés *Le Voyage en Russie* et un troisième consacré à sa découverte, aux accents héroïques, d'un intrépide Caucase. C'est à un travail de titan que la Russie abonne Alexandre Dumas.

Au-delà de tout ce qu'il va entreprendre, au-delà de ses traductions de Pouchkine, de Lermontov, des écrivains de caractère historique russe Lajetchnikov et Bestoujev-Marlinski, il prépare une anthologie de la littérature russe — ce qui ne l'empêchera pas d'écrire aussi un livre de recettes culinaires slaves — et plonge de Saint-Pétersbourg à Moscou dans ce monde littéraire qui lui a donné de nombreux amis. Mais ce n'est pas tout,

245

Dumas demeure directement lié à la France à laquelle, avec une régularité métronomique, il donne de ses nouvelles. N'oublions pas que Dumas veut toujours étonner son public et qu'il a créé pour cela son propre journal qu'il rédige de la première à la dernière ligne, un « journal hebdomadaire de roman, d'histoire, de voyage et de poésie » comme lui-même le qualifie. Cet organe de presse, *Le Monte Cristo*, avait succédé au *Mousquetaire* et offrait, pour la somme modique de quinze centimes, seize pages chaque semaine du conteur préféré des Français. Un public conquis d'avance attendait chaque jeudi pour se repaître des rêves et des errances de son cher Alexandre. Dumas, en maître de la machinerie mystérieuse de l'intrigue, sait qu'il faut toujours étonner le lecteur, le surprendre et ne le laisser que stupéfait. Aussi se lance-t-il des défis qu'il a à cœur de surmonter. Voyages immenses dont il adressera le reportage continu en copies saccadées à ses lecteurs impatients. La guerre de Crimée est finie, un tsar d'esprit libéral, Alexandre II, vient de succéder au sévère Nicolas Ier et Alexandre Dumas obtient sans difficulté son visa. C'est dans le numéro du 24 juin, daté de Stettin, que *Le Monte Cristo* publie son premier message : « Chers lecteurs, vous le voyez, je vous tiens parole, et si je ne vous écris pas précisément de la capitale de la Prusse, je vous écris de l'un de ses deux ports de mer... » Le même jour, notre touriste inspiré s'embarque pour Saint-Pétersbourg et fait parvenir à son journal une série de causeries intitulées *De Paris à Astrakan*, titre qu'il reprendra dans ses volumes de 1858 et 1860. Avec une rapidité étonnante pour l'époque, la copie de Dumas composée sur place arrive à l'heure voulue à Paris et paraît régulièrement. Le livre se fait au rythme de sa marche...

Avant de partir, Dumas fait à ses lecteurs une promesse et un plan de parcours : — « Vous savez que j'ai accepté l'invitation que m'a faite un ami d'aller à Saint-Pétersbourg être le garçon de noces de sa belle-sœur, qui se marie, et d'assister, en même temps, à cette grande opération de l'affranchissement de quarante-cinq millions de serfs. Je compte bien ne pas m'en tenir à Saint-Pétersbourg.

Quand j'aurai marié la sœur de mon ami, vu la perspective Nevski, l'Ermitage, le Théâtre-Français, le palais de Tauride, Saint-Paul, les îles Jélaghin, la grande Millionne, l'église de Kasan, la statue de Pierre Ier; quand j'aurai passé sur la Neva quelques-unes de ces belles nuits transparentes où l'on peut lire l'écriture de la femme que l'on aime, si fine qu'elle soit, je partirai pour Moscou.

Mais d'abord, sur la route de Moscou, je trouverai Tver, la ville des douze mille bateliers, avec son fort, bâti en 1182 par Vsevolod, prince de Vladimir, qui devint, comme notre Bourgogne et notre Bretagne, une principauté particulière, laquelle ne cessa d'exister qu'en 1490, sous Ivan III, le Louis XI du Nord, qui tua le second de ses fils et mit l'autre dans un cachot ; ce qui ne l'empêcha pas de s'appeler Ivan le Grand ; car il avait affranchi son pays du joug des Tatars, et il est toujours grand aux yeux de la postérité, celui qui chasse l'étranger de sa patrie.

Puis, nous entrerons dans la ville sainte, pleine encore du souvenir d'un de nos désastres grand comme une victoire. Nous monterons sur la citadelle des Tsars pour voir non seulement les coupoles dorées ou peintes en vert de ses palais, les clochers de ses églises, ses quartiers, appelés la ville de terre, la ville blanche, la ville chinoise et le Kremlin, la tour d'Ivan le Grand — la plus haute de la ville, qui autrefois renfermait une cloche pesant trois cent trente mille livres, — son palais anguleux, l'arsenal, le théâtre, la cathédrale, mais encore la trace de ce feu terrible qui dévora une ville de trois cent cinquante mille habitants et gela une armée de cinq cent mille hommes. Nous descendrons le cours de la rivière pour aller chercher, dans les plaines de la Moskowa, le reste de la grande redoute où tomba Caulaincourt et où Ney reçut son titre de prince. Nous reviendrons à Moscou pour visiter ses bazars, qui sont déjà l'Orient, sa place de Krasnoï, sa porte de Saint Vladimir; enfin nous raconterons ces merveilleuses légendes de Mentchikof, le marchand de petits pâtés, et de Catherine, la servante lithuanienne.

Puis, nous partirons pour Novgorod-la-Petite, Nijni-Novgorod : car ce sera l'époque de cette splendide foire qui attire les marchands de la Perse, de l'Inde, de la Chine; où l'on trouve les armes du Caucase, les argenteries de Toula, les cottes de mailles de Tiflis; où l'on vend en bloc les malachites et les lapis-lazuli; où l'on mesure les turquoises au boisseau; où l'on achète au ballot les étoffes de Smyrne et d'Ispahan; où vient, enfin, ce fameux thé de la Caravane, que la Russie paye au poids de l'argent, l'Angleterre et nous au poids de l'or.

Notre curiosité assouvie, nous nous embarquerons sur le Volga, ce roi des fleuves de l'Europe, comme l'Amazone est la reine des rivières de l'Amérique; qui arrose les gouvernements de Tver, de Jaroslav, de Kostroma, de Nijni-Novgorod, Kasan, Simbirsk, Saratov et Astrakhan; qui reçoit à droite l'Oka, à gauche la Soura, la Mologda, la Cheksna, la Kama, l'Oufa, la Samara, et qui, après un cours de six cents lieues, tombe par soixante et dix ouvertures dans la mer Caspienne.

Alors, nous trouverons Astrakan, avec ses trois bazars, destinés aux Russes, aux Indous, aux Asiatiques ; Astrakan, qui touche de la main droite aux Cosaques du Don, de la main gauche aux Cosaques de l'Oural, qui, en tournant la tête, perd son regard dans les immenses steppes des Tatars Kirghis, dont les vagues de verdure sont aussi mouvantes et aussi régulières que les flots de la mer Caspienne.

Là, nous nous arrêterons quelques jours pour revoir ces hommes à la longue barbe, au bonnet pointu, aux larges culottes rouges, dont la lance, l'arc et le carquois ont été l'effroi de notre enfance ; qu'une tempête de neige a enlevés aux bords de l'Asie et du Turkestan, et jetés, comme au temps d'Attila, dans nos plaines et dans nos villes ; nous chasserons l'outarde sur ces petits chevaux descendants de ceux qui ont mordu l'écorce des arbres du bois de Boulogne et essayé d'arracher de son piédestal de bronze la statue de Napoléon ; puis, quand nous aurons visité ces pêcheries immenses qui fournissent ces esturgeons dont la chair d'un seul ferait le repas d'un village, ces sterlets dont le prix d'un seul ferait la fortune d'une famille, nous reprendrons le bateau à vapeur, qui nous fera faire halte à Kislar et à Derbent en nous conduisant à Saliars. Là, nous remonterons le Kour jusqu'aux steppes de Karaïa, où une tarantasse nous attendra pour nous conduire à Tiflis.

Respirons un instant dans la *ville chaude*, ainsi nommée de ses bains sulfureux. Mettons-nous à la fenêtre du palais de la charmante princesse Marie Galitzine et regardons aller l'Europe dans l'Inde et l'Inde dans l'Europe.

Nous sommes sur leur passage, dans la capitale de la Géorgie, dans la résidence des rois de Karthli. Gengis-Khan, au XIIe siècle, Mustapha-Pacha, en 1576, l'ont prise et ravagée ; Aga-Mohammed-Khan l'a détruite deux cents ans après ; enfin, les Russes l'ont prise et rebâtie en 1801.

C'est aujourd'hui une ville splendide avec quarante mille habitants, deux archevêchés, l'un géorgien, l'autre arménien, une belle cathédrale, des casernes et des bazars.

Nous sommes au pied du Caucase, et nous allons avoir à passer devant le rocher où fut cloué Prométhée, et à visiter le camp de Schamyl cet autre titan qui, de même que Job l'excommunié luttait dans son burg contre les empereurs d'Allemagne, lutte, lui, dans sa montagne, contre les Tsars de Russie.

Schamyl connaît-il notre nom et nous permettra-t-il de coucher une nuit sous sa tente ?

Pourquoi pas ? Les bandits de la sierra le connaissent bien, et nous ont bien permis de coucher trois nuits sous leurs huttes.

Cette visite faite, nous descendrons dans les plaines de Stavropol ; nous laisserons à notre droite les Kalmouks tatars, à notre gauche les Cosaques de la mer Noire ; nous nous arrêterons à Rostov, sur la mer d'Azof, les anciennes Palus-Méotides ; nous prendrons une barque et nous irons visiter Taganrog, où Alexandre mourut de regret, — peut-être de remords, — et Kertch, l'ancienne Panticapée des Milésiens, où Mithridate, poursuivi par les Romains, se donna la mort ; de là, nous remonterons sur le bateau à vapeur, qui nous déposera deux jours à Sébastopol, nous reprendra pour nous conduire à Odessa, et nous déposera à Galatz.

Alors, je me retrouverai dans les domaines de mes anciens amis les hospodars d'Iassy et de Bucharest, des Stourdza et des Ghika. Je serrerai la main en passant au caïmacan actuel, que j'ai connu enfant et déjà prince de Samos. Je verrai si Semlin et Belgrade sont toujours en guerre ; je remonterai jusqu'à Vienne ; j'y visiterai Schoenbrünn, le palais-tombeau ; Wagram, la plaine aux souvenirs terribles ; l'île de Lobau, où Napoléon reçut du fleuve qu'il voulait enchaîner, comme Xerxès, le premier avertissement de la destinée.

Vienne, c'est Paris : en trois jours, je me retrouverai au milieu de vous et je vous dirai, chers lecteurs : "J'ai fait en six mois trois mille lieues ; me reconnaissez-vous ? Me voilà." »

QUAND PORTHOS VOYAGE EN RUSSIE

L'imaginaire de Dumas fonctionne comme une invincible armada. Les fleuves russes sont les supports des navires de son inspiration. Aucune minute n'est jetée par-dessus bord et sur le pont, par ses lectures comme par les récits de ses compagnons, il s'initie à l'histoire des Romanov qui, par ses tragédies et ses scandales, a tout pour plaire à sa plume en alerte. Enfin, le vapeur entre dans la Neva. Dumas débarque, admire les *drojkys* avec leurs cochers à longues robes, leurs bonnets « en pâté de foie gras » et leur plaque de cuivre en losange, accrochée dans le dos. Il fait la connaissance du pavé de Saint-Pétersbourg à la réputation redoutable dont on a pu dire qu'il détruit en trois ans les voitures les plus robustes. Avec le comte et la comtesse, ses amis, il assiste dans leur grand salon à la « Messe du bon retour » dite par le pope à la maison. Les Kouchelev-Bezborodko n'ont pas menti à Alexandre Dumas et chez eux la réalité dépasse les promesses. Ils sont plus Monte Cristo que Monte Cristo lui-même. Leur parc a trois lieues de tour et dans leur entourage vivent deux mille personnes. De Saint-Pétersbourg, Alexandre Dumas se rend à Moscou où le reçoit le comte Naryschkine qui avait pour compagne la plus charmante des Françaises, Jenny Falcon. Le voyageur impénitent ne répond-il pas prématurément à la profession de foi de Valery Larbaud : « Des villes, encore des villes. J'ai des souvenirs de villes comme on a des souvenirs d'amour » ? En voyant Jenny, la « fée gracieuse », sœur de la fameuse cantatrice Cornélie Falcon, Dumas a un coup de cœur. Serait-elle celle qu'il attend mystérieusement après avoir parcouru ces milliers de verstes ? Il entreprend aussitôt de lui faire la cour. Et il se montre pressant : « Je ne sais que vous baiser la main en enviant celui qui baise tout ce que je ne baise pas. » Il faudra attendre un demi-siècle pour savoir si la compagne du prince Naryschkine a effectivement cédé au fascinant visiteur. C'est elle-même qui, octogénaire, en fera la confidence, en commençant par le couplet du « Dumas me célébrait du temps que j'étais belle... » puis en laissant entendre, avec un brin de nostalgie, qu'il lui avait été impossible de résister à la fougue du mousquetaire !

Jenny Falcon n'est pas la seule égéries des neiges séduites par le géant gourmand. Les rapports de la police impériale que nous avons pu compulser dans les archives secrètes du fameux « Troisième département », redoutable instrument de répression de Nicolas Ier, révèlent le nom de plusieurs de ses maîtresses, dont une certaine Mme Vilnet, sœur d'un comédien français célèbre à Moscou qui accompagnait Dumas dans ses sorties. Il y eut également ce coup de foudre pour une cosaque brûlante aux sourcils en demi-lune que nous évoquerons plus loin. L'étonnant libertinage qui avait cours dans le monde littéraire de l'époque explique la facilité avec laquelle Dumas passait d'une conquête à l'autre. Il suffit de citer le cas de ses meilleurs amis, les Panaev, qui entretenaient avec le poète Nekrassov, directeur du journal *Le Contemporain*, des liens si étroits qu'ils semblaient être trois à supporter les contraintes trop lourdes du mariage.

Au-delà des amours qu'il lui offre, le voyage russe d'Alexandre Dumas va être l'occasion d'une mise en scène prémonitoire d'un roman qui n'est pas encore écrit. Ne dirait-on pas que, au milieu des cercles d'admirateurs fascinés qu'il découvre ville après ville, Alexandre Dumas devient un personnage de Gogol ? Pressé de toutes parts, investi d'une estime imaginaire du tsar, convoité pour sa célébrité et les services qu'il pourrait rendre en haut lieu, il se retrouve dans la situation du personnage central du *Revizor*. On s'adresse à lui comme à un véritable Khlestakov, sollicitant de sa part des interventions au sommet, des recommandations, des autographes innombrables, ou encore la présentation à une jeune héritière qu'il ne peut manquer de connaître dans la bonne société de ses proches en Russie. Les Mémoires de Panaev en témoignent : « A Saint-Pétersbourg, écrit-il, Dumas est assailli pas ses innombrables compatriotes qui exigent de lui qu'il place leur épouse dans un théâtre comme si c'était sa fonction d'y faire la promotion du théâtre français, pendant que d'autres se proposent comme secrétaire, pensant qu'il est secrètement investi d'une haute mission par le gouvernement russe. Quant aux troisièmes, ils rêvent par l'intermédiaire des hautes relations de l'écrivain d'un mariage avantageux dont il se ferait metteur en scène. »

Il faut dire, comme le remarque finement Panaev,

que le physique de Dumas contribue grandement, même à son corps défendant, à ce rôle de protecteur puissant. Haute taille, corpulence impressionnante, force, gaieté et santé à revendre, chevelure drue composent cette stature de commandeur bienveillant qui attire tout autant l'amour que le respect mais aussi les sollicitations incessantes et la recherche des faveurs. Ce même physique prodigieux attire la sympathie des Russes qui croient reconnaître en lui un barine exubérant et l'aiment avec un naturel sans précédent. Il sera au moins aussi fameux en Russie qu'il l'est en France.

Au cours de sa tournée triomphale à travers les provinces russes, alors qu'il goûte l'ivresse d'une nouvelle liberté et d'un renouveau certain, Dumas ignore que son périple est sous surveillance. Chacun de ses pas est suivi par la police impériale et le tsar en personne est informé, jour après jour, de tout ce qu'il fait sur le territoire de l'empire. Il n'est pas le seul : tous les écrivains français sont filés par la police, surtout depuis la publication du livre de Custine, *La Russie en 1839*, qui a outragé l'autocrate russe. En ce qui concerne Dumas, la preuve en est apportée par l'ordre envoyé le 18 juillet par l'homme de confiance d'Alexandre II, son aide de camp, le prince Dolgorouki, dans les coins les plus reculés de la Russie : « Faites-moi le rapport immédiat de vos observations secrètes et discrètes sur la personne de cet écrivain français, fort bien connu chez nous comme en France. » Les rapports arrivent au siège de la police. Les plus grands fonctionnaires locaux, gouverneurs, princes et comtes, stimulés par cette proximité littéraire, tentent de transformer des ragots en chefs-d'œuvre, y ajoutant toujours un petit couplet psychologique qui pourra différencier leur envoi d'un banal rapport de basse police. Certains iront jusqu'à pasticher le style d'Alexandre Dumas afin d'être repérés par l'empereur. L'un de ces puissants potentats de province, le général prince Baratinski, va jusqu'à émettre une idée neuve qui fera son chemin jusqu'au régime soviétique : celui de proposer au visiteur étranger le charme d'un interprète qui rapporterait tout en haut lieu. Quand nous avons pu étudier ces papiers expédiés par les gouverneurs provinciaux d'Alexandre, c'est comme si nous avions découvert le roman d'une Russie qui signait d'elle-même son état des lieux. Le 18 septembre, de Moscou, le général Perfilev rapporte : « En conformité avec l'instruction secrète de Votre Altesse, j'ai l'honneur de vous faire savoir que l'écrivain français Dumas (père), dès son arrivée à Moscou au mois de juillet, a vécu chez messieurs Naryschkine, ses proches connaissances qu'il avait rencontrées tout d'abord à Paris. De nombreux admirateurs de son talent littéraire et, bien sûr, les gens de lettres ont cherché à faire sa connaissance. Ils ont été présentés à l'écrivain français, le 25 juillet, pendant la promenade publique dans le jardin d'Eldorado. Le 26 juillet, dans ce même parc, une fête éblouissante a été organisée sur le thème : "La nuit du Comte de Monte Cristo." Le parc tout entier était illuminé et deux énormes lettres majuscules, les initiales A.D., brillaient phosphorescentes dans la nuit au-dessus de la masse des invités, ornées de guirlandes et de majestueuses couronnes de lauriers. La même journée, le prince Galitzine a donné un dîner fastueux avant que Dumas ne se rende à la fête de nuit. Il est toujours entouré par les deux princes Narychkine, d'un peintre français et bien entendu de madame Vilnet, sœur de l'acteur français qui, comme on l'affirme, est toujours aux côtés de Dumas dans ses voyages. Pendant son séjour à Moscou, Dumas découvre d'une

255

manière assidue les curiosités de la ville et parcourt les faubourgs.

« Au début du mois d'août, en compagnie des fils du général Arjenevski, il a rendu visite à leur père dans sa propriété qui se trouve à côté du village de Borodino. Là, il a attentivement étudié les monuments et la situation des anciennes batailles de 1812, visitant aussi le monastère Kolotchk et le palais de Borodino alors en travaux dans l'attente de la venue prochaine de la famille impériale. Dans la famille du prince Narychkine où habitait Dumas, on lui dresse des éloges. On le présente comme un homme affable, sans prétention, et un interlocuteur aimable. Sa passion est de préparer par lui-même ses propres plats et l'on dit qu'il est maître en matière de cuisine (cette dernière phrase est soulignée de la main du Tsar lui-même). Nombreux sont ceux qui, tout en reconnaissant les mérites littéraires de Dumas, le prennent pour un homme léger. Et pour cette raison, ils l'évitent ou gardent leur distance dans les conversations avec lui de peur qu'il les fasse apparaître dans ses croquis de voyage ou qu'il rapporte leurs propos en les caricaturant. »

L'AUTRE COMTESSE ROSTOPCHINE

En vérité, les Russes se sont montrés beaucoup plus ouverts que ne le pensent les policiers. Ainsi les sœurs Chouvalov, ravissantes et coquettes, qui accompagnent Dumas sur le champ de bataille de Borodino, la Moskowa des Français, à la recherche de fantômes napoléoniens. Les deux sœurs se disputent l'attention du grand Français, mais leurs yeux sont parfois distraits par un écrivain flamboyant qui fait partie de cette expédition commémorative, le séduisant Ilya Salov qui ne lâche pas Dumas d'un pas et lui apporte sa connaissance remarquable de l'histoire et de la stratégie. Dumas est volubile et voudrait bien raconter la bataille comme si elle se déroulait sous ses yeux. Mais, même lui dont l'éloquence est tonitruante ne parvient pas à placer un mot tant les comtesses sont exubérantes. Les joues en feu, elles vont jusqu'à prétendre que ce sont les Français et non les Russes qui ont brûlé Moscou. C'en est trop pour Dumas qui, furieux, se met à gesticuler et s'exclame : « Les grands hommes font de grandes erreurs. Celle de Napoléon fut d'entrer dans Moscou, c'est entendu, mais brûler la ville, ça, jamais ! » Afin d'apaiser sa colère, les petites comtesses l'encadrent et le prennent chacune tendrement par le bras sur le chemin du retour. Aussitôt le bon géant retrouve un sourire satisfait. Le parfum des jeunes femmes mêlé aux vents de la plaine lui paraît un aphrodisiaque puissant où se disputent l'amour et l'histoire. Tout pour Dumas est image et l'évocation de l'incendie de Moscou, il ne le sait pas encore, préface une nouvelle brûlure du cœur dont l'étincelle sera lancée par une femme qui porte le nom de celui-là même qui ordonna l'incendie, la comtesse Rostopchine.

Belle, vive et séduisante, Eudoxie Rostopchine, belle-sœur de la comtesse de Ségur, était une des femmes les plus brillantes des milieux littéraires pétersbourgeois. En 1847, son poème allégorique *Le mariage forcé* dans lequel elle prend parti pour la Pologne contre la Russie lui aliène à jamais la bienveillance de l'empereur : elle doit quitter Saint-Pétersbourg pour Moscou où elle va tenir un brillant salon littéraire. Mais le romantisme auquel elle a sacrifié étant passé de mode, sa réputation pâlit. Elle laisse cependant une œuvre

257

délicate et abondante en vers et en prose où la sincérité de son sentiment romanesque comme la vérité de ses analyses psychologiques la placent auprès de Marceline Desbordes-Valmore dont elle s'inspire.

Elle a écrit à Dumas quand il était encore à Paris, enthousiasmée par son œuvre. Lui, intrigué par ce grand nom lié à l'un des événements les plus dramatiques de l'épopée napoléonienne, entre en correspondance avec elle. Et quand il arrive à Moscou, elle quitte son château de Voronovo pour le rencontrer en ville. Tout en étant surpris par sa beauté étrange, il perçoit chez Eudoxie une faiblesse fatale qui le trouble infiniment : « Son visage, toujours si charmant, avait déjà reçu ce premier coup de griffe dont la mort marque longtemps à l'avance ses victimes, victimes dont elle semble d'autant plus avide que leur vie est plus précieuse. » A ce rendez-vous tant attendu, Dumas est venu avec un album et un crayon pour prendre des notes politiques et littéraires. Politiques sur le beau-père d'Eudoxie, le célèbre Rostopchine, qui s'est défendu toute sa vie de l'accusation d'avoir brûlé Moscou. Littéraires parce que la comtesse, séparée de son mari qu'elle a épousé très jeune, s'est vouée, comme sa belle-sœur Sophie de Ségur, à l'écriture. Bientôt la réalité de l'état de santé d'Eudoxie ne fait plus de doute et Alexandre Dumas comprend combien chaque minute de ce rendez-vous compte. Il abandonne les méditations littéraires ou historiques pour la questionner sur elle et son cœur si doux. Il note, plus tard, avec délicatesse que « la conversation de l'adorable malade était entraînante. Elle me promit de m'envoyer tout ce qu'elle croyait digne de ma curiosité et, comme je me retirais au bout de deux heures, la sentant fatiguée de cette longue conversation, elle prit mon album et sur la première page écrivit cette ligne : "Ne jamais oublier les amies de Russie, et, entre autres, Eudoxie Rostopchine." » Le lendemain, de la campagne où Eudoxie est retournée, elle lui adresse une suite de notes qui peuvent l'intéresser sur les sujets pour lesquels il a manifesté sa dévorante curiosité. A cette documentation personnelle, elle ajoute une lettre qui la révèle telle qu'elle est : un être au cœur tendre. Si nous désirons restituer cette lettre, datée du lundi 18 août 1858, à Voronovo, c'est parce qu'elle est un petit chef-d'œuvre de ce que nous appellerons « le roman inachevé » d'une douce amitié entre deux artistes : « Douschinka Dumas. Vous voyez que je suis femme de parole, en même temps que de plume ; car voilà déjà ma nouvelle et la justification de mon beau-père à l'endroit de l'incendie de Moscou, dont la flamme l'a si fort brûlé dans ce monde que j'espère qu'elle lui aura valu d'échapper à celle de l'enfer.

« Le reste viendra en temps et lieu.

« A mon retour ici, j'ai été reçue un peu comme Caïn après l'accident d'Abel. La famille m'a couru sus, en me demandant où vous étiez, ce que j'avais fait de vous et pourquoi je ne vous avais pas ramené, tellement on était sûr que cet enlèvement désiré avait dû être comploté et mené à bien par moi. Mari et fille sont inconsolables de ne pas vous voir ; on ne m'avait laissé partir, je vous l'avoue maintenant, tant était déplorable l'état de ma santé, qu'à la condition que je vous ramènerais. On m'a demandé tous les détails possibles sur votre chère personne ; on veut savoir si vous ressemblez à vos portraits, à vos livres, à l'idée que l'on s'est faite de vous ; enfin la famille est toute comme moi, fort préoccupée de notre illustre et cher voyageur, que nous remercions d'avance d'être si fort de nos amis. Je suis très brisée de ma route, et la fièvre va son train, ce qui ne m'empêche pas de serrer de toutes mes petites forces cette vigoureuse main qui, en s'ouvrant, a fait de si bonnes actions et qui, en se refermant, a écrit de si belles choses, et de rendre au confrère et même au frère le baiser qu'il m'a mis sur le front.

« Absolument au revoir ! Car, si ce n'est pas en ce monde, ce sera dans l'autre.

« Votre amie depuis trente ans. Eudoxie Rostopchine. »

Dumas note : « Cette lettre qu'elle me promettait, cette note qu'elle devait m'envoyer en temps et lieu, c'était le prince Bariatinsky, c'est-à-dire un vice-roi, qui, se faisant l'intermédiaire entre deux artistes, me les avait remises avec une charmante simplicité. »

Une seconde lettre, plus mélancolique encore que la première, est datée de Voronovo, le 27 août 1858, et la pauvre comtesse, entre-temps, a fait quelques pas de plus vers la tombe : « Voici, cher Dumas, les notes promises : dans un tout autre temps, c'eût été pour moi un plaisir de les rédiger pour vous et de remettre à un nouvel ami mes souvenirs sur deux anciens ; mais, en ce moment, il faut que ce soit vous et que ce soit moi, pour que je sois parvenue à finir ce barbouillage. Figurez-vous que je suis plus malade que jamais, d'une faiblesse à ne presque plus quitter le lit, et d'une bêtise qui me laisse à peine la connaissance de moi-même. Pourtant ne doutez pas de la vérité du moindre des détails que je vous donne ; ils ont été dictés par la mémoire du cœur, et celle-là, croyez-moi, survit à celle de l'intelligence. La main qui vous remettra cette lettre vous sera une preuve que je vous ai recommandé.

« Adieu ! Ne m'oubliez pas. Eudoxie. »

L'histoire de cette tendre amitié s'achèvera sous la

260

forme d'un symbole puisque c'est à la fin de son voyage en Russie que le destin arrachera Eudoxie, égérie épistolaire et poétesse rêvée, à Alexandre Dumas. Il se trouve alors dans le Caucase, confortablement installé dans un petit salon persan décoré d'armes magnifiques, de coussins brodés, de vases d'argent aux formes pures, d'instruments de musique géorgiens incrustés de nacre, en train d'écrire à la dame de ses pensées quand le maître de maison pose doucement la main sur son épaule : « Qu'écrivez-vous donc, cher maître, pour notre enchantement ? » Dumas se retourne en souriant : « C'est à mon adorable comtesse moscovite que je m'adresse aujourd'hui. » Le seigneur caucasien change soudain d'expression et sa belle tête devient triste : « Hélas, mon ami, la Russie est bien loin d'ici. Vous ne savez donc pas que votre adorable amie la comtesse Rostopchine est morte, il y a deux mois... »

LE BATELIER DE LA VOLGA

Après avoir assisté à Saint-Pétersbourg au mariage de Home, le « sorcier écossais », avec Alexandrine, après avoir découvert Moscou avec la douce Eudoxie et avant d'entreprendre son voyage au Caucase en novembre 1858 où il va entrer dans une des contrées les plus impénétrables du monde, Alexandre Dumas nous transporte dans les décors grandioses de la Volga dans la Russie centrale. Il en a déjà eu un avant-goût en consommant la précieuse soupe composée à partir d'un poisson qui ne vit que dans les eaux de l'Oka et de la Volga, un mets dont la réputation en Russie est au plus haut. A ce propos, Dumas nous donne une page, digne des meilleurs des chroniqueurs gastronomiques dans laquelle il raconte quelle impression lui a faite le potage avalé un soir au restaurant « Samson » :

« La Russie se vante d'avoir une cuisine nationale et des plats que ne lui emprunteront jamais les autres peuples, attendu qu'ils appartiennent aux producteurs de certaines localités de son vaste empire et ne se retrouvent nulle part ailleurs. De ce nombre, par exemple, est la soupe au sterlet.

Le sterlet ne vit que dans les eaux de l'Oka et du Volga. Les Russes raffolent de la soupe au sterlet. Abordons franchement cette grave question, qui va nous faire pas mal d'ennemis parmi les sujets de Sa Majesté Alexandre II, et émettons franchement notre opinion culinaire sur la soupe au sterlet. Je sais bien que je vais toucher à l'arche sainte ; mais tant pis, la vérité avant tout. Dût l'empereur ne pas me laisser rentrer à Saint-Pétersbourg, je dirai que le grand mérite, lisez le seul mérite, à mes yeux ou, plutôt, à ma bouche, de la soupe au sterlet est qu'elle coûte, à Saint-Pétersbourg bien entendu, cinquante ou soixante francs l'été, et trois ou quatre cents francs l'hiver. Nous compterons désormais par roubles. Qu'il soit établi une fois pour toutes qu'un rouble fait quatre francs de notre monnaie. Ces quatre francs, ou, plutôt, ce rouble, se divise en pièces de cinquante, de vingt-cinq, de dix et de cinq kopecks. Cent kopecks font un rouble.

Revenons à la soupe au sterlet, et disons comment cette soupe, à laquelle nous préférons de beaucoup la simple bouillabaisse marseillaise, peut monter à un pareil prix. C'est que le sterlet, produit de certaines rivières, nous l'avons dit, de l'Oka et du Volga, ne peut vivre que dans les eaux où il est né. Il en résulte qu'il doit venir, à Saint-Pétersbourg, dans les eaux de l'Oka et du Volga, et y venir vivant ; s'il arrive mort, le sterlet, comme la jument de Roland, — qui n'avait qu'un défaut, celui d'être morte, — le sterlet n'a plus aucune valeur.

Ce n'est rien l'été, où l'eau, pourvu qu'on ne l'expose pas au soleil, conserve une température convenable, et, d'ailleurs, peut être rafraîchie par de l'eau des mêmes rivières, conservée dans des vases réfrigérants. Mais l'hiver ! L'hiver, quand il gèle à trente degrés, et que le poisson doit faire sept à huit cents verstes, — nous compterons désormais la distance par verstes, comme nous compterons la monnaie par roubles ; la chose sera facile pour nos lecteurs : la verste, à deux mètres près, équivalent à notre kilomètre ; — mais l'hiver, disions-nous, quand le thermomètre marque trente degrés au-dessous de zéro, et que le poisson doit faire sept à huit cents verstes pour passer du fleuve natal dans la marmite, et y passer vivant, on comprend que c'est plus grave.

Il faut à l'aide d'un fourneau habilement ménagé, non seulement empêcher l'eau de se glacer, mais la maintenir à sa température ordinaire, température moyenne entre l'hiver et l'été, c'est-à-dire à huit ou dix degrés au-dessus de zéro.

Autrefois, avant la création des chemins de fer, les grands seigneurs russes, amateurs de la soupe au sterlet, avaient des fourgons spéciaux, avec four et vivier, pour transporter les sterlets du Volga et de l'Oka à Saint-Pétersbourg ; car il est d'habitude, pour ne pas voler les convives, que l'hôte leur montre vivant et nageant, le poisson qu'un quart d'heure après ils mangeront en potage. Il en était ainsi chez les Romains. On se le rappelle : les poissons étaient transportés d'Ostie à Rome par une poste d'esclaves, ayant ses relais de trois milles en trois milles ; et la première jouissance des véritables gourmands était de voir, à mesure qu'agonisait la dorade ou le surmulet, s'effacer peu à peu les nuances irisées de ses écailles.

Le sterlet n'a point l'écaille brillante de la dorade et du surmulet. Il est couvert de la peau rugueuse des squales. J'ai soutenu aux Russes, et suis prêt à le soutenir aux Français, que le sterlet n'est autre chose que l'esturgeon en bas âge : *accipenser ruthenus*.

Nous avons déjà dit que nous ne partagions pas le fanatisme des Russes à l'endroit du sterlet, qu'ils prétendent être le poisson désigné par M. Scribe, dans *La Muette de Portici*, sous la simple dénomination de "roi des mers".

Le sterlet est une chair fade et grasse, dont on ne s'occupe pas de relever la molle saveur. La sauce du sterlet est encore à trouver, et, nous osons le prédire, ne sera trouvée que par un cuisinier français. »

Alexandre Dumas est au comble du bonheur en descendant la Volga. Il campe au milieu des steppes avec l'ataman des cosaques d'Astrakan, il chasse le long de la Caspienne l'oie sauvage, le canard, le pélican, il rencontre un personnage digne de lui, le prince Tumaine, sorte de roi kalmouk possédant cinquante mille chevaux, trente mille chameaux et dix millions de moutons, plus une charmante femme de dix-huit ans, qui a des yeux bridés, des dents comme des perles et qui a apporté en dot à son époux quinze mille tentes, lui qui en avait déjà dix mille. Il assiste à une course de cinq cents chevaux, montés par des jeunes Kalmouks des deux sexes, course à laquelle participent des dames d'honneur de la princesse et que gagne un gamin de treize ans. Puis Dumas traverse la Volga qui, en face du palais du prince Tumaine, n'a qu'une demi-lieue de large pour assister à un spectacle merveilleux : la chasse des chevaux sauvages au lasso. Il repasse la Volga, cette fois, pour participer à une chasse au cygne avec des faucons et, le soir, partage avec le prince un potage au poulain. Pendant ces parcours sauvages, Dumas mange du cheval cru aux petits oignons, et trouve le tout excellent. Et quand, de la terrasse du « Mercury » à Nijni-Novgorod, il domine l'Oka et la Volga qui se rejoignent là et contemple, à trois cents pieds au-dessous de lui, quatre villes, deux cent mille hommes, deux lacs, six ponts, huit quais et cent rues, il exulte. Les bateliers de la Volga lui donnent sur le fleuve embouteillé par leurs embarcations la vision d'une forêt de mâts pavoisés à l'occasion de la foire annuelle pour laquelle on a bâti des boutiques sur pilotis. Dumas, toujours en éveil, entrevoit alors, entre le canal et le bois, un paradis érotique dont on peut se demander s'il l'a inventé : une ville complètement habitée par des femmes, ville de courtisanes réunies pour les six semaines de la foire. Porté par son imagination, Alexandre Dumas a-t-il embelli la réalité ? Peu importe car, comme le dit l'écrivain anglais Galsworthy, on peut tout pardonner à celui qui a créé le personnage de d'Artagnan. Nous qui avons pisté Dumas dans son périple à travers les rapports de police impériale et suivi sa trace sur place, nous pouvons dire que, contrairement à Chateaubriand qui a inventé quelques-uns des épisodes de son voyage en Amérique, Dumas, lui, s'est bien rendu dans tous les lieux qu'il a décrits. Si l'on prend, par exemple, parmi des centaines d'autres, la fiche n° 12 du rapport du colonel Severikov, datée du 26 octobre 1858 à Astrakhan, on peut lire en effet : « 14 octobre. Dumas passe toute la journée avec les Tatares, les Arméniens, les Perses qui lui montrent leurs costumes et leurs danses et lui racontent leurs coutumes. Il rend visite au gouverneur militaire et a, avec un consul persan, une conversation de plus de deux heures. Et après avoir dîné avec ce fin diplomate qui lui parle de la civilisation plusieurs fois millénaire de son pays ; il n'oublie pas de se rendre au bal de la noblesse. Il se rend à la messe, il visite les princes kalmouks, il assiste aux courses de chevaux, il chine dans les brocantes persanes, et finit la journée dans des villages cosaques. C'est un homme qui ne perd pas une minute. Le lendemain, il bavarde avec les responsables des sectes religieuses et il continue, chaque jour, sur le même rythme », note, impressionné, le fonctionnaire impérial.

DANS LE FEU DU CAUCASE

A l'époque, le Caucase était pour les Russes ce que l'Afrique coloniale sera pour les Français, un espace pour l'aventure, la réalisation personnelle et les exploits héroïques. Chaque grand écrivain y faisait une sorte de voyage initiatique comme Pouchkine ou Tolstoï, d'autres comme Lermontov et Bestoujev-Marlinsky l'ont découvert en exil. Le Caucase est apparu ainsi comme le passage obligé des romantiques de l'époque. Rien d'étonnant à cela lorsque l'on considère ces hautes chaînes de montagnes qui se dressent entre la mer Noire et la mer Caspienne et où le spectacle majestueux de la nature emporte l'âme vers les plus hautes cimes. L'intérêt ethnologique comme l'étude des caractères y sont stimulés par la variété des races qui le peuplent depuis l'aube des temps, Arméniens, Lesghiens, Tchétchènes, Tatars, Azerbaïdjanais, Géorgiens et Russes, tous en perpétuelle effervescence. Alexandre Dumas traverse ces contrées sous bonne escorte. Entre les fêtes villageoises et les visites de bazars, il essuie des attaques de montagnards et assiste à des scènes de pendaison en des lieux reculés et sauvages. Sa vie est un roman rythmé par les parties de chasse, les méditations dans les mosquées, les banquets pantagruéliques et les étapes au caravansérail.

Les itinéraires des écrivains sont comme les routes romaines tracées sur des chemins anciens, traversant les mêmes plaines, érodant les mêmes collines et longeant les mêmes fleuves. Le regard des créateurs plonge vers les mêmes gouffres et s'élève vers les mêmes sommets. Dumas, en costume kalmouk, cartouchières croisées sur sa poitrine et poignard d'argent au côté, se met dans les pas de Léon Tolstoï, jeune officier au Caucase qui arbore un turban et porte son sabre à la ceinture pour mener au nom du tsar une guerre impitoyable contre les populations insoumises. Tolstoï, l'auteur de *Hadji Mourad*, voit ce que Dumas va voir : « Des montagnes mystérieuses et sombres, recouvertes de forêts ; au-delà de ces montagnes noires se dressaient des rochers imposants et, à l'horizon, immuablement belles, changeantes et scintillantes à la lumière comme des diamants, resplendissaient les neiges éternelles. » Franchissant les mêmes cols, dormant dans les mêmes refuges, croisant les regards brûlants des mêmes montagnardes, rechargeant leurs armes et retenant leur souffle devant les mêmes fortins, Lermontov avant Tolstoï, avant Dumas et Bestoujev-Marlinsky avant Lermontov ont remué de leurs bottes la même poussière de la route du Caucase, le pays rude qui sait le secret de l'usure des cœurs.

Cette guerre du Caucase qui rappelle inévitablement le conflit récent en Tchétchénie a duré plus de cinquante ans au siècle dernier. Comment ne pas être frappé par leurs tragiques similitudes, comment ne pas penser que, quand l'Histoire se met à bégayer, c'est souvent barbouillée de sang. De même qu'à l'orée du siècle dernier, les troupes russes luttèrent contre les peuplades du Caucase occupées à d'incessantes razzias, de même en cette fin de siècle, l'erreur fatale des politiques russes a conduit leurs troupes dans les mêmes décors dangereux du bourbier tchétchène dont l'Histoire a déjà montré qu'il est sans issue. Si ceux qui décident au Kremlin, sous les lourdes boiseries tant aimées par Staline — effrayant fantôme qui décida la déportation en masse du peuple tchétchène en 1944 —, lisaient un peu plus les écrivains romantiques, russes ou français, ils auraient sans doute évité cette guerre aussi ignoble qu'inutile.

Le Caucase, quoi qu'il en soit, est un creuset pour les écrivains. Tolstoï, à ses tout débuts, comme Dumas dans la force de l'âge ont puisé en ces montagnes mauves l'inspiration ou le renouvellement des sentiments. Sur les chemins de guerre, c'est toujours l'amour qu'ils chassent. Sur les sommets neigeux chantés par Lermontov, Tolstoï fait ses rêves de jeune homme autour de femmes tcherkesses, de montagnes, de précipices, d'effrayants torrents et de toutes sortes de périls. Il se représente dans la montagne une hutte isolée avec une esclave tcherkesse, à la taille bien prise, à la longue tresse, aux yeux profonds et soumis... Elle l'attend sur le seuil, alors que fatigué, couvert de poussière, de sang et de gloire, il revient vers elle. Il rêve à ses baisers, à sa douce voix, à son air humble. Il se persuade même qu'il pourrait lui apprendre le français et l'intéresser à la lecture de *Notre Dame de Paris*.

Ainsi naît dans son imagination Olenine, le personnage de son roman, *Les Cosaques*.. Tolstoï se plaît en la compagnie des hommes simples tel le vieil Epichka chez qui il loge. C'est un cosaque « d'une très grande taille, avec une large barbe blanche comme la plume du busard et des épaules et une poitrine puissante... Il portait un sarrau en loques, fourré dans le pantalon ; aux pieds, il avait des *porchni* de peau de cerf lacés avec des ficelles sur des bandes de toiles et couvrant sa tête d'un bonnet blanc au poil hérissé ». Léon passe volontiers avec lui ses soirées et son hôte que le vin rend loquace lui raconte mille histoires sur la vie et les mœurs des cosaques et lui apprend des chansons. Parfois, il accompagne Tolstoï à la chasse aux faisans et aux outardes, et son allure pittoresque ne manque pas d'amuser le jeune comte. Cependant, Tolstoï ne s'intéresse pas au seul Epichka. Comment pourrait-il rester insensible à la beauté des femmes de la région ? Au début, il se contente de les regarder de loin, admirant religieusement les sœurs de cette Mariana à qui il trouve la taille bien prise. Mais bientôt, il s'attarde à suivre une jeune silhouette, à épier les jeunes filles œuvrant à la besogne quotidienne. C'était une joie pour lui de voir « un corps se redresser et, sous les plis tendus de l'étoffe se dessiner nettement les contours d'un sein haletant ». Alors, il oublie ses sentiments d'esthète pour donner raison au vieil Epichka qui lui assure : « Aimer ? Un péché ? Où y a-t-il un péché ? Regarder une jeune fille, est-ce un péché ? S'amuser avec elle, est-ce un péché ?... C'est Dieu qui a fait la fille pour qu'on l'aime et qu'elle nous donne du plaisir. » Le Caucase révèle au jeune Tolstoï son insistante sensualité : « Il m'est indispensable de posséder une femme. La luxure ne me laisse pas une minute de répit », écrit-il dans son journal. « J'ai été chez une belle », y mentionne-t-il, laconique, le surlendemain.

A la différence de Tolstoï, Dumas est réservé sur ses passions. Ainsi, dans son *Journal du Caucase*, mis à part sa charmante amitié avec Eudoxie, il ne souffle mot des amours que cependant une légende tenace lui prête au Caucase.

« Faites attention, ne tombez pas, c'est un mauvais signe. Rappelez-vous Jules César ! » dit Lermontov, alors que quelques pierres roulent sous les pieds de ses compagnons. Au Caucase, sur les hauteurs, un faux pas est vite arrivé. Lermontov, le magnifique écrivain du *Héros de notre temps*, sous-lieutenant d'un régiment de dragons, fait progresser ses hommes avec prudence sur un sentier escarpé, face à l'Elbrouz qui dresse au sud son énorme masse blanche. Dans ce décor dangereux, l'écrivain militaire n'hésite pas à rappeler à ses cavaliers la légende selon laquelle César aurait trébuché au seuil de la Curie le jour de son assassinat. Cette mise en garde opportune dans la brume dorée du matin, Tolstoï aurait pu la reprendre au même endroit en plein midi et Dumas également, à l'heure où le couchant inonde la montagne noire. Ces trois écrivains, nous les retrouvons près de la rivière Terek, non loin de la ville de Kizlar, où l'on nous a indiqué la maison Schamirov dans laquelle Tolstoï a pris ses quartiers, devenant ainsi le voisin, à quelques années de distance, de Mikhaïl Lermontov et d'Alexandre Dumas. En marchant dans la neige sous le vent glacial qui nous siffle au visage la dureté des temps, en Tchétchénie aujourd'hui comme au Caucase jadis, nous méditons sur l'étrange valse de la mort dans la danse des destins. N'est-il pas étrange que ce soit au Caucase que Lermontov soit tué en duel par l'un de ses amis, et n'est-il pas curieux que le récit

de cette fin soit signé Eudoxie Rostopchine qui, justement, l'adresse là à Alexandre Dumas :

« Arrivé au Caucase, et en attendant l'expédition,
Lermontov alla aux eaux de Petigorsk. Il y rencontra un
de ses amis, qu'il avait longtemps pris pour la victime
de ses plaisanteries et de ses mystifications. Il
recommença, et, pendant quelques semaines, Martinof
fut le point de mire de toutes les folles inventions du
poète. Un jour, devant des dames, voyant Martinof affu-
blé d'un poignard et même de deux, à la mode des
Tcherkesses, ce qui n'allait point avec l'uniforme des
chevaliers-gardes, Lermontov vint à lui et lui cria en
riant :

« — Ah ! Que vous êtes bien ainsi, Martinof ! Vous
avez l'air de deux montagnards.

« Le mot fit déborder la coupe trop pleine : un défi
s'ensuivit, et, le lendemain, les deux amis se battaient.
En vain les témoins avaient tenté de concilier la chose ;
la fatalité s'en mêla : Lermontov ne pouvait croire qu'il
se battît contre Martinof.

« — Est-ce qu'il est possible, dit-il aux témoins au
moment où ils lui remettaient son pistolet tout chargé,
que je vise sur ce garçon-là ?

« Visa-t-il ? Ne visa-t-il point ? Le fait est que les
deux coups partirent et que la balle de son adversaire
atteignit mortellement Lermontov.

« C'est ainsi que finit à vingt-huit ans, et de la
même mort, le poète qui seul pouvait adoucir la perte
immense que nous avions faite dans Pouchkine.

« Chose étrange ! Dantès et Martinof appartenaient
tous deux au régiment des chevaliers-gardes. »

Beaucoup des clefs nécessaires pour comprendre le
cercle infernal de la Tchétchénie sont détenues par
Mikhaïl Lermontov, Léon Tolstoi ou Alexandre Dumas.

271

Dans leurs pages, nous découvrons déjà toute la psychologie des acteurs actuels. La permanence des mêmes valeurs musulmanes comme celle de l'Imam Gazi Muhamed pour qui être tué par l'ennemi est de loin un sort meilleur que de mourir chez soi, cette tristesse de l'âme russe que Dumas exprime en traduisant un superbe poème de Lermontov, *Le Blessé* :

Voyez-vous ce blessé qui se tord sur la terre ?
Il va mourir ici près du bois solitaire,
Sans que sa souffrance en un seul cœur ait pitié,
Mais ce qui fait doublement saigner sa blessure,
Ce qui lui fait au cœur la plus âpre morsure,
C'est qu'en se souvenant, il se sent oublié.

Le rapt de la fille de l'Ataman

Entre le silence qui suit la mort prématurée de Lermontov, les sentiments très privés exhibés dans le journal de Tosltoï et la discrétion fracassante du maître des *Trois Mousquetaires*, nous ne pourrions nous faire une juste idée des amours de ces écrivains au Caucase si une tradition orale tenace n'était venue jusqu'à nous, confirmée en fin de course par les travaux des érudits locaux. En 1980, paraissait à Grosny, un ouvrage intitulé *Alexandre Dumas père en Tchéchénie ou cent vingt ans après*. L'auteur de cette étude menée depuis des années au Caucase est formel : quand Dumas est arrivé dans le village des cosaques Tchervenni, une femme d'une beauté éblouissante lui a porté en signe d'hospitalité le pain et le sel sur une étoffe immaculée, brodée de roses fuchsia. Profitant d'un moment d'inattention de son père, l'ataman des cosaques, elle se dresse un instant sur la pointe des pieds pour déposer dans l'oreille

du géant français un seul petit mot russe, mais dévasta-
teur : « Lubov. »

Dumas est à la fois troublé et flatté. Il sait que ce
mot signifie « amour » et s'émerveille en secret que le
même homme, traité de vieux Dumas au Palais-Royal,
soit au Caucase distingué par une beauté rare, pur diamant de vingt-deux ans. Il faut dire que Dumas porte
beau et que la vie sauvage lui a été plus que profitable.
Il a retrouvé sa vigueur, ses gestes de grand seigneur et
une seconde jeunesse. Vêtu d'une longue *tcherkeska*
blanche sous laquelle il porte une blouse couleur brique
ornée d'un fin galon d'argent, coiffé d'un haut bonnet à
poil comme les hommes en portent dans la région, il en
impose. Tandis qu'il regarde fixement la jeune fille aux
yeux en amande, elle lui souffle son nom : Ouliana. Le
père de la beauté n'a rien perçu de leur manège et
entraîne Dumas dans sa demeure.

Sur les murs colorés de la grande salle, des sabres,
des fouets, des filets d'oiseleur et de pêcheur, des arque-
buses, une corne curieusement travaillée servant de
poudrière, une bride dorée, des entraves décolorées de
lames d'argents sont accrochés. Les fenêtres, fort
petites, sont fermées par des vitres rondes d'un vert
opaque et les encadrements des portes peints en rouge.
Dans les angles, sur les étagères sont disposées des
cruches, des carafes, des coupes d'argent ciselé ou
dorées qui proviennent des orfèvres fameux du Dagues-
tan, mais aussi de la Perse voisine ou de Turquie. Des
bancs en bois de bouleau font le tour de la salle. Une
immense table dressée dans un angle, sous les icônes,
attend le visiteur. Servi par la fille de l'ataman, Dumas
déguste un souper mémorable composé d'un potage
russe, de côtelettes d'esturgeon et d'une de ces
fameuses gelinottes que Dumas, fin gastronome,

compare au perdreau français, mais plus petit et plus sec, le tout accompagné de ce kwass si vanté dans les salons russes de Paris. Sous prétexte d'en proposer deux qualités différentes à l'illustre hôte étranger, Oliana apporte un flacon rouge aux framboises et un blanc, dit aux pommes, sur un plateau d'argent. Quand elle se penche sur l'épaule du grand homme pour le servir, est-ce par inadvertance ou pour le séduire qu'elle le caresse furtivement du mouvement ondoyant de ses seins ? Quelques jours plus tard, Ouliana quitte la maison de son père...

Les témoignages de l'époque rapportés par les études le confirment : la jeune fille est allée s'installer, sans rien cacher de son audace, dans la petite maison de bois où loge l'écrivain français. Quand son père découvre sa fuite, une fureur sans nom s'empare de lui et il défait son ceinturon afin d'aller rosser la rebelle. Trop tard. Les amants du Caucase ont déjà filé vers Derbent. Selon le livre de Cheripov, c'est après de longues négociations qu'Ouliana acceptera de revenir dans son village natal avec une fière amertume marquée de souvenirs sublimes.

Le temps, l'espace séparent maintenant les amants. Et comment mieux dire par ce poème d'Alexandre Pouchkine ce qu'Alexandre Dumas ressent pour sa lointaine conquête :

Sur les monts géorgiens la nuit étend sa brume ;
A mes pieds gronde l'Aragva...
Tristesse et transparence, ma tristesse est sereine :
Ma tristesse est pleine de toi,
De toi et de toi seule ; mon abattement,
Rien ne le trouble ni le tourmente,
Et mon cœur, à nouveau, brûle de passion violente,
Ne pouvant vivre sans aimer.

Le plus beau roman de Dumas

Ne me les chante pas, ma belle,
ces chansons de la Géorgie :
leur amertume me rappelle
une autre rive, une autre vie.
Il me rappelle, ton langage
cruel, une nuit, une plaine,
un clair de lune et le visage
d'une pauvre fille lointaine.

Cette ombre fatale et touchante,
lorsque je te vois, je l'oublie,
mais aussitôt que ta voix chante,
voici l'image ressurgie.

Quelques mois plus tard, le joli ventre de la fille de l'ataman s'arrondit et, en 1859, elle met au monde une adorable créature qui recevra pour prénom Sana, abréviation d'Alexandre en russe. Cette fille naturelle de Dumas aura elle-même trois fils qui, chassés par les événements de 1920, se retrouveront à Tambov, au centre d'une Russie ravagée par la guerre civile.

A l'écrivain Cheripov qui avait retrouvé leur trace, l'un des trois frères au sang Dumas, Dimitri, révéla avec fierté sa filiation et la prouva en lui montrant la bague de fer gravée aux initiales A.D. qu'il ne quittait pas. Et, après une longue soirée de confidences réciproques, le petit-fils russe de l'auteur de *Monte Cristo* confia ce secret : « Ma babouchka l'a reçue d'Alexandre Dumas, à l'aurore de leur première nuit d'amour. » Digne d'un roman de Dumas, cette histoire l'est tout autant de la nature exubérante du Caucase : en voyageant sur les traces de Dumas, nous avons pu constater que, vérité ou légende, elle demeurait vivace comme demeurent éternelles les neiges immaculées de l'Elbrouz.

La réputation de l'écrivain français était à ce point répandue que les combattants tchétchènes que nous avons rencontrés prétendaient même que l'histoire de la fille naturelle de Dumas n'appartenait pas aux cosaques mais à leur peuple. Que la preuve en était donnée par Dumas lui-même puisque, dans son récit, il parlait de sa rencontre avec l'imam de Tchétchénie. Effectivement, dans le récit de son voyage, Dumas parle de cet imam et ne cache pas sa fascination pour les femmes de cette race qui ont — ce sont ses mots mêmes — « des séductions auxquelles il est impossible de ne pas céder ».

Cela pourrait expliquer l'existence de ce soldat fantôme dans Grozny en flammes, portant au front le bandeau vert de l'islam et appelé d'un étrange nom de guerre, Dumas...

7

LA PRINCESSE AUX CAMÉLIAS

A l'époque romantique, s'il est une circulation rapide, c'est celle des œuvres littéraires qui ont le bonheur de plaire en Russie quand elles viennent de France ou à Paris, quand elles arrivent de Moscou ou de Saint-Pétersbourg. Les salons littéraires, de part et d'autre de l'immensité qui sépare les deux pays, sont les artisans de ce rapprochement continu. Ainsi, c'est en quelques semaines seulement que le poète Wiazemsky traduit le chef-d'œuvre, bref et coupant comme une lame, de Benjamin Constant. *Adolphe*. Pour ce grand seigneur russe, il n'est pas possible qu'un mois entier passe sans que l'empire des neiges fonde devant le talent du protégé de Mme de Staël. L'un des plus puissants messagers du mouvement de va-et-vient entre la Russie et la France est Sollogoub, auteur de *Tarantass*, qui a épousé la jeune comtesse Wielkhorski, dont la mère était née duchesse de Biron.

Chez son beau-père, il rencontre écrivains, peintres, journalistes et même acteurs. Le jeune ménage Sollogoub habite dans l'hôtel particulier de Wielkhorski, et, chaque soir, le comte reçoit dans le salon, à côté de son cabinet de travail, une société fort mélangée qu'on surnomme « le zoo ». On peut y rencontrer, assis sur le même canapé, le comte Bloudov, président du Conseil d'État, un certain Akharov qui, même s'il ne paie pas de mine, est l'un des hommes les plus cultivés du pays ou un des habitués du salon, Tiouchev, poète remarquable et diplomate d'élite, fort laid au demeurant, mais plein d'esprit et causeur inspiré. On y rencontre aussi Gogol, Wiazemsky, Odoievski, Nekrassov et Panaiev. Toujours à la recherche de nouveaux talents et loin des conventions sociales les plus stupides, Sollogoub va trouver, en 1846, le jeune Dostoïevski, après avoir lu *Les Pauvres Gens*, et l'invite à déjeuner en toute simplicité. Fedor Dostoïevski, embarrassé à l'idée d'être soudain poussé dans le grand monde, se défend du mieux qu'il peut : « Non, comte, dit-il, en épongeant son front envahi par la sueur des timides, vraiment je n'ai jamais pénétré dans le grand monde et je ne saurai m'y décider. — Mais qui vous parle du grand monde, mon cher Fedor Mikhaïlovitch ? Nous y appartenons, en effet, mais nous ne le laissons pas entrer chez nous, même si nous y allons nous-même ! » Dostoievski se rend aux arguments du mécène littéraire et lui rend visite dans son salon. Les débuts de cette amitié sont malheureusement interrompus en 1849 quand l'écrivain, arrêté à la suite de l'affaire Pétrachevski, est envoyé aux travaux forcés en Sibérie.

Sollogoub, lui, est sans cesse sollicité par les femmes du monde qui voudraient pénétrer son domaine interdit, littéraire et artistique. Elles le supplient de leur fixer un jour où elles pourraient se rendre « à une de vos soirées qui m'intéressent au plus haut degré ». Sollogoub ne donne pas suite à ces sollicitations mondaines, mais admet cependant quatre femmes remarquables : la poétesse Eudoxie Rostopchine, Voronzov-Dachkov, Aurore Demidov et Moussine-Pouchkine à laquelle Lermontov avait dédié un de ses plus beaux poèmes. Sollogoub raconte d'ailleurs une histoire qui montre à quel point, hier comme aujourd'hui, les intellectuels goûtent avec délices au jeu nuancé de la fausse simplicité : « Elles se tenaient si simplement qu'elles n'effarouchaient personne. Je leur imposais des toilettes sobres, bien qu'elles ne les aimassent pas. Un jour, Aurore Demidov, se rendant à un bal, passa d'abord chez nous et entra dans notre salon. Sa robe, en fait, était sombre mais à son cou brillait le fameux et légendaire diamant Demidov qui valait, disait-on, un million de roubles assignats. "Aurora Pavlovna, qu'avez-vous là ? Ayez pitié ! Ils vont s'enfuir en vous voyant. — C'est vrai, dit-elle en riant et aussitôt elle ôta son collier et le glissa dans sa poche." »

UN SALON RUSSE À PARIS

Les Russes, à Paris, sont fascinés par la qualité des salons littéraires français, et, dans ses lettres de voyage, Nikolai Gretch, écrivain et philologue, figure de premier plan du Parnasse des lettres de son temps, éditeur du journal *L'Abeille du Nord*, en donne une bonne définition : « Qu'est-ce qu'un salon ? Une assemblée de personnes des deux sexes proches par l'instruction, la langue, le désir de plaire, de s'amuser, de briller, mais différents par le goût, le degré d'intelligence et les vues philosophiques. » C'est aussi un salut et un encouragement aux femmes que le Russe adresse en évoquant

Mme du Deffand, la duchesse de Choiseul, la duchesse de Polignac, Mme de Staël, Mme de Genlis, Mme Récamier, Mme Tallien autant que Joséphine Bonaparte : « La maîtresse présidait d'ordinaire dans les salons, elle alliait l'esprit et l'éducation à l'amabilité, l'urbanité, l'art de parler à chacun, la bienveillance indulgente. »

Dans les salons de Paris, au cours de ces années-là, brille une étoile montante. Alexandre Dumas fils. Non seulement il est beau avec ses yeux bleu pâle mais de plus le succès de *La Dame aux camélias* lui a donné un prestige accru, notamment auprès des cœurs féminins. Un soir après un dîner chez une dame de mœurs légères, le comte Guy de la Tour du Pin, donne au jeune Dumas un conseil avisé qui constitue le mode d'emploi idéal quand on fréquente les salons parisiens : « L'amitié et mon grand âge, car j'ai une quinzaine d'années de plus que vous, m'autorisent à vous donner un bon conseil... Nous venons de dîner chez une fille très séduisante et très spirituelle. On voit là des personnes de toutes sortes et vous pouvez y faire d'utiles observations. Faites les observations mais, quand vous aurez vingt-cinq ans, tâchez qu'on ne vous revoie plus en cette maison. » En 1849, Alexandre Dumas a vingt-cinq ans, et il aurait pu renoncer au monde s'il n'était tombé sur cette ambassade occulte de la beauté que l'aristocratie russe avait alors à Paris.

Trois grâces retenaient l'attention du monde parisien : Marie Kalergis, sa cousine, la comtesse Lydie Nesselrode, et leur amie commune, la princesse Nadejda Narychkine. C'est dans le salon cosmopolite de Marie Kalergis, laquelle inspira à Théophile Gautier, *La symphonie en blanc majeur,* qu'on a le plus de chance de rencontrer ces trois femmes incomparables qui mettent à leurs pieds les hommes d'esprit. On ne compte plus les victimes du charme de cette maîtresse de maison exceptionnelle qui est devenue l'une des femmes les plus brillantes des années trente et quarante du siècle dernier. A son tableau de chasse, elle inscrit écrivains et poètes, diplomates et musiciens, hommes d'État et militaires. Chez elle, on a le privilège de rencontrer ensemble ou séparément Mérimée et Théophile Gautier, Stendhal et Wiazemsky, Liszt et Rubinstein, Pauline Viardot et Richard Wagner, tout ce qui compte en Europe et en France sous le règne de Louis-Philippe.

Marie Kalergis suscite passion et jalousie. Elle est passée comme une comète à travers l'Europe avant d'installer son quartier général de l'esprit et de la séduction au cœur de Paris, rue d'Anjou. Fille d'un général du tsar, nièce d'un ministre russe des Affaires étrangères qui a battu tous les records de longévité politique, Charles, comte Nesselrode, on la marie à seize ans à un homme nettement plus âgé qu'elle qui appartient à la célèbre famille Kalergis, issue de la Sérénissime République, et dont l'une des ancêtres a même inspiré à Shakespeare le personnage de Desdémone. Cet homme habile a réalisé une énorme fortune en spéculant sur le blé russe. Le jour de ses noces, il n'a pas hésité à jeter aux pieds de sa ravissante épouse un manteau de renard argenté. Celle-ci, en le prenant, reste perplexe devant un cadeau somme toute ordinaire. Elle n'a pas encore vu l'enveloppe qui dépasse de la poche de fourrure. Deux surprises de taille l'y attendent : un bon de banque pour deux millions de roubles et un titre de propriété pour l'un des plus beaux palais de Saint-Pétersbourg, désormais porté à son nom. Mais les cadeaux les plus beaux ne peuvent retarder les impatiences de la nature et Marie n'a que seize ans le jour de ses noces.

Tout d'abord, elle se consacre à sa passion, le piano, et devient l'élève la plus douée de Frédéric Chopin avant de devenir celle qu'on appellera « la bien-aimée » de Franz Liszt. Égérie de ce compositeur génial, de cet interprète pénétrant, elle entre non seulement dans les annales de l'amour mais aussi dans celles de la musique car, de l'avis de ses deux maîtres, Marie au piano est à ravir. « Elle jouait comme personne, dit Lizst, celui qui l'écoute, ne l'oubliera jamais. Ce n'était pas un jeu mais une récréation de l'inspiration, unique et inégalable. » Quand elle achève de faire voler ses doigts sur le clavier, un grand silence précède toujours une tempête d'applaudissements. Et quand, beaucoup plus tard, Lizst apprend sa mort, il tombe dans une sombre dépression dont il ne sort que dans une agitation extrême : pour sa mémoire, il veut organiser le plus beau concert de tous les temps.

Marie Kalergis possède, en plus d'être richissime, la rare vertu de la générosité. Avec délicatesse, elle aide ses amis artistes et rien n'est jamais suffisant pour leur faire plaisir. C'est une mécène avisée et magnanime. Ainsi lorsque Wagner traverse sa période noire, échouant à Paris avec la série de ses concerts en 1840, elle prend à son compte toutes les pertes qui ont été pourtant considérables. Sa beauté, son caractère, sa fortune font d'elle un personnage aussi adulé que haï : interprète géniale disent les uns, aventurière toujours en mal d'une nouvelle conquête prétendent les autres, ou encore espionne russe à la solde du chancelier de l'empire glissent les troisièmes avant que les mauvaises langues ajoutent : conspiratrice née. Ainsi parlait-on de

Marie sous les lambris dorés des plus beaux hôtels de Paris.

Bien sûr, elle a tout d'abord été la maîtresse de Molé, ministre des Affaires étrangères de Louis-Philippe, avant de s'incliner, fascinée, devant un conspirateur de talent à l'avenir fulgurant, Louis Napoléon Bonaparte. C'est à cause de son rôle éminent dans le complot bonapartiste qu'elle va récolter l'orage de haine que lui destine Victor Hugo. Dans *Histoire d'un crime*, il peint la nuit qui précède le coup d'État du 2 décembre et n'a que des mots assassins pour les hautes fenêtres illuminées du palais de l'Élysée derrière lesquelles on peut deviner la fière silhouette de cette femme blonde, toujours gaie, passionnée, un peu espionne mais bien entendu séduisante, et qui agit sans regarder en arrière. C'est à cette femme inoubliable, ange blanc et noir du coup d'État, égérie des hommes les plus aventureux et aventurière elle-même pleine de panache, artiste et richissime, mécène et femme d'action que Dumas fils sera présenté en 1850. Et c'est chez elle qu'il rencontrera ses deux amours russes.

LYDIE, UN MARIAGE INTERDIT

La première, c'est Lydie Zakrevsky, depuis trois ans mariée au comte Dimitri Nesselrode. Ravissante, elle a beaucoup d'esprit, beaucoup d'argent et n'aime pas son mari de dix-sept ans son aîné. Dimitri a pour père le chancelier comte Charles Nesselrode, ministre des Affaires étrangères qui, par sa souplesse et sa ruse, s'est imposé à trois tsars successifs. C'est dans l'hiver de 1847 que Dimitri est rappelé de Constantinople pour épouser cette adolescente, une riche héritière dont le revenu s'élève à trois cent mille roubles et dont le père, le général Zakrevsky, gouverneur de Moscou, commande le respect. Homme d'expérience et fin diplomate, Dimitri se fait fort de dominer cette jeune fille, à tort puisque son mariage se révèle bientôt un échec autant sentimental que physique. La jeune comtesse s'échappe en menant une vie de cures thermales et on la voit traîner sa mélancolie de Bade à Spa, d'Ems, à Brighton, enfin à Paris où elle entreprend une cure d'un genre autrement plus dangereux. C'est alors qu'intervient Marie Kalergis qui va jouer auprès d'elle un rôle digne de Mme de Merteuil dans *Les Liaisons dangereuses*. D'un côté, elle rassure son cousin Dimitri en lui affirmant qu'elle prend Lydie sous son aile et sur laquelle elle va veiller avec sollicitude et, de l'autre, elle devient la meilleure amie de celle qui va compléter le tableau déjà charmant qu'elle compose avec Nadejda Narychkine, perfectionnant ainsi la figure idéale des trois grâces entre esprit, art et libertinage.

Lydie qui fait la navette entre Paris, Berlin, Dresde et Saint-Pétersbourg revient de plus en plus souvent au 8, rue d'Anjou qui est le siège de cette ambassade des beautés venues du Nord. En se pavanant dans le salon de Marie, elle montre d'une certaine façon que, bien que mariée, elle est libre ou plutôt qu'elle est à prendre. C'est alors qu'Alexandre Dumas fils s'attache profondément à cette aristocrate russe dont le malheureux mari, resté à Berlin, a le cœur torturé par le doute. Sa mère s'en inquiète. Elle-même fille rouée d'un ministre des finances d'Alexandre Ier resté fameux pour les pots-de-vin qu'il percevait à chaque transaction impériale, tient un des salons les plus prisés de Saint-Pétersbourg, et se plaint du peu de lettres qu'elle reçoit de son fils. Un témoin rapporte que son animosité pouvait être aussi dangereuse que sans fin tandis que son amitié était permanente et à toute épreuve. De caractère plutôt masculin, elle avait gardé de sa jeunesse un air perpétuel de garçon manqué, réfutant tout ce qui était féminin, de la grâce des gestes à la sensibilité fantasque. Lors de l'une de ses conversations avec le baron hollandais Haeckeren lui-même connu par son attachement ambigu pour le beau Français d'Anthès, elle lui lâcha d'ailleurs ce mot révélateur de sa répulsion à l'égard de son propre sexe : « Je voudrais à jamais effacer de l'Histoire de France ce mot de François Iᵉʳ, gravé avec le diamant de sa bague sur un carreau d'une fenêtre du château de Chambord, le jour où sa maîtresse l'avait blessé et particulièrement déçu : Souvent, femme varie, bien fol qui s'y fie. » Irritée au plus haut point par sa belle-fille Lydie, ses changements d'humeur, ses brusques volte-face, ses caprices incessants, la mère de Dimitri Nesselrode trouve décidément son fils trop patient avec cette épouse volage et se demande s'il n'est pas de cette race d'êtres jeunes et tendres qui, marqués pour la vie par on ne sait quel stigmate, s'attachent toujours à des femmes qui les font souffrir. Sans le savoir, elle vient de faire le portrait d'Alexandre Dumas fils, jeune homme sincère et brillant qui, au lieu d'accepter l'amour de ces adoratrices authentiques qui lui eussent donné la sécurité des sentiments, est irrésistiblement attiré vers ce qui va le brûler. « Et si l'aventure Marie Duplessis avait ému Dumas fils, remarque André Maurois, l'aventure Lydie Nesselrode l'avait durci. Un mot mûrit brusquement un enfant, un amour déçu flétrit un homme. »

Alexandre Dumas fils est un amant fébrile. Les constants changements d'humeur que lui impose Lydie ont brisé son équilibre. Déjà de nature sentimentale et fragile, elle le plonge dans des gouffres d'inquiétude.

Elle croit stimuler sa passion en lui imposant des épreuves humiliantes, des retards injustifiés, des légèretés impardonnables. La passion physique qui les unit est un perpétuel baume à ces blessures toujours renouvelées. Mais si Dumas danse encore, dans le ballet dangereux qu'elle lui impose, la chorégraphie de la douleur acceptée, elle finit bientôt par s'ennuyer. C'est d'abord cette indifférence qui précède la fuite, puis elle rencontrera un autre homme. Dumas fils n'a encore rien perçu sauf cette mélancolie insistante qui marque désormais tous leurs liens. Exemple, cette promenade qu'ils font, le 30 décembre 1850, dans le parc de Saint-Cloud dont il dira, bien plus tard, dans une poésie datée de 1882 : « Hier nous sommes partis au fond d'une voiture/Enlacés l'un à l'autre ainsi que deux frileux. »

Quand, peu après, le comte Dimitri Nesselrode rappelle sa femme en Russie, il la poursuit mais l'entrée en Russie lui est refusée. Il ne reverra jamais Lydie.

Celle-ci n'est pas au bout de ses tours. Non contente d'avoir abandonné son amant, elle quitte aussi son mari pour épouser le prince Droutzkoi Sokolnikoff, union qui n'est pas du tout du goût du tsar. Lydie brave son interdiction. Elle se moque des préoccupations morales de l'empereur qui est fort opposé à un double divorce dans la plus haute noblesse de la cour. C'est un mariage fougueux qu'elle conduit avec l'habilité d'un cocher lancé à toute vitesse. C'est elle qui tient les rênes quand, par-devant l'iconostase d'un minuscule village dont toutes les âmes appartiennent à sa famille, elle arrache à un pope encore endormi une bénédiction nuptiale pourtant prohibée. La lettre désespérée du chancelier Nesselrode à son fils Dimitri nous montre dans quel drame cette décision fantasque plonge son ex-beau-père et la cour impériale :

« Le chancelier Nesselrode à son fils Dimitri, 18-30 avril 1859 :

Le mariage de Lydie est un fait accompli et constaté par un aveu de Zakrefsky lui-même, qui a favorisé ce mariage. Il a béni les nouveaux époux et leur a délivré un passeport pour l'étranger. L'empereur est hors de lui. Zakrefsky n'est plus gouverneur de Moscou ; Serge Stroganoff le remplace. Voilà tout ce que je sais jusqu'à présent... N'ayant pas été en état de paraître hier à la cour, je n'ai vu personne qui pût me donner des détails authentiques sur ce qui a amené cet éclat. Ces détails me sont nécessaires pour pouvoir t'indiquer ce qui te reste à faire. Le gouvernement agira-t-il seul ? Ou ne seras-tu pas obligé de faire une démarche de ton côté, de présenter une requête au consistoire, pour demander et obtenir le divorce ?... »

Cette lettre trouvée par André Maurois au département des manuscrits de la Bibliothèque nationale dans le fonds Aurore Sand, montre que, dans son inconscient, Lydie, au-delà d'offenser le tsar et son ex-belle famille, fait pire : elle détruit la carrière de son père gouverneur de Moscou qui, par amour pour sa fille, a accepté de couvrir son nouveau mariage bien qu'il soit contraire à la loi puisqu'elle n'a pas divorcé.

Les yeux d'émeraude de Nadejda

Beaucoup de femmes sont prêtes à consoler le beau Dumas fils et à s'étendre sur la couche de la dame aux camélias. Elles ne savent pas que, touché au cœur par l'empreinte de l'âme slave, le jeune romantique ne rêve que de retrouver une Russe. Là où il a échoué, il veut désormais réussir. Prendre sa revanche à tout prix.

Plus que jamais, il fréquente le salon de Marie Kalergis, rue d'Anjou, où sa pâle figure fait plutôt bonne impression quand il se tient debout devant les portraits du fond du salon. Dans ce décor cosmopolite à la fois parisien et russe, les sages alignements des sièges dits meublants, le long des murs, ont fait place à une pléiade de sièges plus confortables et pratiques : pouf à coussins, borne, petites chaises volantes dites « chaise charivari ».

Ici, on cause passionnément, à côté on joue au billard dans l'odeur suave des plantes exotiques qui sont la fierté de la maîtresse de maison. Une femme russe aux yeux verts, aux lourdes nattes couleur de cuivre, mariée à un grand seigneur russe, tout-puissant propriétaire de milliers d'âmes, fait l'admiration des visiteurs. Elle est somptueuse et s'appelle Nadejda Narychkine. Nous nous sommes rendus au petit château de Monte Cristo à Port Marly, sur la renaissance duquel a tant veillé Alain Decaux, pour reconstituer le musée imaginaire de sa beauté : on peut y voir son buste en bronze sculpté par Cros, une sanguine qui la représente signée Gustave Boulanger et un pastel de Mélicourt où elle nous apparaît. Mais ses rires cristallins, ses gestes harmonieux, l'enthousiasme enfantin qui émanait de sa personne, ses poses songeuses quand Dumas lui lisait ses pages, sa façon de se dresser, buste tendu vers son interlocuteur quand un propos particulier retenait son attention ou excitait sa curiosité, tout cela ni le fusain, ni le pinceau ne peuvent en restituer le charme.

Alexandre Dumas fils hésite encore à se laisser séduire : ce félin de l'amour est un chat échaudé. Il sait combien les sortilèges du charme peuvent être pour lui dévastateurs. Il est dans cet état intermédiaire où, après une rupture brutale, l'on cherche plutôt une amie, une conseillère affectueuse, mieux un esprit subtil et défait des conventions qui peut vous expliquer le pourquoi des méandres de l'amour. Pour remplir ce rôle, Alexandre Dumas fils choisira la meilleure : George Sand en personne. Déjà, quand elle travaillait à un de ses chefs-d'œuvre, *Le Marquis de Villemer*, elle l'avait prié de l'aider, ce qu'il avait fait de la manière la plus désintéressée. Car il partageait avec son père ce don de redresseur de pièce, si utile au théâtre. Ils se voyaient alors beaucoup et elle le suppliait d'amener à Nohant « sa grande et sa petite Russie » pour découvrir sa troupe d'amateurs et ses fameuses marionnettes.

C'est une George Sand adepte de la nature qui veut attirer dans son vert paradis le jeune Dumas et cette Nadeidja Narychkine dont il commence à lui parler. Courant les bois et les champs avec les enfants du métayer depuis qu'elle est toute petite, participant avec entrain aux travaux de la ferme, George sait tout de la faune et de la flore. Admiratrice des paysages champêtres, elle est aussi une vraie botaniste. Sa lettre de Nohant, adressée à Victor Hugo, le 28 février 1862, donne une idée de sa vie pastorale : « Vous me demandez où je suis ? Toujours à la campagne, faisant de l'histoire naturelle et mille riens intimes avec mon fils, qui a fait l'été dernier "un jardin littéraire" comme dit Dumas, et l'expression me plaît beaucoup à moi qui suis éprise de botanique. Mes romans sont des pages d'herbier, et, s'ils vous plaisent, j'en suis heureuse et fière, mais non enivrée, jusqu'à me faire illusions sur l'utilité de ce qu'on est libre de publier en ce temps-ci, en France. Ma tendance à la flânerie intellectuelle est une grâce d'état peut-être, puisqu'elle m'endort sur le peu que je suis. Mais pour que je me sente vivre un peu mieux, il faut que les autres fassent des grandes choses, et j'attends avec impatience un nouveau rayon de vous. A ce petit jardin, il faut de grands éclats de soleil et ce n'est pas moi qui peux lui en donner. »

George Sand est ravie d'avoir emporté la place de consolatrice et de conseillère sentimentale d'un des garçons les plus beaux et les plus talentueux de sa génération, Alexandre Dumas fils. Femme plus qu'intelligente, elle sait que cette place s'effrite avec le temps car plus le malheureux se console, plus il retrouve le sens de la vie, plus il s'éloigne de ce qui l'a blessé, et moins sa consolatrice a de pouvoir et ses conseils d'effets. Mais la dame de Nohant est appuyée sur un autre soliveau : la complicité littéraire. Et si elle passe beaucoup de temps — on le voit dans sa correspondance — à écrire à Dumas pour le soigner de la maladie d'amour, elle sait aussi obtenir de lui une collaboration discrète quand il relit ses *pièces*, les corrige, en lui donnant à son tour des avis indispensables. Conseils d'une stratège d'amour contre conseils littéraires d'un surdoué du théâtre, l'échange est égal, le marché élégant. « On vous embrasse et on vous aime, écrit-elle. Continuez à faucher. Voilà un remède qui seconde diablement l'effet du fer ! Les bains d'arrosoir, c'est bon aussi. Le travail aussi, la campagne aussi. Tout est bon quand le jugement est sain et le cœur honnête. Avec ça et de la jeunesse et du talent vrai, on surmonte tout... Je suis optimiste en dépit de tout ce qui m'a déchirée; c'est ma seule qualité peut-être. Vous verrez qu'elle vous viendra. A votre âge, j'étais aussi tourmentée et plus malade que vous au moral et au physique. Lasse de creuser les autres et moi-même, j'ai dit un beau matin : "Tout cela m'est égal. L'univers est grand et beau. Tout ce que nous croyons plein d'importance est si fugitif que ce n'est pas la peine d'y penser. Il n'y a, dans la vie, que deux ou trois choses vraies et sérieuses et ces choses-là, si claires et si faciles, sont précisément celles que j'ai ignorées et dédaignées. Mea culpa! Mais j'ai été punie de ma bêtise; j'ai souffert autant qu'on peut souffrir; je dois être pardonnée. Faisons la paix avec le bon Dieu!..." »

Alexandre Dumas parle beaucoup à George Sand de « La Personne », c'est-à-dire de Nadejda. La dame de Nohant qui trouve le romantique mélancolique « difficile à désennuyer » lors de son premier séjour chez elle à la campagne, tente d'insuffler à « ce grand fils lumineux » son propre amour de la vie. Elle parvient peu à peu à l'apaiser et même, plus tard, à lui communiquer son optimisme naturel en lui donnant par lettre une véritable cure de bonne humeur. Ses leçons portent leur fruit puisqu'Alexandre Dumas fils se lance dans une liaison passionnée avec la belle Nadejda Narychkine, liaison que la naissance d'un enfant viendra bientôt sceller.

Enfant naturel? Tous les enfants sont naturels, aimerions-nous répondre. Déjà en France, Cambacérès impose cette vision des choses, dès le 4 juin 1793. Il affirme : « Il faut abolir toute distinction inhumaine. Tous les enfants sont naturels, légitimes, enfants de la patrie. » Mais Napoléon Bonaparte se détournera des opinions, trop tolérantes à son goût, de son conseiller favori. Il veut que son code civil soit plus rigoureux à cet égard. Le résultat, c'est le texte de fer du code civil : les enfants adultérins sont réprouvés et on ne leur concède qu'un seul droit, celui de ne pas mourir de faim. Pour les juristes français inspirés par Napoléon, les enfants se répartissent en trois catégories : au ciel, la « filiation légitime » bénie par le maire et le curé; au purgatoire, la « filiation naturelle simple » issue de

deux parents célibataires; en enfer, la « filiation naturelle adultérine » fruit des œuvres d'un père ou d'une
mère mariés et de son « complice » selon la terminolo-
gie de l'époque. La petite Colette appartenant malheureusement à cette troisième catégorie, la princesse
enceinte cachera sa grossesse et obtiendra même de sa
mère de louer à Paris un appartement discret, situé rue
Neuve-des-Mathurins, sous un faux nom bien sûr, celui
de Nathalie Lefébure, rentière. C'est donc là que naît
d'une mère fictive et d'un père inconnu, le 20 novembre
1860, une petite fille qui portera le triple prénom que la
loi impose aux bâtards mais qu'on nommera affec-
tueusement Colette. Ironie du sort pour Dumas fils que
la question des filiations a longtemps hanté au point de
lui consacrer un livre intitulé *Le Fils naturel*. Aimant
autant la mère que la fille, il est déchiré à l'idée de ne
pouvoir épouser la belle Nadejda. Toujours mariée, elle
subit encore les contraintes liées à son état conjugal et
doit, chaque année, séjourner un moment dans
l'empire, ne serait-ce que pour renouveler son passeport. Jusqu'à présent, elle est parvenue à se cacher aux
yeux de son vieux mari, le prince Alexandre, grâce aux
certificats d'un médecin complice qui ne cesse de lui
ordonner des cures thermales en Europe pour éviter le
terrible hiver russe qui pourrait lui être fatal. Ainsi, dès
qu'elle a rempli les formalités exigées par sa nationalité,
Nadejda se précipite de nouveau à Paris pour se retrouver dans les bras de son bien-aimé après avoir évoqué
auprès de son époux l'ennui des longues soirées à
Marienbad...

LES NOCES RUSSES D'UN ROMANTIQUE PARISIEN

Tout ce petit manège est mené non sans considération pour les intérêts de la belle. En sauvant les apparences, la jeune Russe conserve non seulement le renouvellement de ses permis de séjour à l'étranger mais aussi ses très importants revenus personnels. Avec son médecin complaisant, elle perfectionne également les destinations exigées par son état de santé. Ce sont maintenant de longs séjours dans le midi de la France qu'il lui prescrit ou une cure à Plombières. Dumas fils, toujours plus amoureux, décide d'épouser son étrangère. Il s'en ouvre à George Sand. La « chère maman » peut être contente de son « cher fils » comme le prouve la correspondance où ces termes sont employés. En effet, Dumas achève *Le Marquis de Villemer* et en abandonne généreusement tous les droits d'auteur à George Sand, en 1862. Que lui demande-t-il alors ? Simplement qu'elle croie au désintéressement total de celle qu'il continue d'appeler « La Personne ». « Quant à la Personne, elle ressemble peu à ce qu'on vous en a dit et, malheureusement pour elle, elle n'a pas assez calculé sa vie... Je suis aussi prêt à l'adorer comme un ange qu'à la tuer comme une bête fauve, et je n'affirmerais pas qu'elle ne tienne pas des deux natures, en penchant alternativement vers l'une et l'autre, mais (il faut bien le dire) beaucoup plus vers la première que vers la seconde. J'ai, de cette femme, des preuves de dévouement désintéressé dont elle ne me croit même pas reconnaissant, dont elle trouverait même tout simple que j'eusse perdu le souvenir. Bref, je ne vous en parle pas avec l'exaltation de la nouveauté, mais plutôt du renouvellement, car je me suis plu à refaire cette belle créature... »

Sand maîtrise parfaitement ses rapports avec un Dumas fils, décidé mais toujours fragile. Les hommes faibles, c'est sa spécialité. Elle en tire des pépites. Elle a arraché des chefs-d'œuvre à Musset, elle a soutenu Chopin, consolé Flaubert et, maintenant, elle donne à Dumas fils sa bénédiction pour un mariage au grand jour. Parce qu'elle sait désormais que son élève bien-aimé a rejoint le camp des femmes et qu'il sera, c'est certain, le plus délicat des époux. On se souvient de la phrase célèbre de George Sand à propos des jeunes filles de son temps livrées à des maris sans vergogne : « Nous les élevons comme des saintes et nous les livrons comme des pouliches. » Leur correspondance a ceci de captivant que l'un comme l'autre y révèlent leurs gouffres intérieurs, leurs frustrations passées et les dégâts issus de leur éducation : « La vie ne m'a pas été présentée du vrai côté. Ceux qui avaient mission de m'en instruire avaient tout autre chose à faire et j'aurai mauvaise grâce à leur reprocher de n'avoir pas eu pour moi la sagesse qui leur a manqué pour eux... », écrit Dumas fils à Sand, sa mère virtuelle.

George Sand a maintenant hâte de connaître la belle rousse aux yeux verts. Le rendez-vous est pris et le voyage entrepris. On fait une halte à Loches pour changer les chevaux au relais de poste de La Providence, rue Quintefol, devenu aujourd'hui le restaurant le George Sand et l'on arrive, à Nohant, paradis de l'esprit, le 25 septembre 1861 à dix heures du soir. Dès le lendemain, fous de bonheur, l'égérie des neiges et le romantique français assistent à une représentation du *Drac*, drame fantastique. George Sand a prévenu Dumas pour que la princesse russe n'ait pas l'idée de snober sa retraite pastorale et son théâtre aux champs : « Qu'elle ne s'attende pas à quelque chose de beau ! C'est une véritable folie et du triple galimatias... Et puis, avertissez la princesse N. qu'elle entre sur un terrain démocratique, où on ne dit jamais un mot de politique, parce que c'est embêtant, et que ça ne sert à rien, mais que le public se compose de toute la clientèle de la maison, depuis les vieux amis jusqu'au perruquier, en passant par l'apothicaire et le tailleur, aussi le notaire, l'avoué, le médecin... » Le couple d'amoureux est enchanté de la dame de Nohant comme tous ceux qui viennent dans cette bonne maison.

Onze ans plus tard, ce sera au tour de Tourgueniev de confirmer cette impression russe sur la beauté du Berry et l'hospitalité de sa dame. Malgré une crise de goutte, il vient rendre visite à George pour faire sa connaissance en son « château ». A son retour, il écrit à Flaubert : « Jeudi dernier, j'ai fait un effort surhumain, je vais à Nohant. Toute la famille Viardot s'y trouvait, j'y reste un jour, je reviens et me voilà de nouveau confiné dans ma chambre, boitant comme un misérable... C'est égal : je suis heureux d'avoir été à Nohant et d'avoir vu, chez elle, madame Sand qui est bien la meilleure et la plus aimable personne qu'on puisse rêver ! » Un an plus tard, à l'appel du chant des premiers oiseaux d'avril, Tourgueniev revient à Nohant. Il reviendra encore en septembre, mais, en vérité, il n'en revient pas : « Impossible d'être près d'elle sans succomber à son charme. » La vie devient irrésistible comme une perpétuelle partie de campagne, le Russe apporte au Berry un supplément de joie de vivre : « On saute, on danse, on chante, on crie, on casse la tête à Flaubert qui veut toujours tout empêcher pour parler littérature ! Il est débordé. Tourgueniev aime le bruit et la gaîté. Il est aussi enfant que nous. Il danse. Il valse. Quel bon et brave homme de génie. » Aujourd'hui encore on peut voir à Nohant la petite salle de théâtre au rez-de-chaussée prête pour une représentation et, dans la salle à manger, la table dressée, où un couvert est mis pour Ivan Tourgueniev à la droite de George Sand.

Egéries russes, égéries françaises, amours romantiques et vagabondages littéraires, Nohant est à la fois le rendez-vous des cœurs et des destins. Pour Nadejda et Alexandre, Nohant aura été la préface champêtre au plus grand des bonheurs. Ils se marieront à la mairie de Neuilly, le 31 décembre 1864, après la mort du prince Narchkine.

8

TOURGUENIEV, UNE VIE POUR PAULINE

Quand on le voit debout devant le tableau qui représente son grand-père, Léon Tolstoï, aucun doute n'est permis. C'est le même regard bleu acier, la même raideur du col, le même maintien majestueux hérités de leur ancêtre commun, Pierre Tolstoï, fidèle compagnon de Pierre le Grand. C'est ainsi que nous avons connu Serge Tolstoï dans son bureau vert empire, choisissant dans sa bibliothèque un des quatre-vingt-dix volumes traitant des œuvres de son grand-père. Serge Tolstoï est né, en 1911, quelques mois après la mort de son grand-père et a vécu cinq ans dans le fief familial d'Isnaïa Poliana. Réfugié avec sa famille dans le Caucase au moment de la révolution, il quitte la Russie en 1920 pour Paris. Un Tolstoï à Paris, ce n'est pas nouveau, c'est plutôt une tradition familiale. Mieux que d'autres, en effet, les Tolstoï incarnent le noble va-et-vient franco-russe. Le comte Serge nous le confirme : tous ses ancêtres, depuis Pierre, l'ancêtre qui accompagna Pierre le Grand en France en 1716, sont venus à Paris.

Même à l'époque de Napoléon, c'était un Tolstoï qui était ici ambassadeur d'Alexandre Ier. Combien de fois avons-nous parlé avec lui lors de nos voyages en Russie de son grand-père. Que ce soit sous les tilleuls du château d'Arkangelskoïe, devant les pièces d'eau de Tsarkoie Selo, lors de soupers au palais Chouvalov, à Saint-Pétersbourg, ou encore sur le quai de la Moïka où nous devions suivre son pas énergique contre le vent glacé de l'hiver. Mais lors de cette rencontre printanière à Paris, chez lui, rue de Chaillot, dont nous ne pouvions imaginer qu'elle serait la dernière, c'est d'Ivan Tourgueniev dont Serge Tolstoï nous a entretenu avec une subtilité sans pareille. Tourgueniev, le symbole des affinités franco-russes, Tourgueniev l'ami de Flaubert et des frères Goncourt, le maître du jeune Maupassant, qui l'incita à écrire. Tourgueniev, cette force de la nature, ce loup des steppes au sourire si tendre, cet amant puissant qui va fixer toute sa vie sur son égérie française à la voix de rossignol et aux yeux de créole, Pauline Viardot, sœur de Maria Malibran. Tourgueniev aussi qui a captivé le regard de la sœur de Tolstoï.

Français, Tourgueniev ne l'était-il pas devenu, lui qui écrivit ses meilleures pages en France — même sur sa Russie tant aimée —, et se retira pour se consacrer à son œuvre dans une datcha de Bougival, pittoresque réplique russe construite dans un paysage impressionniste des bords de Seine ? Le déjeuner de canotiers, les rivages de Chatou, la fameuse maison Fournaise, la sensualité riante de la Belle Époque, ce Russe de Paris les a profondément aimés. Il retrouvait entre les arbres et l'eau de l'Île-de-France son amour primitif de la nature. Chez lui, les arbres sont observés avec une minutie quasiment amoureuse, jusque dans leurs gestes pourrait-on dire. Suivant les saisons et le temps qu'il fait, la forêt est interprétée dans ses mille murmures, son langage le plus secret, avec une vérité merveilleuse, comme le sont les effets les plus fugaces de la lumière dans les sous-bois et les yeux de pluie ou de brouillard.

UNE ENFANCE BUCOLIQUE

Les Tourgueniev vivaient en gentilhommes campagnards dans leur propriété d'Orel, à plus de trois cents kilomètres au sud de Moscou. C'est là que naquit Ivan Serguïévitch en 1818 et qu'il grandit en toute liberté et solitude. Ce pays d'Orel, avec quel bonheur il le décrit dans ses livres. C'est encore la grande Russie mais on sent que le ciel du sud n'est pas loin. La nature du nord, jusque-là rude, y entre en contact avec celle du Midi et les gros labours sombres se changent en été en mer de froment. Le chêne apparaît et donne un aspect plus robuste aux maigres lisières de bouleaux. A l'orient, du côté d'Eletz et des sources du Don, c'est le pays des chevaux. Orel, d'ailleurs, est un centre d'élevage réputé. A l'occident, coule une jolie rivière, la Desna, sur laquelle, parmi les pins et les trembles des vieilles forêts de Tchernigov, se réfléchissent les monastères de Briansk. De loin en loin, dans les plaines cultivées apparaissent « les nids de seigneur ». Ces demeures décrites dans tous les romans russes se ressemblent toujours un peu. Le plus souvent, elles sont constituées d'un corps de bâtiments en bois ou en briques avec un perron, une tourelle à clocheton et une aile. Les murs sont blanchis à la chaux et les toits verts. Les dettes, les difficultés de l'agriculture, le patrimoine en peau de chagrin font de temps en temps apparaître des lézardes sur les façades et l'ortie sur les marches du perron. Le décor est toujours charmant, teinté de mélancolie et d'espoir, avec une allée de tilleuls et un verger qui descendent vers l'étang, toujours le même étang aux eaux mortes où, la nuit, c'est le bal des âmes disparues. La famille est là avec ses drames refoulés et ses joies subites, les fêtes folkloriques du village et les vieux serviteurs, les filles qui s'en vont, les jeunes gens qui reviennent, le nuage qui passe, rose le matin, et celui du soir au beau gris perle. Voilà pourquoi l'écrivain russe est si attaché à son nid de gentilhomme. Avec son âme errante, il court le monde. Errance et attirance, toujours il revient sur ses pas, en pensée ou en vérité, vers cet horizon monotone qui, contrairement aux apparences, recèle souvent la passion.

Tourgueniev aussi est de cette enfance. Suivant la mode d'alors, il a des précepteurs français ou allemands, êtres déracinés à la recherche d'une tendresse de passage dans une famille d'adoption et surtout dans les livres. Curieusement, le russe est méprisé en Russie et c'est en cachette, avec un vieux valet de chambre, que le petit garçon lit des vers russes. Plus tard, à l'âge des études sérieuses, Ivan Serguïévitch fréquente les écoles de Moscou et l'université de Saint-Pétersbourg. Comme beaucoup de ses contemporains, c'est en Allemagne, pays de Kant et de Hegel qu'on l'envoie achever sa formation. Déjà à Berlin, il montre ses premiers dons — éclatants — pour l'art d'écrire.

Les clefs de l'enfance et du caractère de Tourgueniev se résument à ce constat : au commencement était la mère. Une mère inquiète parce qu'elle a épousé un homme qui a dix ans de moins qu'elle. Une mère frustrée parce que ce mari est un séducteur et qui cherche des compensations pour justifier son autoritarisme.

Femme de tête, elle est parfois brutale et bat ses serfs et même ses propres enfants. Deux fils, Ivan et Nicolas, vont tenter de la fuir en restant immobiles. L'amour d'Ivan pour la nature n'est pas dicté par autre chose que cette habitude qu'il a prise de faire des fugues en rase campagne. C'est dans la nature qu'Ivan recherche les caresses qui lui manquent : « L'ardeur étouffante du soleil m'obligea à la fin à songer à préserver mes dernières forces. Je me traînai comme je pus jusqu'à l'Ista, rivière déjà connue de mes complaisants lecteurs, descendis la berge abrupte et m'en allai sur un sable jaune humide dans la direction d'une source, connue dans tous le canton sous le nom "d'eau Malinova"... Autour de la source, verdoie une herbe courte comme un tapis de velours. Les rayons du soleil n'atteignent presque jamais son onde fraîche et argentine », écrit-il dans un de ses récits. On croirait Rimbaud et son *Dormeur du val*, et la nuque baignant dans le frais cresson bleu. Repos recherché, repos éternel.

Un géant doux et sensuel

Un soir à Paris, lors de l'un de ces fameux dîners en présence de Daudet, Flaubert et les frères Goncourt, Tourgueniev revient sur ses années de jeunesse. Il confie : « J'étais tout jeunet, j'étais vierge, avec les désirs qu'on a lors de ses quinze ans. Il y avait chez ma mère une femme de chambre, jolie, ayant l'air bête, mais vous savez, il y a quelques figures où l'air bête met une grandeur. C'était par un jour humide, mou, pluvieux, un de ces jours érotiques que vient de peindre Daudet. Le crépuscule commençait à tomber. Je me promenais dans le jardin. Je vois tout à coup cette fille venir droit à moi et me prendre — j'étais son maître et là, elle, c'était une esclave — par les cheveux de la nuque en disant "Viens!" Ce qui suit est une sensation semblable à toutes les sensations que nous avons éprouvées. Mais ce doux empoignement de mes cheveux avec ce seul mot, quelquefois cela me revient, et d'y penser, cela me rend tout heureux. » Ainsi est le géant doux, doux mélange de sentimentalité et de sensualité : « Je me souviens qu'en ce temps-là, l'image d'une femme, le fantôme de l'amour, ne se dressait presque jamais dans mon esprit avec des contours bien définis. Mais dans tout ce que je pensais, dans tout ce que je ressentais, se cachait cependant un pressentiment à demi conscient et poétique de quelque chose d'inconnu, d'inexpressiblement doux et féminin. » Avec Flaubert, son ami, il va encore plus loin : « Moi, ma vie est saturée de féminité. Il n'y a ni livre ni quoi que ce soit au monde qui ait pu me tenir lieu et place de la femme. Comment exprimer cela? Je trouve qu'il n'y a que l'amour qui produise un certain épanouissement de l'être... Tenez, j'ai eu, tout jeune homme, une maîtresse, une meunière des environs de Saint-Pétersbourg, que je voyais dans mes chasses. Elle était charmante, toute blanche avec un trait dans l'œil, ce qui est assez commun chez nous. Elle ne voulait rien accepter de moi. Cependant, un jour elle me dit : "Il faut que vous me fassiez un cadeau. — Qu'est ce que vous voulez? — Rapportez-moi de Saint-Pétersbourg un savon parfumé." Je lui apporte le savon. Elle le prend, disparaît, revient les joues roses d'émotion et murmure en me tendant les mains, gentiment odorantes : "Embrassez-moi les mains comme vous embrassez dans les salons les mains des dames de Saint-Pétersbourg." Je me jetai à ses genoux, et vous savez, il n'y a pas un instant dans ma vie qui vaille celui là. »

A vingt-deux ans, Tourgueniev revient d'Allemagne et renoue avec sa bucolique passion. Il retrouve intacts les étangs, les cygnes, les vieux serviteurs, l'odeur du lin, du sarrasin comme le feuillage pâle des bouleaux, ses partitions mélancoliques. Pendant ce nouveau séjour à Spasskoïe, auprès de sa mère Varvara Petrovna qui, maintenant, câline son fils bien-aimé, il va trouver celle qui deviendra sa maîtresse. C'est une couturière de sa mère et il aura d'elle une petite fille baptisée Pélagie. Alors qu'il exprime une certaine inquiétude au sujet du traitement que va recevoir sa maîtresse, sa mère lui répond avec une curieuse indifférence : « Que tu es bizarre ! Je ne vois aucun mal, ni de ton côté, ni du sien. C'est une simple passion physique. » Il est vrai que, parallèlement, Tourgueniev vit une histoire d'amour un peu métaphysique avec une des sœurs de Bakounine, Tatiana. Cette fille de vingt-sept ans, enthousiaste et à l'esprit enflammé a pensé, en écoutant les récits d'Ivan, qu'elle avait rencontré son homme de génie. Mais Tourgueniev la déçoit. Dès qu'il a senti que l'affaire prenait une certaine ampleur, il a fait marche arrière. Tourgueniev est ainsi fait qu'en amour il reproduira toujours le même comportement : d'abord, il se découvre et déclare sa passion, puis quand celle qu'il désire répond à son désir, il s'en montre si effrayé qu'il fait aussitôt machine arrière, provoquant du même coup l'incompréhension, voire le mépris de celle qu'il repousse sans raison apparente.

C'est exactement ce qui s'est produit avec Tatiana Bakounine. La voyant conquise, il fait subitement passer leur relation du plan amoureux au plan intellectuel. Il lui écrit : « Je n'ai jamais aimé une femme plus que vous, et même vous, je ne vous aime pas entièrement et profondément. Pour vous seulement, j'aimerais être un poète, pour vous à qui mon âme est liée d'une façon inexprimable et merveilleuse. Oh! Si par un matin de printemps, nous pouvions nous promener sous une longue allée de tilleuls, si je pouvais tenir votre main dans la mienne et sentir que nos âmes se mêlent, que tout ce qui est médiocre fond pour jamais. »

Certains voient en Tourgueniev un être indécis, plutôt mou. Lui-même renonce à toute carrière avant même d'avoir commencé. Sa mère l'encourage à suivre sa pente : « Tu ne veux rien faire? Dieu te bénisse. Ne fais rien. Vis tranquillement où tu voudras, comme tu voudras... Tu aimes écrire, te promener, chasser, voyager? Qui t'en empêche? Passe l'hiver à Pétersbourg, amuse-toi, va au théâtre. Le printemps, reviens à la campagne, l'été, nous voyagerons, en automne, tu chasseras. Vis et laisse-nous vivre auprès de toi. » Varvara Petrovna se veut le guide des amours de son fils : tantôt elle tire la bride à l'excès, tantôt elle laisse partir la longe comme si elle avait affaire à un cheval fougueux. Mais son fils est un personnage placide, un séducteur languide qui prend l'habitude d'afficher sa faiblesse tout autant pour satisfaire les vœux de sa génitrice que pour laisser venir à lui des femmes dont il éveille ainsi le sentiment maternel.

Tourgueniev a tout pour plaire. De haute taille, beau, riche, très cultivé, malgré des études distraites dans trois universités, il parle cinq langues et s'est penché aussi bien sur la peinture que sur la musique. Il compte parmi ses amis les écrivains les plus célèbres de Russie ainsi que des pays étrangers où il a effectué de fréquents séjours. Beau styliste et poète dans l'âme, chantre de la nature et de l'amour, des vertus et de la misère des paysans asservis, il est vite devenu l'idole de la jeunesse intellectuelle qui s'arrache ses nouvelles, ses contes et ses romans. A l'égard de sa fille naturelle, Tourgueniev montre une tendresse touchante. Il lui donne une bonne éducation et, plus tard, l'emmènera dans ses voyages en Europe. Alors qu'il entame une nouvelle liaison avec une femme de quarante ans, sa mère se réjouit et n'hésite pas à le féliciter de son choix : « J'ai toujours souhaité pour toi l'amour d'une femme d'expérience et d'âge moyen. Ce sont de telles femmes qui élèvent la jeunesse. L'avantage est mutuel. La femme est flattée et l'homme a le bénéfice de son expérience. »

Pourtant, à côté de ses liens charnels, Ivan ne se déprend pas de son attirance pour les amours platoniques. La plupart du temps, il mène ces deux existences parallèlement, pour répondre autant aux souhaits de sa mère qu'à ses penchants naturels. Cette distinction entre la chair et l'esprit se retrouve d'ailleurs dans son œuvre délicate et tout en demi-teinte. Il y met en scène un des comportements classiques du XIXᵉ siècle qui consiste à établir une frontière entre l'étreinte folle, la chair parfumée, les rencontres de lit et l'idéal lointain, les jeunes filles pures à qui on adresse des missives élégantes et formelles. D'un côté l'amour sensuel vécu, de l'autre l'amour platonique plutôt rêvé. Une division qui marquera l'époque romantique et que des écrivains comme Barbey d'Aurevilly hisseront au rang de chef-d'œuvre allant jusqu'à parler de la « Sylphide » et de la « Catin ».

Dans les soixante pages intitulées *Assia*, c'est à la sylphide qu'Ivan dédie son talent raffiné fait de visions fugitives, de touches subtiles et de toutes les nuances aquarelles des frissons du cœur. C'est un souvenir d'étudiant en Allemagne qui revient sous sa plume. L'histoire d'un amour timide qu'il s'est à peine avoué à lui-même. Assia, jeune fille russe, enfant effarouchée retient son regard par son caractère fantasque. L'étudiant la rencontre, l'aime à son insu et, tandis qu'il hésite à la prendre au sérieux, l'enfant blessée disparaît. Double douleur. L'homme qui ne l'a comprise qu'après l'avoir perdue se lamente sur cette ombre évanouie. C'est comme un poème en prose où est mise en scène une de leurs promenades sur les rives du Rhin : « Je la regardais, toute baignée dans le clair rayon de soleil, calme et douce. Tout brillait joyeusement autour de nous, sous nos pieds et sur nos têtes, le ciel, la terre, les eaux : on eût dit que l'air même était saturé de clarté.

— Regardez, comme c'est bien ! dis-je en baissant involontairement la voix.

— Oui, c'est bien ! répondit-elle sur le même ton, sans lever les yeux vers moi. Si nous étions des oiseaux, vous et moi, comme nous volerions, comme nous glisserions !... nous nous serions noyés dans ce bleu. Mais nous ne sommes pas des oiseaux.

— Les ailes peuvent nous pousser, répliquai-je.

— Comment cela ?

— Vivez seulement, et vous le saurez. Il y a des sentiments qui nous soulèvent de terre. N'ayez pas peur, les ailes vous viendront.

— Et vous, vous en avez eu ?

— Comment vous dire ?... Il me semble que jusqu'à présent, je n'ai pas volé.

Assia se tut, pensive. Je me rapprochai d'elle. Soudain elle me demanda :

— Savez-vous valser ?

— Oui, répondis-je, assez intrigué par cette question.

— Alors, venez, venez. Je prierai mon frère de nous jouer une valse. Nous nous figurerons que nous volons, que les ailes nous sont poussées...

... Je la quittai assez tard. En repassant le Rhin, à mi-distance entre les deux rives, je demandai au passeur de laisser la barque dériver au courant. Le vieillard leva les avirons, et le fleuve royal nous emporta. Je regardais autour de moi, j'écoutais, je me souvenais; subitement, je sentis au cœur un trouble secret; je levai les yeux au ciel, mais le ciel même n'était pas tranquille; tout troué d'étoiles, il se mouvait, palpitait, frissonnait. Je me penchai sur le fleuve; là aussi, dans ces sombres et froides profondeurs, les étoiles scintillaient, tremblaient; l'agitation de la vie m'environnait, et moi-même, je me sentais de plus en plus agité. Je m'accoudai sur le rebord de la barque; le murmure du vent à mes oreilles, le clapotement sourd de l'eau sous le gouvernail, irritaient mes nerfs, les fraîches exhalaisons des flots ne parvenaient pas à les calmer; un rossignol chanta sur la rive, son chant m'accabla comme un poison délicieux. Des larmes gonflaient mes paupières, et ce n'étaient pas les larmes des vagues ivresses sans cause. Ce que je ressentais, ce n'était pas cette sensation confuse, éprouvée naguère, des aspirations infinies, quand l'âme s'élargit et vibre, quand il lui semble qu'elle va tout comprendre et tout aimer... Non! une soif de bonheur me brûlait; je n'osais pas encore l'appeler par son nom, mais le bonheur, le bonheur jusqu'à l'anéantissement, voilà ce que je voulais, voilà ce qui m'angoissait... La barque flottait toujours, le vieux passeur s'était assis et dormait, penché sur ses rames. »

Ainsi est Ivan, celui qui ne va pas jusqu'au bout. Ainsi est le géant si doux. Il ne sait pas ce qu'il désire et on ne comprend pas ce qu'il veut. Aimantées par lui dans un premier temps, follement amoureuses dans un second, les femmes se déprennent dans la douleur, la déception et la hargne. Ce fut le cas de Tatiana Bakounine, ce sera celui plus tard de la sœur de Léon Tostoï, Maria.

L'AMOUR DÉÇU DE MARIA TOLSTOÏ

Même si cette histoire se situe sur la toile de fond de son grand amour pour Pauline Viardot, puisqu'il a rencontré Maria Tolstoï après avoir fait connaissance de la cantatrice, elle est caractéristique de cette valse hésitation amoureuse que Tourgueniev a pratiquée toute sa vie. C'est sous les dorures d'octobre en 1854 que Tourgueniev rencontre Maria Nicolaévna et son mari. Il écrit à Nekrassov : « J'ai fait la connaissance des Tostoï. La femme du comte Valérian Tostoï, sœur de l'auteur d'*Enfance*, est une femme charmante, intelligente, bonne et très séduisante. J'ai appris beaucoup de détails sur son frère. Il est maintenant dans l'Armée, sans doute à Kichinev. J'ai vu son portrait : un visage laid, mais intelligent et remarquable... Maria Nicolaévna me plaît beaucoup. » Dès le lendemain dans ses lettres à ses amis Botkine et Annenkov, il ne tarit pas d'éloges sur elle : « Attrayante, intelligente, pleine de charme, de grâce, un enchantement. Je ne puis en détacher mes yeux. Dès le premier regard posé sur elle, ma raison s'obscurcit. »

Notre ami Serge Tolstoï, descendant du grand écrivain, nous a raconté comment Ivan Tourgueniev et Maria Tolstoï s'aimèrent : « Dès cette première visite, des relations très amicales s'établirent avec Maria et son mari, Valérian. Simple, bon, gentil, Tourgueniev déploya une grande séduction. Il alla à la chasse avec Valérian, devint l'habitué de la maison, cajola les trois enfants, fit des réussites ou joua aux jonchets avec Maria Nickolaïevna, lut à haute voix ses œuvres ou celles d'autres auteurs, ce qu'il faisait admirablement. Il apprécia en connaisseur le talent de pianiste de la jeune femme, mais essaya sans succès de lui faire partager son amour de la poésie : Maria n'aimait pas cette forme d'expression, qu'elle trouvait artificielle. Ce désaccord provoqua même une brouille sans lendemain, puisque Tourgueniev revint à Pokrovskoïe quinze jours plus tard, après avoir écrit une nouvelle intitulée : *Faust*, inspirée par ses relations avec Maria. Il la lui dédia et vint la lui lire sous la charmille du parc, là où il lui avait déjà lu *Eugène Onéguine*. »

On peut facilement imaginer l'impression que Tourgueniev produisit sur Maria qui n'avait que vingt-trois ans. Son mariage avec Valérian, arrangé par ses proches, datait de cinq ans. Depuis lors, elle vivait à la campagne, absorbée par ses maternités successives. Son mari, dont elle ne connaissait pas encore les frasques, avait un caractère autoritaire et violent. Mince, brune, Maria a une bouche spirituelle et de magnifiques yeux noirs. Passionnée par la musique, elle montre des dons artistiques remarquables. Elle possède l'originalité des Tolstoï et un esprit particulièrement primesautier. Dans *Enfance*, Tolstoï décrit sa sœur sous les traits de Lioubotchka : « Ce qu'il y a de beau en elle, ce sont ses yeux, et ils sont vraiment remarquables, grands, noirs, et remplis d'une expression si invinciblement attirante, de tant de sérieux et de naïveté, qu'ils ne peuvent pas ne pas retenir l'attention. Lioubotchka est simple et naturelle en tout. Elle vous regarde toujours avec franchise et, parfois, arrête sur

quelqu'un ses immenses yeux noirs pendant si longtemps, qu'on la gronde pour son impolitesse. »

Maria Nicolaévna est conquise par l'intelligence de
Tourgueniev et ce qu'il dégage de mystérieuse incertitude, elle est séduite par son charme qui réside dans le
contraste entre son physique impressionnant et son
caractère doux et indécis. Et puis Ivan, rêveur magnifique, est un conteur extraordinaire, le contraire d'un
beau parleur. Il possède une vaste culture, il est élégant
et raffiné, presque féminin, malgré sa taille athlétique.
Avec ses gestes lents et enveloppants, son visage un peu
massif éclairé par un regard limpide, il entoure les
femmes d'une platonique galanterie et d'une atmosphère délicate et respectueuse. Dans son *Faust*,
l'héroïne, Véra Nicolaévna, rappelle Maria Tolstoï :
« Elle frappait dès le premier abord par le calme étonnant de chacun de ses mouvements et de sa parole. Elle
semblait ne connaître ni l'agitation, ni l'inquiétude ;
mais répondait avec simplicité et esprit et savait écouter avec attention. L'expression de son visage était
droite et franche, comme chez une enfant, mais un peu
froide et figée. Rarement, on la voyait gaie et pas de la
même façon que les autres : la limpidité d'une âme
innocente éclairait son être tout entier. Elle était de
taille moyenne, très bien faite, un peu mince... Jamais
elle ne s'enthousiasmait pour rien, tout ce qui était
bruyant lui était étranger. Depuis son enfance, elle
ignorait le mensonge : habituée à la vérité, elle vivait en
elle. Elle ne croyait à aucune valeur établie ; il était
impossible de l'impressionner en invoquant une autorité quelconque ; elle ne discutait pas mais ne cédait
pas. » Elle l'aima plus qu'il ne l'aima, mais il ne semble
pas que leurs relations soient allées au-delà d'une amitié amoureuse, puis d'une simple amitié. Elles prirent

fin en 1859, laissant Maria désappointée et déçue, d'autant plus qu'à cette époque elle s'était séparée de ce mari aux quatre maîtresses, « ne voulant pas être la première sultane de son harem! ». Tourgueniev avait vu en lui « un genre d'Henri VIII campagnard et déplaisant ». Dans une de ses lettres à Maria — nous en connaissons une vingtaine — il lui fit part de sa ferme intention de la retrouver et du plaisir qu'il attendait de la revoir en août 1857. Mais, lorsqu'il apprit qu'elle divorçait et allait être libre, il partit pour Bologne, puis pour Rome.

On peut se demander si ce changement d'itinéraire n'était pas dû à la crainte de s'engager plus à fond avec une jeune femme au caractère entier et au tempérament passionné — celui de la plupart des Tolstoï. Vers quelles complications cette rencontre risquait-elle de le mener? Ses lettres, d'ailleurs, reflètent un désenchantement, une résignation, le constat d'une vie sentimentale ratée. « Lorsque vous m'avez connu, je rêvais de bonheur et ne voulais pas renoncer à l'espoir. Maintenant, j'ai tiré un trait : pourquoi vouloir souffler sur des cendres, alors qu'il n'y a plus de feux ? »

Il est frappant de constater que les héroïnes des romans de Tourgueniev, des jeunes filles à la féminité virginale, vivent des amours toujours platoniques : ni liaisons charnelles ni mariage. Il en fut ainsi dans la vie de l'écrivain. Même son grand amour pour Pauline Viardot, auprès de laquelle — et en compagnie du mari — il passa la plus grande partie de sa vie, ne fut, selon Serge Tolstoï, qu'un attachement platonique et sentimental.

Une amitié orageuse

Au moment où il écrit en 1852, sa première œuvre littéraire, *Enfance*, Tolstoï connaît et admire Tourgueniev, auteur déjà fameux de tant d'œuvres charmantes et d'un authentique chef-d'œuvre *Récits d'un chasseur*. Tolstoï est impressionné au point de noter dans son journal : « Qu'il est difficile d'écrire après cela. » De son côté, Tourgueniev est captivé par le talent de cet « astre littéraire » qui apparaît à l'horizon de septembre quand paraît *Enfance*, signé d'un écrivain qui a dix ans de moins que lui. Dès octobre, Tourgueniev apprend par Nicolas Nekrassov que le mystérieux L.T. est en réalité le jeune comte Tolstoï, frère de cette Maria Nicolaévna qui vit à Pokrovkoïe, propriété située à vingt-cinq kilomètres à peine du domaine familial des Tourgueniev. « Si ce jeune homme continue comme il a commencé, il ira loin » s'exclame Tourgueniev. Et d'ajouter : « C'est peut-être le successeur de Gogol. » Tolstoï et Tourgueniev se rencontrent pour la première fois à la fin de 1855. Cette entrevue se présentait sous les meilleurs auspices, grâce aux lettres enthousiastes de Maria, de son frère Nicolas, de Valérian et de tante Toinette à Léon qui combattait alors à Sébastopol, mais aussi grâce à une lettre de Tourgueniev qui, après l'avoir remercié pour la dédicace de sa nouvelle, *La Coupe en forêt*, ajoute : « Votre sœur vous a probablement écrit mon opinion plus que flatteuse sur votre talent en vous disant tout ce que j'attends de vous. Ces derniers temps, je pense souvent à vous. » Il lui suggère de donner rapidement sa démission : « La carrière militaire n'est quand même pas la vôtre. Votre destin est celui d'un écrivain, d'un artiste de la pensée et du verbe ; votre arme n'est pas l'épée, mais la plume. » Cette lettre, toute de sollicitude, exprime aussi la crainte de voir disparaître ce nouveau talent. Pouchkine et Lermontov ne sont-ils pas morts prématurément, tués en duel à trente-six et vingt-sept ans ?

A la fin de novembre 1855, Tolstoï, auréolé de gloire — *Les Récits de Sébastopol* viennent de paraître —, arrive à Saint-Pétersbourg. Il descend directement chez Tourgueniev, qui l'accueille chaleureusement et écrit à Maria qu'il trouve son frère « plus gentil, sympathique et original ». Présenté par Tourgueniev au cénacle littéraire composé des meilleurs écrivains de l'époque, Tolstoï y est accueilli à bras ouverts. On le trouve supérieur même à ses écrits. Par la suite, ces bonnes relations vont se détériorer. Il faut dire que le retour de Tolstoï à la vie civile, après de longues années passées dans l'armée, n'est pas facile. Il n'arrive pas à se retrouver parmi les nombreux courants politiques, littéraires, philosophiques qui agitent alors les milieux intellectuels russes. Il attaque les libéraux et ne fait grâce ni aux radicaux ni même aux slavophiles, qu'il tient pour dépassés. Il n'admet pas que ces gens de lettres puissent se considérer comme les maîtres à penser du peuple : selon lui, ils ne le connaissent pas et ne savent donc pas ce qu'il faut lui enseigner...

Il est vrai que ses prises de position, quoique soumises à une analyse quotidienne, changent constamment, de sorte que ce qu'il pense être vrai un jour ne l'est plus le lendemain. Mais cet intense travail de réflexion et de révision, il veut, comme toute chose, le faire seul et n'admet aucune tutelle, pas même celle de Tourgueniev. Son esprit de contestation, ses opinions excessives choquent celui-ci et provoquent sans cesse des discussions, et même des disputes parfois violentes.

Tourgueniev s'enflamme, au point d'en perdre le souffle, face aux répliques mesurées et sarcastiques de Tolstoï : « Je ne puis admettre, s'exclame ce dernier, que ce que vous venez de dire est votre conviction. Je me tiens avec un poignard et un sabre devant ma porte, et je dis que personne n'entrera dans cette pièce, c'est une conviction. Tandis que vous, vous essayez de cacher le fond de votre pensée et prétendez émettre une conviction ! — Pourquoi donc venez-vous chez nous ? s'écrie Tourgueniev avec indignation. — Je n'ai pas à vous demander la permission d'aller où je veux. D'ailleurs, mon absence ne changerait rien à vos discussions oiseuses. »

Une autre scène, relatée par l'écrivain Grigorovitch, est particulièrement savoureuse. Elle se déroule dans l'appartement de Nekrassov, rédacteur en chef de la revue à laquelle Tolstoï et Tourgueniev collaborent. Dans le feu de la discussion, la voix de Tourgueniev passe à l'aigu et devient un vrai piaillement. Puis, mettant sa main devant sa bouche et faisant des yeux de biche agonisante, il murmure : « Je n'en peux plus, j'ai une bronchite » et se met à arpenter les trois pièces de l'appartement. « Bronchite, bronchite, maugrée Tolstoï, ça ressemble à un métal. La bronchite est une maladie imaginaire. » Finalement, Tolstoï préfère aller bouder sur un divan de la pièce voisine. Grigorovitch, pour éviter une brouille définitive, lui dit : « Mon cher Tolstoï, calmez-vous. Vous ne vous doutez pas combien Tourgueniev vous aime. — Je ne lui permettrai pas, réplique Tolstoï avec irritation, en gonflant ses narines, de me contrecarrer en toutes choses. Regardez-le, c'est à dessein qu'il ne cesse de passer devant moi en agitant ses cuisses démocratiques. »

Déçu par ses confrères, Tolstoï se défoule en passant des nuits entières à bambocher avec les tsiganes ou à jouer aux cartes. « C'est ainsi tous les jours, se plaint Tourgueniev avec tristesse à leur ami commun, le poète Feth, montrant Tolstoï qui dort à poings fermés à deux heures de l'après-midi. J'ai essayé de le retenir, mais c'est peine perdue. »

Tourgueniev repart pour Paris, d'où il écrit à Tolstoï en septembre 1856 : « A part les intérêts littéraires, nous n'avons que peu de points de contact. Votre vie s'élance vers l'avenir, la mienne est construite sur le passé. Vous suivre m'est impossible, et vous ne pouvez pas me suivre non plus. Si l'un de nous doit envier l'autre, ce n'est sûrement pas vous. Nous ne serons jamais des amis suivant la conception de Rousseau, mais chacun de nous aimera l'autre, sera heureux de ses succès et, lorsque vous vous serez calmé et que le bouillonnement qui vous anime diminuera, je suis sûr qu'alors, joyeusement et librement, nous nous serrerons la main, comme le jour où je vous vis pour la première fois à Saint-Pétersbourg. Je vous aime en tant qu'homme, mais bien des choses en vous me contrarient, je me sens plus l'aise en me tenant loin de vous. Lorsque nous sommes séparés, un sentiment paternel anime mon cœur, je ressens même de la tendresse. En un mot, je vous aime. »

UNE CANTATRICE SUR UNE PEAU D'OURS

Tourgueniev pratique à l'égard des femmes, avec une aisance étonnante, des approches nuancées. Avec les paysannes, dans son nid de gentilhomme, c'est la simplicité gourmande de l'amour physique, avec les grandes dames des salons, l'éternelle valse de la séduction qui n'aboutit jamais. Il ne trouvera la satisfaction supérieure que dans une troisième figure, la cristallisation, une attitude importée par Stendhal à Moscou et confortée par la recherche d'une « Étrangère » que Balzac a mise à la mode. C'est sur ce mode-là qu'Ivan Tourgueniev va aimer Pauline Viardot.

Il a été présenté à la cantatrice le 1er novembre 1843 et cette date est devenue pour lui à ce point sacrée qu'il la célèbre chaque année. Tourgueniev marchait tête nue dans son grand manteau d'ours à Saint-Pétersbourg sur ce quai glacial où souffle toujours une brise aigre. Les canons rangés de l'autre côté du fleuve, sur le quai de la Bourse, étaient passés du noir au blanc et avaient, sous la neige, perdu de leur aspect menaçant. Il marchait dans l'hiver russe avec comme un voile de deuil posé sur son âme. Cet hiver hostile le rendait encore plus mélancolique. Qu'avait-il fait de sa vie ? Si peu. Qu'est-ce qui lui manquait le plus ? La chaleur de la demeure familiale, un matin de chasse dans l'octobre doré, le thé parfumé et brûlant d'un soir de lecture auprès d'un samovar ou les baisers volés entre deux portes à la nouvelle et fraîche servante de sa mère, âgée de dix-sept ans à peine ? Ou encore les conversations cosmopolites des grandes dames de la capitale où il excellait, lui l'avant-gardiste de toutes les modes politiques ou littéraires ? Tourgueniev ne savait plus où il en était de sa vie en se rendant ce soir-là à l'Opéra italien, depuis longtemps banni de Pétersbourg, et qui venait de rouvrir. Parmi les cantatrices, on parlait d'une Pauline Viardot, fille du fameux ténor espagnol Manuel Garcia et sœur de Maria Felicia, la célèbre Malibran, morte en 1836. Qui étaient ces Viardot qui venaient d'arriver en Russie ? Louis, destiné au barreau, s'était voué aux Lettres. Homme d'esprit cultivé et libéral, il s'était fait connaître en 1836 par une traduction de *Don Quichotte*. Deux ans plus tard, devenu directeur du Théâtre italien, il y avait engagé Pauline Garcia et l'avait épousée en 1840.

Ce fut le début d'une longue vie de tournées en Europe qui les mena en Russie, après des voyages en Italie, en Angleterre, en Belgique et en Allemagne. La Russie, le couple la découvrit avec l'hiver. Pour quelques-uns de ses contemporains, Pauline Viardot était le contraire d'une beauté mais possédait un charme incomparable. Le jour de ses fiançailles avec Louis Viardot, un peintre avait dit au futur mari : « Elle est atrocement laide mais, si je la revois, je l'aimerai. » Henri Heine, quant à lui, la comparait à un « monstrueux paysage exotique » avec ses yeux saillants, ses traits trop forts, son dos voûté. Pauline Viardot possédait par chance cet art particulier au génie féminin de métamorphoser ses défauts en attraits, adaptant au service de la grâce cette pensée que Chateaubriand avait attribuée à la force du caractère : « On domine plus par ses défauts que par ses qualités. » Son mariage avec Viardot avait été arrangé par George Sand qui avait tant d'affection et d'admiration pour la cantatrice qu'elle l'avait prise comme modèle pour son roman *Consuelo*.

Dès ses premières apparitions à l'Opéra italien de Saint-Pétersbourg, Pauline remporta un triomphe. On vit même des jeunes étudiants prendre le risque de traverser la Neva sur la glace encore fragile pour être certains d'obtenir des places et d'écouter leur nouvelle idole. Au premier jour de novembre, Ivan Tourgueniev fut présenté à Viardot. Quelle opinion a-t-elle pu se faire de ce grand garçon dont on disait qu'il était davantage un remarquable chasseur qu'un grand écrivain ?

317

Ivan avait l'obstination des placides et Pauline fut peu à peu sensible à des sentiments qu'il exprimait avec une élégante discrétion. Tourgueniev, pour la première fois, semblait se montrer constant et, bientôt, il fut admis chaque soir dans la loge de la cantatrice, après la représentation. Combien de fois la scène de cette rencontre a-t-elle été décrite avec l'aura d'un tableau préraphaélite? Pauline Viardot, parée d'un peignoir blanc, était assise à même le parquet de sa loge sur une grande peau d'ours et trônait, telle une souveraine, sur ce trophée. Le droit de s'asseoir auprès d'elle sur une des pattes de l'ours était considéré comme le plus grand honneur. L'auteur des *Récits d'un chasseur* partageait ce privilège avec les trois hommes, un comte, un général, et le fils du directeur du Théâtre impérial. Tourgueniev s'était vu désigner la patte n° 3 et la coutume étant pour chacun de ces admirateurs de raconter une histoire, on peut concevoir qu'Ivan, conteur étincelant, trouvait à cette situation beaucoup d'avantages.

Peu à peu, la passion de Tourgueniev pour Pauline fut connue dans la capitale et l'on s'amusa de la violence avec laquelle, chaque soir, le géant doux du premier rang applaudissait à tout rompre sa belle à l'opéra. Locataire d'une patte d'ours qui était devenue son adresse au pied de sa bien-aimée, Tourgueniev vécut auprès de Pauline une passion ininterrompue de quarante ans. Lors de ses derniers instants, il ne reprendra connaissance que pour lui murmurer dans un souffle : « Venez plus près... plus près. Le moment est venu de prendre congé... comme les tsars russes. » Il l'avait rencontrée dans un octobre russe, il la quittera dans le septembre français de 1883, avec ce sentiment d'inachevé qui constitue finalement la qualité des amours éternelles. L'inassouvi marié au goût de l'absolu. Tourgueniev confia un jour l'impression qu'il eut d'avoir vécu toute sa vie « au bord du nid d'un autre ».

AMOUR À DEUX ET TRIANGLE RUSSE

Mystérieux amour entre amitié et passion. Fut-ce une relation charnelle? Un lien parfaitement platonique? Encore aujourd'hui les spécialistes de Tourgueniev s'affrontent sur ce sujet que certains veulent brûlant et d'autres glacé par l'idéalisation. Seule une personne connaît la réponse à cette fascinante énigme, et c'est Ivan Tourgueniev qui la donne dans une lettre à Pauline Viardot : « Je peux vous assurer que mon sentiment pour vous est quelque chose que le monde n'a jamais connu, quelque chose qui n'a jamais existé et qui ne se répétera plus. »

La vérité est qu'Ivan donna son cœur à Pauline sans jamais le reprendre. Cette vérité mystérieuse de l'amour-amitié, il la dévoile et l'explique dans un poème en prose posthume sans doute à elle destiné : « Quand je ne serai plus, lorsque tout ce qui était en moi sera dispersé en poussière, ô toi, mon unique amie, aimée d'un amour si profond et si tendre, toi qui, j'en suis sûr, me survivras, ne viens pas sur ma tombe, où tu n'as rien à faire. Ne m'oublie pas, mais aussi bien ne cherche pas mon souvenir parmi tes tâches quotidiennes, tes plaisirs, tes soucis... Je ne veux pas gêner ta vie, entraver son paisible cours. Pourtant, aux heures de solitude, lorsque viendra sur toi, inattendue et craignant d'être importune, cette tristesse si connue des cœurs tendres, prends un de nos livres préférés, et cherches-y les pages, les lignes, les mots qui, — tu t'en souviens — faisaient au même instant monter à nos yeux des larmes douces et muettes. Lis-les, ferme les yeux, et tends-moi la main... A l'ami absent tends cette main. Je ne pourrai la presser dans la mienne : ma main, inerte, sera sous la terre. Mais aujourd'hui il m'est doux de penser qu'alors peut-être, tu sentiras une caresse légère effleurer ta main. Et tu me verras, et des larmes couleront de tes paupières closes, comme celles qu'autrefois, tous deux émus par la Beauté, nous avons versées ensemble, ô toi, mon unique amie, toi que j'aimais d'un amour si tendre et si profond. »

L'été qui suivit l'hiver de sa rencontre à Saint-Pétersbourg avec Pauline, Ivan Tourgueniev fit son premier voyage en France. Invité à rendre visite au couple, il se rendit dans la Brie en son château de Courtavenel, visite qui va s'éterniser. Ainsi commença le long parcours de ce nomade à la quête de sa belle dame sans merci. C'est là, non loin du village de Pécy, qu'il devint l'ami du mari avec lequel il partageait la même passion pour la chasse et la musique. Tourgueniev passa tout l'été dans cette campagne, à soixante kilomètres de Paris comme il l'aurait fait s'il avait été l'hôte d'un de ses compatriotes. Chez les Russes, en effet, l'invité n'avait pas de limites de temps : dans nombre de domaines, l'éloignement, le froid, les loups étaient des raisons suffisantes pour que l'hôte retienne son invité. Les conversations étaient aussi un prétexte à rester car quelle denrée plus rare à la campagne pour les soirées d'été ou les matins d'hiver qu'un causeur éblouissant à l'esprit cosmopolite, à la culture sans frontière. En Seine-et-Marne, à Rosay, Tourgueniev aimait se promener en barque dans les douves encore emplies d'eau du château, sa plume toujours posée sur le banc de l'embarcation pour écrire.

Dès l'année suivante, il multiplia les séjours chez les Viardot, pour des parties de chasse avec Louis et des soirées animées avec Pauline. En octobre 1856, Tourgueniev passa quelques semaines de grand bonheur à Courtavenel au point de pouvoir écrire à son ami le docteur Botkine : « Chaque journée paraissait être un cadeau. » Neuf mois plus tard, le 20 juillet 1857, le château de Courtavenel était en émoi : Pauline Viardot venait d'accoucher du petit Paul.

Ivan, alors en Allemagne, écrivit une lettre enthousiaste à la mère : « Hurrah ! Vive le petit Paul ! Vive sa mère ! Vive son père ! Vive toute la famille ! Et maintenant, je demande une description détaillée des traits, de la couleur des yeux du jeune homme, je veux communication des mots les plus spirituels qu'il aura déjà prononcés... Je radote un peu, mais c'est pardonnable à mon âge et à la joie que m'a causée la grande nouvelle. » Autre lettre, dans la même année, mais cette fois à son ami Paul Annenkov pour confirmer les sentiments qu'il portait à Pauline Viardot : « C'est la seule femme que j'ai jamais aimée et que j'aimerai éternellement. » Amant de cœur, admirateur de la cantatrice qui, quand elle n'était pas avec lui, se repaissait dans les journaux du récit de ses triomphes à l'étranger, Ivan préférait, dès qu'il le pouvait, la suivre partout en nomade romantique. Les voyages se succédèrent pour cette âme vagabonde, Baden Baden et ses architectures de songe, ses hauts balcons classiques, ses allées majestueuses, ses fontaines altières et son silence souverain, Londres et sa Tour sinistre gardée par les *beefaters* aux culottes bouffantes, dont les corbeaux ne peuvent pas voler car on leur a rogné les ailes, et de nouveau Paris où il s'installa au 50, rue de Douai, dans un appartement situé au-dessus de celui des Viardot. Là est resté le souvenir d'une relique, le fameux divan, réplique du *Samoson* de sa propriété de Spasskoïe sur lequel il passait le plus clair de sa vie. Aux murs, il avait accroché un paysage de Corot, mais ce qui comptait le plus c'était un profil de sa belle en bas-relief et un marbre représentant les mains de Pauline Viardot.

UNE DATCHA À BOUGIVAL

Ce n'est qu'en 1874 que Tourgueniev et les Viardot décidèrent de faire maison commune. Ensemble, ils achetèrent, à Bougival, une maison de campagne, *Les Frênes*, où ils passaient l'été. Étrangement, le contrat de vente reflétait la situation sentimentale de Tourgueniev auprès de la cantatrice. Si Pauline avait la nue-propriété, Ivan en avait l'usufruit à vie. N'en était-il pas de même de leur amour? Une fois de plus, Ivan était une personne déplacée : jamais chez lui, toujours chez les autres, comme un oiseau sans nid. Le domaine comprenait un parc de huit hectares et une villa à l'italienne qu'habitaient les Viardot et au-dessus de laquelle Ivan fit bâtir une datcha. C'était un chalet à deux étages construit dans un mélange de styles russe et suisse pour lui servir de résidence d'été. Le 20 septembre 1875, Tourgueniev s'y installait avec ses livres et ses lunettes. C'est là qu'il mit la dernière main à son dernier roman *Terres vierges* et qu'il composa la plupart de ses *Poèmes en prose* sans oublier *Le chant de l'amour triomphant* et *Après la mort*. Le soir, il lisait chaque chapitre de ses œuvres à Pauline qui comprenait parfaitement le russe.

Égérie française pour un Russe expatrié, Pauline Viardot était toute dévouée à cet écrivain vieillissant qu'était devenu Tourgueniev. L'exil mais aussi les critiques de ses pairs restés en Russie, la mélancolie, maladie viscérale des Slaves, le minaient peu à peu. Sa tristesse était encore accentuée par la froideur que, désormais privé de sa présence, le public russe lui manifestait, lui qui, naguère, l'acclamait. Ses deux romans *Père et fils* et *Fumée* avaient été accueillis avec réserve et Tourgueniev en souffrait cruellement. Même ses lecteurs les plus fidèles ne les avaient pas appréciés alors qu'aujourd'hui on s'accorde pour reconnaître qu'il s'agit d'un de ses meilleurs livres. Même traitement sans pitié pour ce diamant pur, *Relique vivante*, une brève nouvelle que Tourgueniev devait plus tard inclure dans *Récits d'un chasseur* et qui est, pour ses vrais lecteurs, à la hauteur de ses chefs-d'œuvre, *Les Chanteurs*, *Le Pré de Béjine* et *Premier Amour*. En ces temps d'épreuves, Pauline était toujours là, encourageante et admirative, tendre et compréhensive mais aussi éternellement stimulante. Et quand les ennuis de santé de Tourgueniev s'aggravèrent, elle devint une garde-malade attentionnée et vigilante.

Comme beaucoup d'autres, Tolstoï, lors de son passage à Paris, se montra scandalisé par la situation fort peu conventionnelle du curieux ménage à trois que formaient les Viardot et celui qu'il disait admirer. Il n'y alla pas par quatre chemins : tantôt il jugeait Tourgueniev « vaniteux et mesquin », tantôt il le décrivait comme « lourd et ennuyeux » et, quand il le reconnaissait aimable et même agréable, c'était pour ajouter qu'il était « bon et faible terriblement ». Il l'accusait encore « de ne croire en rien, de ne pas savoir aimer mais seulement d'aimer l'amour » et, condamnation suprême « ... de n'avoir jamais aimé personne ». Enfin, coup de grâce, il dit d'Ivan qu'il était un homme « mauvais par sa froideur et son inutilité ». En vérité, il attaqua l'attachement sentimental qui selon lui ruinait sa vie : « Le pauvre Tourgueniev est très malade physiquement et encore plus moralement. Sa malheureuse liaison avec madame Viardot et sa fille le retiennent ici, dans un climat qui lui est pernicieux et il fait pitié à voir. » Pourtant, Tolstoï laissa échapper un bouleversant « Je n'aurais jamais cru qu'il pût aimer ainsi ».

Les rumeurs hostiles et les ragots sans cesse recommencés ne venaient pas seulement de Paris et du mauvais esprit de la société médisante des gens de lettres, elles provenaient également des profondeurs du passé russe de l'écrivain et atteignaient sa vie intime. La fille naturelle de Tourgueniev avait été élevée en France chez les Viardot et ne parlait presque pas le russe. Cela indignait les amis russes de l'écrivain et notamment le comte Tolstoï qui, entendant Tourgueniev vanter d'une façon peut-être excessive les bienfaits de cette éducation plutôt cosmopolite, passa de l'impatience à la colère. La scène fut des plus rudes. Alors qu'il entendait Ivan Tourgueniev dire : « Maintenant, mon Anglaise exige qu'elle prenne les vêtements déchirés de ses pauvres, les reprise et les raccommode elle-même », Tolstoï se fâcha : « Et vous trouvez ça bien ? » Ivan lui répondit tranquillement : « Bien entendu, parce que cette façon d'agir permet de toucher du doigt la véritable misère. » Tolstoï ne se contint plus : « Et moi, je considère qu'une jeune fille bien vêtue qui tient sur ses genoux des haillons sales et malodorants joue une scène fausse et théâtrale. » « Je vous prie de ne pas me parler ainsi », s'écria Tourgueniev. Réplique de Tolstoï : « Pourquoi ne dirais-je pas ce que je pense ? » Fet, leur ami commun, grand poète russe, tenta de s'interposer, mais il n'en eut pas le temps. Tourgueniev, pâle de fureur, s'était dressé et criait à Tolstoï : « Si vous continuez ainsi, vous recevrez mon poing sur la gueule ! » Et il quitta la pièce. Comme nous l'a raconté Serge Tolstoï, c'est de très peu que le duel fut évité. Deux lettres d'excuses y suffirent à peine. Tolstoï avait exigé un « duel pour de bon » et Tourgueniev, qui avait été traité de poltron, avait accepté malgré sa répugnance pour ce genre de règlement de comptes.

La brouille, cette fois, dura dix-sept ans, mais les deux écrivains continuèrent de s'intéresser à leurs vies respectives, ainsi qu'à leurs œuvres littéraires. Elle prit fin sur l'initiative de Tolstoï qui, le 6 août 1878, envoya à Tourgueniev la lettre suivante : « Ces temps derniers, me remémorant mes relations avec vous, j'ai ressenti, à mon étonnement et à ma joie, que je n'avais aucune inimitié envers vous. En effet, connaissant votre bonté, je suis presque sûr que votre hostilité à mon égard a disparu bien avant la mienne. Si c'est ainsi, donnons-nous la main. Pardonnez-moi alors, je vous prie, d'une façon définitive tout ce dont j'ai été coupable envers vous. Il est bien naturel de ne me souvenir de vous qu'en bien, parce que vous m'en avez fait beaucoup. Je me souviens que je vous suis redevable de ma notoriété littéraire ; je me souviens également que vous m'avez aimé, ainsi que mes écrits. Peut-être, vous aussi, retrouverez-vous les mêmes souvenirs se rapportant à moi, car il fut un temps où je vous ai aimé sincèrement. Si vous pouvez me pardonner, je vous offre sincèrement toute l'amitié dont je suis capable. A nos âges, il n'existe plus qu'un seul bien — les relations d'amour entre les hommes — et je serais heureux qu'elles puissent se rétablir. »

Très heureux de cette lettre, Tourgueniev promit à Tolstoï de venir le voir l'été suivant à Iasnaïa Poliana. Il y arriva le 6 août. Les retrouvailles des deux écrivains furent aussi chaleureuses que joyeuses. Ils évitèrent, cependant, d'aborder les sujets sérieux qui auraient pu porter à discorde. Tolstoï fit part à ses amis de cette visite : « Tourgueniev est pareil à lui-même et nous connaissons maintenant le degré possible de notre rapprochement... » Et dans une lettre à Strakhov : « Tourgueniev est revenu encore une fois, aimable, gentil, brillant, mais (entre nous, je vous prie) un peu pareil à une fontaine dont l'eau ne jaillit pas de source : une fois tarie, on craint qu'il n'en reste plus. »

A cette époque, l'atmosphère de Iasnaïa Poliana était particulièrement heureuse. Les nombreux enfants Tolstoï, leurs cousins et amis se donnaient complètement à la joie de vivre. Tolstoï et Tourgueniev, tout au plaisir de leur amitié retrouvée, allaient chasser la bécasse des bois, jouaient aux échecs. Ils furent même surpris un matin à sauter sur une planche posée sur un billot pour se projeter alternativement en l'air, leurs barbes et leurs boucles argentées volant au vent. Tourgueniev fit connaître Maupassant à Tolstoï et lui donna *La Maison Tellier*. Tolstoï aima tellement cet auteur que, quelques années plus tard, il dicta à sa fille la traduction d'*Une vie*, publiée dans le *Sovremennik*. Le soir, dans la grande salle aux fenêtres ouvertes sur le parc, on écoutait la voix admirable de Jania Berhs, belle-sœur de Tolstoï, la Natacha de *Guerre et Paix*, qui, accompagnée au piano par Serge, le fils aîné de l'écrivain, chantait des romances qui émouvaient petits et grands. Puis on dansait. Tourgueniev lui-même, pour la joie de tous, esquissa des pas de cancan. Un soir, il proposa à chacun de ces jeunes de raconter la minute la plus heureuse de sa vie.

Tourgueniev, le premier, conta l'histoire d'une de ses amours. Au début, il souffrait, torturé par le doute et la jalousie, jusqu'au jour où il lut dans le regard de sa bien-aimée tant d'amour que sa souffrance disparut aussitôt. Toute sa vie, il n'oublia jamais ce regard. « Cette minute, dit-il, fut le moment le plus heureux de mon existence. »

« Un aimable barbare »

Tourgueniev, plongé dans la vie parisienne, y fut comme un poisson dans l'eau. Il y trouva cadre de vie, amis sincères, conversations profondes, communauté d'âmes, voluptés de la table, fraternité artistique et convivialité gastronomique. Dans le Paris de l'impressionnisme et sur les rives moussues de la Seine à Bougival, Tourgueniev entrait dans ces tableaux avec le plus grand naturel. Il lui suffisait de monter chez Flaubert au quatrième étage du numéro 4 de la rue Murillo pour tomber sur cette fraternité indestructible où le Russe retrouvait ses vrais compagnons. C'est là que, le 2 mars 1872, Tourgueniev dîna avec Théophile Gautier et Edmond de Goncourt, lequel nota dans son journal : « Tourgueniev, le doux géant, l'aimable barbare avec ses cheveux blancs lui tombant dans les yeux, le pli profond qui creuse son front d'une tempe à l'autre, pareil à un sillon de charrue, nous charme dès la soupe par ce mélange de naïveté et de finesse — la séduction de la race slave, relevée chez lui par l'originalité d'un esprit supérieur, par un savoir immense et cosmopolite. Il nous parle du mois de prison qu'il a subi après la publication des *Mémoires d'un chasseur*. » Tourgueniev les enchante tous. Alphonse Daudet raconte même comment Ivan traduisait à livre ouvert les poèmes de Goethe : « Le parc Monceau nous envoyait ses cris d'enfants, son clair soleil, la fraîcheur de ses verdures arrosées et nous quatre, Goncourt, Zola, Flaubert et moi, émus de cette improvisation grandiose, nous écoutions le génie traduit par le génie. »

L'affection de Flaubert pour Maupassant était touchante. « Mon petit père, lui écrivait-il, il est convenu que vous déjeuniez chez moi tous les dimanches de cet hiver. Donc, à dimanche et à vous. » Le jeune Maupassant eut bien de la chance : non seulement il eut pour parrain en littérature l'auteur de *Madame Bovary*, mais encore il fit, chez lui, connaissance de Tourgueniev qui joua pour lui le rôle de l'oncle russe. Entre l'excellent fusil des *Récits d'un chasseur* et le tireur d'élite des *Contes de la Bécasse*, il n'était pas étonnant que naisse une vraie complicité. Tourgueniev saura conseiller Maupassant au point que ce dernier reconnaissant lui dédia « avec affection » son recueil, *La Maison Tellier*. Et le dimanche, c'était l'appartement de Flaubert, rue Murillo, que Maupassant traversait nonchalamment sans se douter qu'un jour son buste s'y dresserait. Comme nous le contait, lors d'un déjeuner mémorable dans le restaurant de la Maison Fournaise, sur l'Île de Chatou, notre ami Armand Lanoux, feu le secrétaire général de l'Académie Goncourt, lui-même abonné au charme slave avec son épouse Catherine, c'est chez Flaubert que Guy de Maupassant rencontra le sévère monsieur Taine, Alphonse Daudet, frêle et déjà douloureux sous sa causticité méridionale, Émile Zola toujours sous pression, et Tourgueniev. « Le Moscove », Flaubert *dixit*, « entre dans le salon avec une désinvolture que lui envie le canotier d'Argenteuil, c'est un géant à tête d'argent, comme on dirait dans un conte de fées, de longs cheveux blancs, de gros sourcils blancs et une grande barbe blanche ».

Ces repas entre garçons dans l'atmosphère à la fois

délurée et gourmande du « déjeuner des canotiers » sont l'occasion de conversations fort lestes entre ces hommes tous amoureux des femmes. Une lettre du dimanche 21 mars adressée par Gustave Flaubert à Maupassant nous en donne la teneur. Ce jour-là, le grand écrivain normand ne peut recevoir le jeune Guy. Il lui écrit en hâte : « Lubrique auteur, obscène jeune homme, ne venez pas déjeuner dimanche chez moi (je vous en dirai la raison), mais venez, si vous ne canotez pas, vers deux heures. C'est mon dernier dimanche et Tourgueniev nous a promis de nous traduire enfin *le Satyre* du père Goethe. » Fraternité virile, plaisanteries de régiments, langage dru des Goncourt, banquets impressionnistes et parties de canotages, aucun de ces plaisirs n'était caché par le Russe à son égérie française. Le soir à Bougival, il lui contait ses journées, la subtilité de ses amitiés, les bonheurs de son parrainage littéraire, avec la même fougue et la même admiration qu'aux premiers jours, lorsqu'il était assis sur la troisième patte de l'ours. Rajeuni par cette chaleureuse complicité avec les plus grandes plumes françaises, Ivan imagine un nouveau projet de livre et tient à en parler à la douce Pauline ainsi qu'à sa fille qui le regarde toujours avec un air ébloui et tendrement soumis. Il s'agit d'un roman consacré à la différence entre les Russes et les Français : « Une jeune fille russe, qui a accepté les idées des nihilistes, quitte son pays et s'installe à Paris. Elle rencontre et épouse un jeune socialiste français. Pendant un certain temps, tout va bien dans ce ménage. Ils sont unis par la haine commune des lois et des cérémonies. Puis, la jeune femme rencontre un de ses compatriotes qui lui dit ce que font les socialistes russes dans leur véritable pays. Elle reconnaît alors que le but, les idées et les sentiments des révolutionnaires russes n'ont aucun rapport avec ceux des socialistes allemands ou français, et qu'un grand abîme la sépare du mari avec lequel elle croyait être en si parfait accord. »

Ce dernier projet était celui d'un géant encore debout que guettait une fin prochaine. Abattu par la maladie, Ivan pensait aux jours heureux avec Pauline, avec Viardot, à leur fille. Il se souvenait de tout ce qu'il avait fait pour que les affinités électives entre la France et la Russie fussent encore plus fortes. Il se remémorait comment, huit ans auparavant, il avait corrigé le manuscrit de Jules Verne, *Michel Strogoff* — *De Moscou à Irkoutsk*, soumis par son éditeur Jules Hertzel qui était un voisin de Bougival. Il n'oubliait pas non plus comment il avait transmis à Tolstoï son enthousiasme pour ce roman d'aventures, ni comment il avait arrangé, pour Hertzel et Jules Verne, une entrevue avec l'ambassadeur de Russie, Nicolas Orlov.

Au milieu de ses souffrances « permanentes et insupportables » comme il l'écrivait à son ami le poète Polonski, il sourit soudain, avec une mélancolique indulgence, d'une cicatrice du cœur, blessure ancienne qui remontait à sa conscience, en ces derniers jours. C'était il y a plus de vingt ans. A l'époque, il avait reproché à Pauline d'avoir adressé au compositeur Charles Gounod des lettres qui ne laissaient guère de doute sur ses relations avec cet heureux rival qui, un temps, l'avait emporté dans le cœur de la cantatrice. Tout cela était si loin tandis qu'il fallait lutter contre la mort. Tout à coup, Tourgueniev se sentit baigné dans l'azur. Il venait d'avaler une cuillère de ce médicament répugnant quand il eut une vision merveilleuse dont il fit un de ses ultimes poèmes en prose : « Ce ciel bleu, ces nuages légers flocons, le parfum de ces fleurs, le timbre d'une douce et jeune voix, la rayonnante beauté des chefs-d'œuvre de l'Art, un sourire de bonheur sur un charmant visage de femme, et ces yeux enchanteurs... à quoi bon, à quoi bon tout cela? » Il appela Mme Viardot près de son lit et elle ne le quitta plus. Avec des larmes dans les yeux, il lui demanda d'écrire sous sa dictée. Écrire, il voulait encore écrire et vivre. Sur son lit d'agonie, il lui confia : « Je voudrais écrire une histoire que j'ai dans la tête. Cela me fatiguerait trop. Je ne pourrai pas. » Elle le consola et lui sourit : « Dictez-la-moi, dit-elle. Je n'écris pas vite en russe, mais si vous êtes patient, je pourrai y arriver. — Non, non, dit-il. Si je dicte en russe, je m'arrêterai à chaque mot, à chaque phrase, pour choisir mon expression et je me sens pas capable d'un tel effort. Non, ce que je voudrais faire est de vous dicter l'histoire dans toutes les langues que nous savons, vous et moi, en me servant des expressions qui me viendront le plus facilement. »

Ainsi fut dit et ainsi fut fait. C'était l'histoire d'un noble russe. Et elle s'appelait *Une fin*.. Mais au premier étage du chalet de Bougival, dans cette étrange datcha peinte comme un reflet russe au milieu d'une toile impressionniste, la douleur se fit insurmontable. Tourgueniev subissait la torture d'une maladie épouvantable, un cancer de la moelle épinière. Cinq jours avant son dernier souffle, une visite de gratitude et d'affection, celle de Maupassant, le consola un peu. A celui qu'il regardait toujours comme le jeune Guy, Ivan Tourgueniev dit : « Donnez-moi un revolver, ils ne veulent pas me donner un revolver, ici. Si vous me donnez un revolver, vous serez mon ami... »

Plus tard, il perdit connaissance. Et quand il ouvrit une dernière fois les yeux, ce fut pour chercher Pauline. Elle était là, penchée sur lui. Alors, il prononça cette dernière phrase, inoubliable, inoubliée : « Voici la Reine des Reines. Que de bien elle a fait ! »

MAUPASSANT, LE RÊVE IMPOSSIBLE D'UNE MUSE IMMACULÉE

Beauté grecque et pose romaine, coiffure d'impératrice et mains jointes, bras de statue et regard qui fixe l'objectif du photographe Viollet, telle apparaît en cette fin de XIXᵉ siècle une jeune fille fatale à elle-même, fatale au monde et parée du charme fatal des pages de son journal impudique et génial, Marie Bashkirtseff.

Russe née en 1858 à Poltava dans une famille bohème et cosmopolite, Marie, personnage entre la comtesse de Ségur et Tchekhov, aimera follement Maupassant. Tel un météore, elle apparaît et s'éteint après une brève existence. Dès quatorze ans, elle écrit un Journal qui s'achèvera au terme de sa vie exaltée et lucide de poitrinaire. Cinq cents cahiers d'une écriture narcissique, le roman grandiose d'une existence déçue où elle montre un insolent amour d'elle-même.

C'est une jeune fille au clair visage mais aux arcades sourcilières sombres, beauté russe, qui écrit dans son Journal avec l'orgueil étonné de l'adolescence découvrant sa splendeur : « Je ne pense qu'au mois de mai, quand je ferai mon entrée à Nice, quand j'irai sur la promenade des Anglais, le matin, sans chapeau, avec mes chiens. »

Elle arrive à Nice à douze ans pour séjourner chez sa richissime tante. Le soleil de la Riviera tape sur sa petite tête d'enfant. Et elle mène son manège de séduction boucles au vent sous un chapeau de paille dans un petit équipage tiré par des poneys blancs. Sa vie brève, c'est la Riviera française : Very Nice !

Le Nice des plaisirs immobiles où la promenade est un spectacle dans une société qui attend l'imprévisible avec une politesse toute prête. Le Nice de la migration mondaine où, lorsque les déjeuners ne durent pas trop longtemps, les convives se retrouvent après une promenade digestive sous les palmiers dans les salons de thé à la mode, Vogade ou Rumpelmayer. Théodore de Banville, Nietzsche, Apollinaire, Maupassant, y passent inaperçus parmi les princes russes fracassants et les Anglaises provocantes. Ils captent dans l'air doré, au milieu des fouets des omnibus et des sifflets des tramways, des secrets étonnés. Pourquoi la littérature puise-t-elle tant d'inspiration dans la villégiature ? C'est que les instants intermédiaires sont souvent l'occasion de rendez-vous décisifs. Rêver à loisir ou mourir de plaisir. Souffrir sans le dire ou survivre sans maudire. Jean Lorrain ainsi prenait le temps de remarquer que les belles brunes de Nice sous les reflets des parasols paraissaient rousses. Détail sans doute mais aussi indication cinématographique sur la lumière et ses jeux. La reine Victoria adore un âne méditerranéen qui mourra noblement tel un fier coursier au château de Windsor ; l'impératrice de Russie est sur la route de la basse corniche, elle va voir à Villefranche la flotte russe où

Rimski Korsakov est marin. Le théâtre, les fêtes, les bals, les assassinats, les vols de bijoux, les suicides d'amour, les irrégulières et les escrocs mondains qui parlent si bien du temps qu'il fait, tout cela n'a pas plus d'importance qu'un homme qui meurt de chagrin ayant perdu sa fille après avoir donné dans son domaine de Valrose des fêtes inoubliables. Nice, c'est le temps brisé, le passé fracassé, le présent écumé et le futur foudroyant.

Marie séjournait chez sa tante. Celle-ci richissime avait acheté la villa Acquaviva à laquelle elle avait donné son nom et qui devint la villa Romanov. Une plaque au 51 de la promenade des Anglais célèbre le souvenir de cette jeune fille que Maurice Barrès surnommait « Notre Dame jamais satisfaite ». Que demeura-t-il de ce roman d'amour infini, de la nostalgie que ressuscita si bien le livre de Paul Augier *Quand les grands ducs valsaient à Nice*? La mer d'abord avec sa caresse patiente sur la Côte d'Azur et puis une phrase de Lénine, émerveillée et cruelle à la fois, inconsciente et forte, semblable à ces actes qu'on commet soi-même sans tout à fait jamais les comprendre : « C'est splendide ici : le soleil, un air sec et chaud, la mer du Midi... »

« Je suis née le 11 novembre 1859, c'est épouvantable rien que de l'écrire », note Marie Bashkirtseff dans la préface de son Journal qui, après sa mort, hanta les tables de nuit des jeunes filles et même la chambre du président Mitterrand à l'Élysée. Ces mots, elle les trace sur la page blanche en 1884. Elle n'a alors, affirme-t-elle, que vingt-cinq ans. C'est la fin de la jeunesse, elle n'a triché que d'un an mais pour elle quelle blessure, quelle offense : vieillir, c'est mourir. Elle le sait dans sa chair. La phtisie l'emporte avant l'aurore de 1885.

Quel journal que le sien, peuplé d'aveux altiers, de mépris cinglant, de snobisme cruel, de sincérité absolue, de visions aiguës du monde, de folie de soi-même, entrecoupés d'éclairs de méfiance, brutaux et soudain à l'égard de sa propre personne. Elle est malade, elle se sait condamnée, elle peut tout écrire, elle n'a rien à perdre. Sa plume vivace court contre le temps, mais la trace que laisse l'encre de son amertume est profonde. Jeune et nerveuse comme son écriture, belle et rebelle, Marie Bashkirtseff partage son cœur entre le désir de plaire et un égotisme forcené. Elle rêve de briller comme un diamant fin de siècle, toujours à l'heure aux rendez-vous de la nostalgie : Paris, Nice, Kiev, Rome, Naples et Bade. Elle veut tout faire, peindre, chanter, et surtout tomber amoureuse d'hommes célèbres.

LA GLOIRE À VINGT ANS

Marie Bashkirtseff est aussi russe et fatale. Quand, dans son journal, elle raconte ses racines, ce sont des portraits vifs, brefs, drôles, sans pitié. Ainsi de son grand-père : « Il a acheté une magnifique terre près de Poltava. Il l'a achetée très bon marché à des gens ruinés. Il a montré beaucoup d'avarice et peu de générosité. C'est humain. » Humain ? Quel drôle de mot dans sa jolie bouche. Plus loin, c'est son oncle qui a droit à ses commentaires. Comme il a épousé une fille de quinze ans couverte de rentes, Marie, d'un trait de plume, cravache d'un étrange compliment l'image de ce curieux mariage : « Cela a fait un couple excessivement rapace, cupide, heureux. » Heureux ? Et elle, veut-elle être heureuse? Elle répond à cette question dans un hommage amoureux à la France, dès son arrivée au Grand Hôtel le 29 août 1875. Elle écrit à sa mère : « J'ai respiré pour la première fois en revoyant la France. Je me porte à ravir, je me sens belle, il me semble que tout me réussira : tout me sourit et je suis heureuse, heureuse, heureuse! » Elle aime cette France, romanesque, voluptueuse, capricieuse, spirituelle et qui à ses yeux lui ressemble. La France, c'est aussi le terme de son parcours, le but atteint enfin après l'épuisant nomadisme social de sa famille qu'elle juge déclassée et arriviste. A Paris, elle pourra enfin s'adonner à sa passion, la peinture, et suivra des cours dans l'atelier de Rodolphe Juliant, Passage du Panorama, de 1877 à 1882. Sa toile, *La question du Divorce*, sera même admise au Salon de 1880. Elle a vingt ans et déjà son talent est reconnu.

Orgueil et complexes, vérités et mensonges se succèdent dans ses confidences chaotiques : « A quoi bon mentir et poser. Oui, il est évident que j'ai le désir sinon l'espoir de rester sur cette terre par quelque moyen que ce soit. Si je ne meurs pas jeune, j'espère rester comme une grande artiste, mais si je meurs jeune, je veux laisser publier mon journal, qui ne peut pas être autre chose qu'intéressant. » Elle se proclame absolument sincère et ajoute : « Je me crois trop admirable pour me censurer. » Après sa mort, sa mère fut moins indulgente : sous prétexte de pudeur et par un abus de piété, elle altéra gravement le Journal de Marie et ridiculisa la mémoire de sa fille en organisant des thés sur sa tombe au cimetière de Passy, pour célébrer son génie.

Marie raconte sa vie comme des *Malheurs de Sophie* qui auraient échappé à l'enfance. Chez son grand-père paternel, un général de petite noblesse, dur

337

et même féroce, qui a épousé « une jeune fille que l'on disait fille naturelle d'un très grand seigneur », elle raconte les malheurs de ses parents séparés, la faute de sa mère née Babanine d'origine tatare et issue d'une vieille noblesse de province qui a quitté son père. Cette mère trop voyante, qui se pousse dans la société avec un abus agaçant va même attirer l'attention de l'empereur, en Crimée, à Yalta. Alexandre II ne lui parle qu'un quart d'heure mais il est plutôt charmé, « mais bientôt il en eut assez d'elle car elle était tout le temps sur son passage », note sans émotion Marie qui, même pour sa mère, est sans indulgence. Son oncle le plus riche devient fou. On le soigne et sa famille hérite. C'est le temps des voyages. C'est Vienne, Baden Baden, Genève, Nice enfin et sa promenade des Anglais peuplée d'hommes élégants.

Durant ces errances, les manques apparaissent : « C'est à Bade que j'ai compris le monde et l'élégance et que je fus torturée de vanité. Il y avait, près du casino, des groupes d'enfants, je distinguai tout de suite le groupe chic et je rêvai d'en faire partie. Une petite fille qui s'appelait Berthe vint me parler. J'en fus si heureuse que je dis des bêtises et que tout le groupe se moqua outrageusement de moi. » Cette Berthe est anglaise et elle tient le haut du pavé à Bade. Elle constitue une humiliation pour Marie la fière, Marie l'humiliée : « Elle était liée avec tous les enfants des familles aristocratiques qui connaissaient sa famille à elle. Les miens ne connaissaient personne et se vautraient de roulette en trente et quarante. » Exilée, expatriée, désirant s'intégrer, elle exprime cette peur proustienne d'être rejetée et crie l'injustice de n'être pas reconnue, d'être l'enfant de parents déclassés. Elle veut une éclatante revanche, ce sera la peinture, ce sera la littérature ou peut-être, plus éblouissant encore, un grand mariage qui effacera la tache originelle. D'abord, elle a rêvé de devenir duchesse en se déclarant amoureuse du duc de Hamilton. Puis, elle jette son dévolu sur un Italien de moins bonne souche mais de belle apparence et neveu d'un cardinal de la Curie. Enfin, à Paris, c'est le publiciste bonapartiste Paul de Cassagnac qu'elle entreprend jusqu'à le faire fuir. Cela se passe toujours de la même façon : dans ses songes, elle se croit fiancée, l'homme élu ne le sait pas, elle ne lui dit rien, elle s'exalte en secret et puis, d'un seul coup, elle lui dit tout et il s'enfuit. Alors, elle préfère revenir à son destin et à l'amour par les plaisirs de l'art : « Il me semble que personne n'aime autant tout que moi : arts, musique, peinture, livres, monde, robes, luxe, bruit, calme, rire, tristesse, mélancolie, blague, amour, froid, soleil... Les plaines calmes de Russie, et les montagnes autour de Naples... Je voudrai tout voir, tout avoir, tout embrasser, me confondre avec tout et mourir puisqu'il le faut... Mourir avec extase pour expérimenter ce dernier mystère, cette fin de tout ou ce commencement divin. »

C'est dans cet état d'esprit qu'elle en appelle aux grands de la littérature. Elle se fait elle-même avocate de son propre journal intime, folle de ses propres pages comme si elle faisait l'apologie du *Journal d'un fou* de Nicolas Gogol : « C'est très intéressant comme document humain, demandez à monsieur Zola et même à monsieur de Goncourt et même à Maupassant. »

Où en est ce Maupassant que nous avons quitté au chevet de Tourgueniev ? Il s'est illustré dans le monde des Lettres et a attaché à la gloire de ses romans la réputation grandissante d'un séducteur affamé sur lequel Flaubert porte ce jugement laconique : « Trop de putains, trop de canotage. » Maupassant est contraint de se défendre lui-même de n'être pas jugé suffisamment romantique : « J'enseigne, tout bas, à d'autres belles dames que je rencontre chez madame Brainne les arcanes de la lubricité et je me déconsidère dans leur cœur parce qu'elles ne me trouvent pas assez à genoux ».

L'HOMME QUI FAIT RÊVER LES FEMMES

Guy de Maupassant a contracté dans la datcha de Bougival le virus russe. Il va le retrouver chez Marie Kann, belle femme d'origine petite russienne et « d'une noblesse quasi orientale » qui reçoit dans son salon Paul Bourget, Edmond Rostand et le peintre Bonnat. Née Warshawska, Marie Kann vit avec sa sœur dans l'hôtel du maréchal de Villars, 118 rue de Grenelle. Aux rives légitimistes du traditionnel boulevard Saint-Germain, elle apporte avec son salon la tête de pont d'un monde plus amusant et plus mélangé et l'on croise chez elle aussi bien le comte Prémoli, Joseph Reinach, Mme de Forceville que le spirituel abbé Mugnier. Goncourt est fasciné par cette beauté étrange et lui consacre une page qui nous la montre à l'époque où Maupassant, tel un véritable *Bel Ami*, part à la conquête des salons :
« Lundi 7 décembre 1885. Dîner chez Mme Marie Kann. Trois domestiques échelonnés sur l'escalier, la hauteur des portes à deux battants, l'immensité des appartements, la succession des salons aux murs de soie vous disent que vous êtes dans un logis de la banque israélite [...]. Sur un canapé est nonchalamment assise madame Kann, avec ses grands yeux cernés, tout pleins de langueur des brunes, son teint de rose thé, son noir grain de beauté sur une pommette, sa

bouche aux retroussis moqueurs, son décolletage à la blancheur d'une gorge de lymphatique, ses gestes paresseux, brisés et dans lesquels monte, par moments, une fièvre. Cette femme a un charme à la fois mourant et ironique tout à fait singulier et auquel se mêle la séduction particulière des Russes : la perversité intellectuelle des yeux et le gazouillement ingénu de la voix [...]. Cependant, si j'étais encore jeune, encore en quête d'amours, je ne voudrais d'elle que sa coquetterie : il me semblerait que si elle se donnait à moi, je boirais sur ses lèvres un peu de mort [...]. La conversation, je ne sais comment, est allée à Palerme et de ses catacombes, à la Morgue et à ses noyés, et Maupassant, qui dîne avec moi, parle longuement de ses repêchages en Seine et de son goût pour les macchabées du fleuve parisien, à cause des laideurs originales qu'ils revêtent. Il s'étend, appuie sur la bouillie, le papier mâché, la dégoûtation de ces cadavres, avec la préméditation — c'est très sensible — d'agir sur la cervelle des jeunes femmes qui sont là et d'y caser sa personne de narrateur, qui fait peur, dans un coin de cauchemar. »

Ce soir-là, Marie Kann commence à regarder Maupassant en rêvant. Elle ne peut s'empêcher, « sourieuse, épeurée et adorablement crevarde », de comparer le puissant taureau normand à son frêle et actuel amant. Cette attirance étrange est réciproque. De cette nébuleuse de *L'Ame Étrangère*, le texte de Maupassant publié par la *Revue de Paris*, émerge un cosmopolitisme teinté de slavisme, tout à fait dans le ton de l'époque. Dans *L'Ame étrangère*, écrira Paul Bourget, « Maupassant voulait montrer ce qu'il y a de douloureusement irréductible dans le conflit des races — deux êtres précipités l'un vers l'autre par toutes les frénésies de la passion, s'étreignant, se désirant, s'aimant — et toujours présente entre eux, toujours vivante, cette force implacable de l'hérédité qui veut [...] qu'un malentendu invincible sépare toujours un homme et une femme venus de deux extrémités du monde historique et physiologique... »

Depuis *Fort comme la Mort*, Maupassant exprime un pessimisme et un nihilisme au parfum oriental face à la raison française. Est-ce une autre des raisons de la fascination animale qu'il exerce sur les femmes avec sa sensualité flamboyante mêlée à son obsession de la mort ? Il a des airs de débardeur, d'homme à bonnes fortunes, de mâle en chasse et chez lui, rue de Montchanin, il reçoit une fournée de comtesses enflant sa poitrine velue sous le plastron mondain. Tout se mêle en lui, l'obsession du sexe, la fascination noire du fantastique et l'écriture couchée dans la vie réelle. En bon élève de Tourgueniev, il mêle dans ses pages la terre, la semence et la sueur. Ne confie-t-il pas lui-même dans *La Peur* : « Personne plus que le grand romancier russe ne sut faire passer dans l'âme ce frisson de l'inconnu voilé [...] Avec lui, on la sent bien, la peur vague de l'Invisible, la peur de l'inconnu qui est derrière le mur [...] Il n'entre point hardiment dans le surnaturel, comme Edgar Poe ou Hoffmann ; il raconte des histoires simples où se mêle seulement quelque chose d'un peu vague et d'un peu troublant... »

Maupassant est devenu un tel archétype d'amant que Jean Lorrain avec sa plume acerbe en fait la caricature dans *Très Russe* où le personnage de Mauriat — qui n'est autre que lui-même — s'y montre amoureux d'une belle Russe « à la fois perverse et sensuelle jusqu'à la démence ». Entre en scène un Maupassant qu'on ne peut pas ne pas reconnaître sous le pseudonyme plutôt transparent de « Beaufrilan ». Lorrain, à

travers Mauriat, s'avoue jaloux de lui « jaloux de ses
biceps travaillés aux haltères trois heures chaque matin
pour épater les femmes, jaloux de ses chapeaux à coiffe
de satin, ciel blasonné à ses armes, un véritable homme
de lettres, estampillé pour Paris, la province et l'étranger ». Ainsi est Maupassant dont les femmes rêvent,
partagé entre toutes ses passions.

Un amour imaginaire sur la Côte d'Azur

Sortant des bras de Marie Kann, sa Marie noire, il
voit venir vers lui un ange immaculé, sa Marie blanche,
Marie Bashkirtseff. C'est durant cette année fatidique
de 1884 que la jeune femme, qui n'a plus que six mois à
vivre, le contacte par lettre. Tous deux sont menacés
par la maladie et si l'homme à femmes qui se débat
contre le tréponème ne le sait pas, il ignore aussi que,
derrière les lettres fiévreuses qu'il reçoit, la partenaire
qui se propose n'est autre qu'une jeune fille phtisique.
Marie note avec un humour noir : « Oui, je suis poitrinaire et ça marche. » Mais à la provocation de l'esprit,
succède le découragement : « Je n'ai pas d'amie, je
n'aime personne et personne ne m'aime. » Et suit une
évaluation très juste de son état : « Un commencement
de talent et une maladie mortelle. » La petite personne
diaphane qui se regardait mourir veut léguer son Journal à un écrivain. Elle a pensé à Maupassant afin qu'il
devienne son exécuteur testamentaire. Entre cette
Lolita de Saint-Pétersbourg, incendiaire de l'esprit et
des sens, digne d'un roman de Nabokov, aussi mytho-
mane que créatrice de mythe, et Guy de Maupassant,
force de la nature en maillot marin qui rame sur les
eaux de la Seine et ne rêve que d'embarquer sur son

bateau *Le Bel-Ami*, le courant pouvait-il passer ? La lettre charmante qu'il lui adresse nous met sur la voie :

« Mademoiselle,

Tous les détails que vous me demandez sur moi sont bien faciles à vous donner et votre lettre est si amusante et originale que je ne résiste pas au plaisir de le faire.

Voici d'abord mon portrait exécuté l'année dernière à Nice. Mon âge, quarante et un ans, puisque vous me dites le vôtre, bien loin du mien ! Pour les autres parties de votre curiosité, elles sont aussi à la portée de vos yeux.

Je serai revenu à Cannes, où je passerai l'hiver, dans le chalet de l'Isère, route de Grasse, d'ici huit jours.

Mon yacht, *le Bel-Ami*, m'attend dans le port d'Antibes.

Je mets à vos pieds, mademoiselle, mes sentiments étonnés et séduits. »

Sous le ciel de la Côte d'Azur, le mystère entre eux reste entier. Lui croit ne l'avoir jamais rencontrée. Elle raconte son roman imaginaire comme un mentir vrai. Échanges troublants, baisers légers, étreintes volées, rêves en suspens ? Il est des faits troublants, et là, encore, la colonie russe de la Riviera française est porteuse de légendes. Alors que Maupassant écrit à une Russe de Cimiez, après la mort de Marie : « Depuis, sans que je l'ai connue, sa mère m'a fait savoir qu'elle avait encore plusieurs lettres de Marie qui m'étaient destinées. Je n'ai jamais voulu en prendre connaissance, malgré les sollicitations dont j'ai été poursuivi », selon Pierre Borel, Guy aurait bel et bien rencontré Marie chez elle à Nice, 65 promenade des Anglais.

La scène est ravissante, tout à fait à son image.

Dans le grand jardin planté de palmiers géants, Marie est étendue sur une chaise longue dans l'ombre des pins parasols et dans le parfum de l'eucalyptus. Elle lit, rêveuse, près de la fontaine. C'est le crissement d'un pas sur le sable fin de l'allée qui lui fait lever la tête. Il est là et elle le reconnaît immédiatement. C'est lui le Maupassant de ses songes... En rentrant à Cannes, Guy lâche cette confidence à un ami proche : « Vous savez que je considère mon amitié pour mademoiselle Bashkirtseff comme sérieuse. »

Le parfum tenace de l'eucalyptus, l'air penché des pins parasols, le murmure intriguant des pas de Maupassant sur le gravier de la villa de la promenade des Anglais feront partie des souvenirs de Marie, retirée à Paris dans son hôtel particulier de la rue Ampère, sur la plaine Monceau. Au deuxième étage, elle poursuit sa tâche suprême : l'écriture de son journal. Ce journal qui lui donnera une célébrité posthume qu'elle avait appelée de tous ses vœux, elle l'achèvera le 20 octobre 1884 par ces mots : « Depuis deux jours, mon lit est au salon du rez-de-chaussée, mais comme il est très grand, et divisé par des paravents des poufs et le piano, on ne m'aperçoit pas. Il m'est trop difficile de monter l'escalier. » C'est dans ce salon qu'elle va rendre l'esprit, minée par la tuberculose, dix jours plus tard à l'âge de vingt-six ans, le 6 novembre 1884. Un cortège tout blanc, cercueil, fleurs, chevaux, comme pour une enfant, conduit sa dépouille à l'église russe de la rue Daru : les icônes étincelant dans leur dorure, le diacre lit la litanie et la ferveur est immense dans la lueur des cierges. Quand le chant de la prière s'élève dans l'assistance, l'on en vit certains tomber à genoux et sangloter de chagrin. La Sainte Russie était venue quérir l'âme de celle qui avait écrit : « Je suis encore à l'âge où l'on trouve de l'ivresse même à mourir. »

Si vous voulez rendre hommage à l'ombre blanche de Marie Bashkirtseff, portez-lui quelques lys au cimetière de Passy. De l'esplanade du Trocadéro, on peut voir le sommet d'une chapelle surmontée d'une grande croix orthodoxe renfermant sa tombe. Au-dessus de la liste de ses œuvres gravée sur le mur extérieur de la chapelle, on peut lire ces vers d'André Thieuret :

« O Marie, ô lys blanc, ô radieuse beauté,
Ton être entier n'a pas sombré dans la nuit noire,
Ton esprit est vivant, vivante est ta mémoire,
Et l'immortel parfum de la fleur est resté. »

MILLE ANS D'AMOUR,
CENT ANS D'ALLIANCE

Dans le va-et-vient plusieurs fois séculaire entre la France et la Russie, tout commence par les femmes. C'est d'abord Anne de Kiev, fille de Iaroslav le Sage, que le troisième capétien, Henri Ier de France, épouse à Reims en 1054. Au XVIIIe siècle, les rendez-vous entre les deux pays sont les uns manqués, les autres réussis. Manqué quand échoue le projet de mariage entre Louis XV et Elisabeth Petrovna, la future Elisabeth Ire. Réussi avec la Grande Catherine qui recherche l'amitié de Diderot et Voltaire. Second mariage raté — et de quel renversement d'alliances il aurait été le couronnement! — celui qui aurait réuni Napoléon à la sœur du tsar Alexandre Ier. Napoléon avait fait demander par Talleyrand, à Erfurt, la main de la grande-duchesse Maria Pavlona qui ne demandait pas mieux, par esprit de défi, que de monter dans le lit de l'Ogre. Le bel Alexandre ne l'entendait pas de cette oreille, mais ne voulait pas non plus vexer ce redoutable et virtuel beau-frère. Aussi par une stratégie subtile, destinée à respec-

347

ter tous les impératifs de la diplomatie, on fit devant cette proposition de mariage française d'abord la sourde oreille à Saint-Pétersbourg, puis on maria rapidement la grande-duchesse au duc de Saxe-Weimar pour offrir une issue honorable à « l'usurpateur » que l'on voulait encore ménager.

A l'époque romantique, c'est la littérature et une succession de coups de foudre réciproques qui assurent une brillante continuité à ce lien ancien.

Tout a commencé avec l'entrée dans Paris des cosaques qui provoquèrent tant de curiosité en campant sur les Champs-Élysées en 1814. La petite aquarelle d'un auteur resté inconnu a retenu notre attention au musée Carnavalet. Elle présente une simple scène d'adieu entre un officier russe et une jeune Parisienne. Les deux jeunes gens cachent leurs visages pour ne pas montrer cet amour franco-russe qui constitue encore un interdit avant d'inspirer, grâce aux égéries françaises et aux égéries des neiges, un siècle de relation romantique. Dès l'armistice signé le 30 mars 1814 entre les troupes françaises et russes, on assiste à des scènes charmantes dont l'une nous est rapportée par un officier du tsar, le baron Lowenstern : « Dans l'après-midi du 31, arrivé à l'entrée des Champs-Élysées, Alexandre Ier sort du chemin pour faire défiler devant lui les troupes qui le suivent. Toute la population de Paris était accourue pour voir ce beau spectacle. Les Françaises, très curieuses et très courageuses, se rapprochèrent bientôt de nous... Une de ces dames, fort bien mise et très jolie, ne pouvant voir l'Empereur, je lui proposai de se mettre devant moi à cheval, ce qu'elle accepta de suite, et pendant tout le temps de la parade, elle se tint cramponnée devant moi sur mon cheval. D'autres réclamèrent la même faveur auprès de mes voisins et voilà, tout à coup, une dizaine de femmes à cheval. L'Empereur le remarqua en souriant et le fit observer au roi de Prusse. » Plus tard, vers cinq heures du soir après la revue, le tsar se rend à pied à travers la foule jusqu'à l'hôtel de Talleyrand. Les cosaques, qui bivouaquent sur la partie nord des Champs-Élysées, retiennent l'attention de la comtesse de Boigne : « Ils n'avaient ni tentes, ni abri d'aucune espèce ; trois ou quatre chevaux étaient attachés à chaque arbre et leurs cavaliers assis près d'eux, à terre, causaient ensemble d'une voix très douce aux accents harmonieux... Ils se laissaient approcher très facilement, surtout par les femmes et les enfants. De temps en temps, ils s'amusaient à faire une espèce de grognement ; les curieuses reculaient épouvantées. Alors, ils faisaient des éclats de rire auxquels prenaient part celles qu'ils avaient alarmées. »

L'époque romantique offre la magnifique parade de l'amour franco-russe au comble de sa création littéraire. Léon Tolstoï déambule sous les arcades de la rue de Rivoli, fleurant bon le parfum des femmes françaises tandis que Nicolas Gogol, venu visiter Mme Smirnov, née Rossette, sur la Riviera française, remonte à Paris où — chose incroyable pour lui — il achève le plus russe des romans, *Les Ames mortes*, sa haute fenêtre grande ouverte sur la place Vendôme. A Paris s'est installée toute une colonie russe dont Tourgueniev est le pivot. Il traduit Dostoïevski et Tolstoï, tandis que Mérimée fait connaître Pouchkine au public français. Théophile Gautier et Alexandre Dumas rapportent leurs impressions pittoresques de ce pays mystérieux. Jules Verne écrit *Michel Strogoff*.

Enfin, on n'arrêterait pas de dénombrer les aristocrates et les artistes qui prennent le train des grands-ducs de Saint-Pétersbourg à Menton. Depuis qu'au milieu du XIXe siècle, l'impératrice Alexandra Feodorovna a choisi la Côte d'Azur en s'installant à Nice et depuis que Villefranche-sur-Mer a accueilli la marine russe, on ne compte plus les célébrités russes qui s'y succèdent. Anton Tchekov vient y soigner sa tuberculose car les médecins de l'époque conseillent formellement à leurs patients le climat du sud de la France. Voilà peut-être pourquoi Stravinski aussi y achèvera la musique des *Noces* en 1923. A Monte-Carlo, l'influence artistique russe est sensible, ce que la Principauté reconnaît avec honneur et éclat quand, en 1892, sur la recommandation culturelle du tsar, Albert Ier fait nommer Raoul Gunsbourg directeur de l'Opéra construit sur la mer par Charles Garnier. Plus tard, dans les années 20, après la première émigration russe, on pourra dénombrer six mille familles russes sur la Côte d'Azur. Richesse, luxe, misère, souvenir, orgueil, exil, pauvreté, fierté, tant de mots pour définir ces émigrés qui inspirèrent tant de romans et les nouvelles étincelantes d'Ivan Bounine.

Après tant d'années où la Côte d'Azur, de Cannes à Nice, de Menton à Monte Carlo, fut la destination la plus prisée des Russes avides de soleil, l'on dirait aujourd'hui que quatre-vingts ans d'absence sont soudain effacés comme si était ressuscité, sous l'éclat factice de la fête, ce temps où les grands-ducs valsaient à Nice et où les princes fracassaient sur les colonnes de marbre des palaces des magnums de champagne en signe de désespoir, de folie ou de faste. Les Russes de la fin du XXe siècle redécouvrent la douceur parfumée des soirs de Saint-Jean-Cap-Ferrat, de Villefranche-sur-Mer et de la promenade des Anglais. Les Français, eux, se donnent à nouveau rendez-vous à Moscou et à Saint-Pétersbourg.

Quelles amours, quelles histoires vont faire naître ces retrouvailles ? Quelles égéries modernes sont en train de bouleverser le cœur des uns, de chavirer l'âme des autres ? Des chefs-d'œuvre, assurément, naissent, dans le secret de ces rencontres. Et quand le temps aura fait son œuvre, quand les élans amoureux les plus discrets seront apparus en pleine lumière, chacun pourra voir que les Maria Bashkirtseff, les Sophie Ros-topchine, les Eva Hanska et même les ardentes filles du Caucase ont fait des émules dignes d'elles dans la Russie ressuscitée.

Au moment où l'été offre chaque année l'émerveillement des nuits blanches, prenez le train des égéries, le train des étreintes entre Moscou et Saint-Pétersbourg. Il s'appelle *La Flèche rouge*. On vous y sert le thé dans un samovar brûlant. Et tandis que vos paupières sont closes, défile devant la vitre la beauté des campagnes et des lacs nappés par la nuit. Au petit matin, vous serez dans le rêve retrouvé de Saint-Pétersbourg.

Voici la flèche de l'amirauté, la forteresse Pierre-et-Paul, le pont Anickov, avec ses quatre statues équestres. Voici le canal Catherine où Alexandre II fut assassiné après cinq tentatives. Voici Notre-Dame de Kazan, et la perspective Nevski qui a retrouvé son nom après s'être appelée avenue de l'Octobre-Rouge. Voici le palais d'Hiver au bord de la Neva, sur le golfe de Finlande, où la ville a surgi en 1703 pour devenir capitale en 1712. Des sphinx égyptiens de couleur ocre regardent impassibles le fleuve jaune. Grandeur et splendeur, la mer est pailletée d'or et Pétrograd offre l'embrasement de son coucher de soleil avec ses couleurs qu'on reconnaît à l'architecte italien, Rastrelli, venu à l'âge de douze ans,

351

avec son père sculpteur à Saint-Pétersbourg : vert amande, rose tendre, bleu ciel, jaune jonquille.

Ici un petit canal digne de Venise, là le palais de marbre construit par Rinaldi pour le prince Orlov et l'église à bulbes de Saint-Sauveur. Partout Saint-Pétersbourg murmure le nom d'Alexandre Pouchkine. Le français était presque sa langue maternelle : il le parlait à la perfection, comme il s'exprimait aussi en allemand, en anglais, en italien et en espagnol. Mais c'est lui qui a donné son génie propre à la langue russe. Dans son cabinet de travail, quatre mille volumes en quatorze langues, sa table, ses derniers articles, son coffret, sa plume et aussi un sabre rappelant la bataille contre les Turcs. Voici ses trois cannes de dandy de la Neva et sa pendule de poète. Elle s'est arrêtée à l'heure de sa mort : trois heures moins le quart. Car comme le dit le proverbe russe : « Même la gloire du fleuve s'achève à la mer. »

De la datcha russe à la datcha de Touraine,
Peredelkino-Chanceaux, 1991-1996.

Remerciements

Au moment où ce livre paraît, cent ans exactement se sont écoulés depuis la visite officielle de Nicolas II en France, accueilli par le président Félix Faure à Cherbourg. Le tsar, venu à Paris, accompagné de l'impératrice Alexandra Fiodorovna descend les Champs-Élysées le 6 octobre 1896 sous les acclamations françaises et inaugure le pont Alexandre III. Aujourd'hui restauré il a retrouvé la fraîcheur de ses couleurs originelles pour célébrer la commémoration de l'alliance franco-russe. Que cet ouvrage participe à la résurrection de l'amitié entre la France et la Russie, tel est notre vœu. En cette année 1996, tournons tout d'abord nos yeux vers ceux qui ne sont plus et qui nous ont encouragés au premier jour dans l'écriture de ce livre : le comte Serge Tolstoï, qui nous a ouvert ses archives familiales, qui nous a comblés de ses avis et de ses conseils, Armand Lanoux, de l'Académie Goncourt, qui avait épousé une Russe, et dont la connaissance de l'œuvre et de la psychologie de Maupassant nous a apporté une contribution essentielle, sans oublier le Grand-Duc Vladimir de Russie que nous avons accompagné lors de son émouvant retour à Saint-Pétersbourg et qui nous a tant apporté sur l'histoire de ses ancêtres Romanov, tsars de toutes les Russies. Nous voudrions aussi exprimer notre gratitude à Maurice Druon, Secrétaire Perpétuel de l'Académie française, l'écrivain français actuellement le plus lu en Russie, à Henri Troyat de l'Académie française dont l'œuvre nous a donné de si nombreuses lumières sur la relation franco-russe à l'époque romantique, ainsi qu'à Michel Tournier, de l'Académie Goncourt qui apporte son regard singulier sur les relations de la comtesse de Ségur et de son fils. Nous aurons une pensée particulière pour ceux qui durant ces quinze ans de rencontre et de recherche et ces cinq ans d'écriture sont devenus nos correspondants, que ce soit au Musée historique d'État de la ville de Moscou, aux Archives de politique étrangère russe, au Musée d'État de l'histoire de la ville de Saint-Pétersbourg, à l'Institut de Littérature russe, à l'Académie des Sciences de Russie, à la bibliothèque Pouchkine, au Musée Mémorial Littéraire F.M. Dostoïevski, au Musée russe, au Musée d'État de l'art théâtral et musical, à l'Université Lomossov, au Musée du Théâtre Marinski, comme au Musée Pouchkine, ou à la galerie Tretiakov. Nous tenons aussi à remercier les associations dont la qualité des archives a permis de présenter des personnages connus sous des angles nouveaux et dont la profondeur des études a révélé des liens littéraires encore insoupçonnés entre la France et la Russie. Ce fut le cas notamment de l'association des amis d'Alfred de Vigny, brillamment animée par sa secrétaire générale Christiane Lefranc, de l'association des amis d'Alexandre Dumas comme de celle des amis d'Ivan Tourgueniev, Pauline Viardot, et Maria Malibran ou encore de la Société des amis de Balzac. A propos de l'épisode des Décembristes, comment ne pas citer Paulette et Max

Remerciements

Heilbronn dont l'essai consacré à la princesse Troubetzkoï comporte tant de richesses inconnues. Et en ce qui concerne l'œuvre et la vie de Balzac, comment ne pas saluer le travail de Paul Métadier, Conservateur du musée de Saché, et mécène de la littérature dont la connaissance de la vie de Balzac en Russie est égale à celle qu'il a su montrer dans son essai consacré aux racines de l'auteur de la *Comédie humaine* en Touraine. L'accueil qui nous a été réservé dans les plus anciennes familles de Russie et de France et l'ouverture à cette occasion d'archives privées ont constitué un encouragement considérable au perfectionnement de notre téméraire entreprise. Que soient ici salués notamment les descendants de la famille Troubetzkoï, de la famille Chouvalov et de la famille Murat ainsi que le prince Wolkonski, le prince Cherémétieff, le prince Mourousi et le marquis de Ségur. Nous n'oublierons pas les hasards heureux de la Touraine qui nous ont donné de rencontrer dans le Lochois à L'Auberge de la Belle Époque à Chanceaux les descendants de Katia Dolgorouki au moment même où nous écrivions le chapitre consacré au dernier amour d'Alexandre II. Nous aurons une pensée particulière pour le jeune Jacques Chirac qui, bien avant de devenir président de la République, fut l'auteur d'une traduction, malheureusement peu connue, d'*Eugène Onéguine*. Nous ne pouvons citer tous ceux qui, pour un épisode ou un autre, ont apporté ces précisions essentielles ou ces détails piquants qui constituent les bonheurs des historiens en action. Nous n'aurions pu mener ce livre à bien sans l'aide de nombreux spécialistes ou d'érudits remarquables que nous avons rencontrés en France et en Russie durant ces longs voyages qui nous ont conduits du Caucase au Berry sur les sites mêmes où nos écrivains préférés avaient précédé nos pas. Nous tenons à remercier aussi nos éditeurs Isabelle Laffont et Jean-François Colosimo ainsi que Jacques Baudouin qui nous ont accompagnés dans la réalisation de ce projet avec amitié et efficacité.

Table des matières

Impression réalisée sur CAMERON
par BRODARD ET TAUPIN
La Flèche
en août 1996

Dépôt légal : septembre 1996
N° d'édition : 96129 – N° d'impression : 6224Q-5

Imprimé en France